Kate Furnivall

Als de bougainville bloeit

VAN HOLKEMA & WARENDORF

ISBN 978-90-225-7218-4
ISBN 978-94-023-0268-4 (e-boek)
NUR 302

Oorspronkelijke titel: *The Far Side of the Sun*
Vertaling: Annet Mons
Omslagontwerp: Wil Immink Design
Omslagbeeld: Thinkstock
Zetwerk: ZetSpiegel, Best

© 2014 Kate Furnivall
© 2014 Nederlandstalige uitgave: Van Holkema & Warendorf, onderdeel van
samenwerkende uitgeverijen Meulenhoff Boekerij
Oorspronkelijke uitgave: Sphere, an imprint of Little, Brown Book Group

Voor April,
met veel liefs

1

Dodie

Nassau, Bahama-eilanden, 1943

'Help me…'
De woorden klonken vaag op uit de duisternis, ijl en gewichtloos, haast zonder de zwoele warmte van de nachtlucht te verstoren. In de onverlichte straat in een achterbuurt van Nassau bleef Dodie Wyatt staan, met gespannen zenuwen.

'Wie is daar?' riep ze.

Een zachte kreun. Een gesmoorde vloek. Geritsel van iets wat bewoog. Toen werd het weer stil in het donker.

'Wie is daar?' riep ze opnieuw, deze keer luider.

Stilte. Het was het soort intense stilte dat slechts na middernacht bestaat. De geur van de oceaan trok over de Bahama's en liet een zilte adem achter op de stranden en in de vochtige hoeken van de stad. Dodie wist dat ze, als ze ook maar over een greintje gezond verstand beschikte, rechtstreeks naar het andere eind van de straat moest lopen, maar dat broze 'Help me…' had haar gegrepen. Ze liep naar de plek waar het gekreun had geklonken.

'Zeg iets,' drong Dodie aan, terwijl haar ogen de inktzwarte omgeving afspeurden. Haar stem klonk belachelijk kalm. 'Het is te donker om je te kunnen zien. Waar ben je?'

Er kwam geen antwoord. Haar hart begon te bonzen.

Ze was op weg naar huis na haar late dienst in het Arcadia Hotel, waar ze als serveerster werkte. Haar voeten deden pijn, het soort pijn dat ze niet langer kon negeren na twaalf uur achtereen op de been te zijn geweest, en het enige wat ze nog wilde was in bed kruipen om te slapen. Maar nu vroeg een vreemdeling haar om hulp.

'Ik zal je helpen,' zei ze, niet meer zo kalm als eerst, terwijl ze dichter naar de muur toe liep. 'Maar laat me eerst weten waar je bent.'

Toen greep een hand haar enkel beet.

De wind blies bij vlagen de straat in, waardoor ergens een luik rammelde en een hond op een binnenplaats blafte, en zelfs op dit uur van de nacht was de meegevoerde lucht warm en vervuld van de geuren van tropische bloemen. De wind was net voldoende om de wolken wat uiteen te drijven, zodat het maanlicht in de smalle ruimte tussen de huizen viel en Dodie vaag de gestalte aan haar voeten kon ontwaren. Een grote man lag als een lappenpop tegen de muur onderuitgezakt, met zijn benen languit voor zich in het zand. Dodie zag een hoofd met een wilde bos bruin haar en een lichtgrijs pak dat gekreukeld en gevlekt was. Zijn ene hand tastte schokkerig over de grond, op zoek naar de enkel die ze haastig had teruggetrokken, maar zijn andere hand lag tegen zijn witte overhemd gedrukt. Dat zag er niet meer zo wit uit door een zwarte vlek die zich van onder zijn handpalm verspreidde. Dodie aarzelde even. Ze besefte dat als ze naast de man neerknielde ze in moeilijkheden zou raken. Ze was opgegroeid met problemen en kon die op vijftig meter afstand al ruiken, reden waarom ze die altijd had vermeden vanaf het eerste moment dat ze naar de Bahama's was gekomen, toen ze pas zestien was en niet meer verstand bezat dan een kolibrie.

'Alsjeblieft?' fluisterde hij.

Ze liet zich op haar knieën zakken. 'U bent gewond.'

'Help me... te gaan staan.'

Dodie pakte zijn vrije hand, en zijn vingers klampten zich aan haar hand vast.

'U bent gewond, u moet stil blijven liggen. Beweeg niet. Er moet een ambulance voor u komen.'

Hij stak zijn kin omhoog en keek naar haar op, met een huid die zilverachtig en bloedeloos leek in het maanlicht. Zijn ogen lagen diep weggezonken in zijn hoofd en maakten haar nerveus, maar zijn mond bewoog, hoewel er geen geluid uit kwam. Zijn leeftijd viel moeilijk te schatten, misschien ergens in de veertig, maar het was te donker om zeker te kunnen zijn.

'Probeer niet te praten,' zei ze zacht. 'Een eindje terug staat een telefooncel aan de hoofdweg, dus ik zal snel...'

'Niet doen.'

'Maar u hebt een dokter nodig.'

'Geen ambulance.' De woorden kwamen er in stukjes uit. 'Geen dokters.'

'Maar u hebt hulp nodig.'

Ze staarden allebei naar de hand die tegen zijn witte overhemd gedrukt lag, vlak boven zijn broeksband, naar de zwarte vlek die nu de grootte van een etensbord had, met dunne vegen die als tentakels over zijn borst liepen. Hij keek naar haar omhoog en haalde moeizaam adem. Zwijgend schudde hij zijn hoofd.

Dodie aarzelde niet langer, ze stond snel op. 'Beweeg niet. U moet naar het ziekenhuis, dus ik ga naar de telefooncel om een...'

Zijn hand greep haar enkel weer vast. 'Nee.'

'Ja.'

'Nee!'

Dit woord hield haar tegen. Ze hurkte opnieuw naast hem neer en tilde zijn hand op. De hand was koud en klam, als een van de padden die 's nachts onder haar hutje scholen. 'Ik heet Dodie,' zei ze zacht. 'Hoe heet u?'

'Morrell.'

'Nou, meneer Morrell, we weten allebei dat u naar het ziekenhuis moet. U bloedt vreselijk. Waarom zou ik geen ambulance mogen bellen, of op zijn minst een dokter?'

Hij zuchtte, en het leek wel of bij elke moeizame ademtocht het leven uit hem weg stroomde. 'Ze zullen me vermoorden,' mompelde hij.

'Wat?'

Zijn stem klonk droog en uitgeput en ze constateerde dat hij het lijzige Amerikaanse accent had van iemand uit het diepe Zuiden, misschien uit Alabama of Tennessee. 'Degene die me met een mes heeft gestoken' – ze zag hoe zijn ogen in zijn hoofd ronddraaiden, zodat het wit ervan oplichtte in het maanlicht – 'zal in het ziekenhuis zijn. Om me te zoeken.'

'Waarom zouden ze u zoeken?'

'Om hun karwei af te maken.' Hij haalde zwaar adem, en ze rook een walm van rum.

'Hebt u gevochten?'

'Zoiets, ja.'

9

'We moeten u snel verbinden.'

Hij gromde instemmend, maar zijn kin begon langzaam naar zijn borst te zakken. Het was op dat punt dat Dodie overwoog weg te lopen. Terug naar haar rustige bestaan waar niets de eentonigheid van haar werk in het hotel en haar wandelingen over het gladde, witte strand verstoorde. Ze wist dat ze meneer Morrell maar beter hier achter kon laten. *Ze zullen me vermoorden,* had hij gezegd. En haar ook? Zouden ze haar ook vermoorden? Een eenzame jonge vrouw zou voor hen geen punt zijn. Haar hand ging onwillekeurig naar het kwetsbare deel van haar eigen lichaam, naar de zachte plek vlak onder haar ribben, en bleef daar met gespreide vingers beschermend liggen. Toen begon de gewonde man zijdelings langs de muur weg te glijden en Dodie schoof snel haar handen onder zijn oksels om hem overeind te houden, maar het gewicht was zwaarder dan ze had gedacht.

'Kom, meneer Morrell. Tijd om overeind te komen.'

Zijn hoofd ging omhoog.

'Ik zal u helpen,' beloofde ze.

De zwarte holten van zijn ogen werden lang op haar gericht en ze kon zijn achterdocht over haar huid voelen kruipen, maar hij knikte. 'Ja.'

Het zou pijnlijk zijn, dat beseften ze beiden. Ze boog zich over hem heen en schoof zijn voeten naar hem toe, zodat zijn knieën gebogen waren. Ze sloeg haar armen om zijn borst, kruiste haar vingers op zijn rug en hees hem toen stukje bij beetje overeind. Hij schreeuwde niet. Hij kreunde niet. Maar zijn ademhaling werd luidruchtig, bijna een grom, en toen hij rechtop stond, wankelend ondanks haar steun, dacht ze dat hij zou bezwijken.

Ze vorderden akelig langzaam. Soms bleven ze zo lang stilstaan dat Dodie bang was dat het hart van de man ook stil was blijven staan, maar nee, juist wanneer ze dacht dat hij het wilde opgeven, begon hij opnieuw – linkervoet, rechtervoet. Zijn arm rond haar schouders was gespierd, niet aan hulpeloosheid gewend, en zijn vingers grepen haar vest krampachtig vast.

Geen van beiden zei iets. Hun stappen waren traag en moeizaam. Er gingen allerlei angsten door Dodies hoofd, en elk geluid in de duisternis, elke beweging in het donker, bezorgde haar koude rillingen. Ze probeerde wanhopig te bedenken wat ze moest doen, waar ze hem naartoe moest brengen, hoe ze hem het beste hiervandaan kon krijgen. Daarom loodste ze hem, toen ze het eind van de weg hadden bereikt, een schemerig en smerig straatje in. Aan weerszijden ervan waren opslagplaatsen die zo'n sterke zeelucht verspreidden dat de geur van bloed uit Dodies neusgaten werd verdreven, maar op dit uur zou er vast niemand zijn.

Waarom, meneer Morrell? Waarom is er iemand die u zó haat dat hij u met een mes in uw buik steekt?

Ze huiverde. Ze luisterde met bonzend hart of er voetstappen achter hen klonken, maar toen ze nerveus over haar schouder keek, was er niets te zien. Tijdens het lopen mompelde Morrell af en toe iets, kleine, onsamenhangende geluiden van hem aan haar, met sussende klanken van haar bij wijze van antwoord, als een kort gesprek zonder woorden.

Ze verstevigde haar greep om zijn middel en lette goed op waar hij zijn voeten neerzette. Hij droeg mooie witte instappers die opvielen in het donker.

'Het is nu niet ver meer,' zei ze tegen hem.

Net als de schoenen nam Dodie één stap tegelijk. Haar instinct vertelde haar dat ze hem moest verbergen, een plek moest zoeken waar hij veilig zou zijn. Dus nam ze een weinig gebruikt pad dat in de richting van het strand liep, weg van de huizen en de vage neonlichten van een enkele bar die nog laat open was, waar mensen misschien naar hem zochten. Het leek een eeuwigheid te duren om daar te komen, maar ten slotte bereikten ze het punt dat ze in gedachten had, een zijpaadje dat door een dichte rij kokospalmen langs de kust liep. Ze blies een zucht van opluchting de warme, vochtige lucht in.

'Gaat het nog, meneer Morrell?'

'Het gaat,' gromde hij.

Dit werd zijn dood. Hij zei het niet, maar ze wist dat het waar was. Dit werd zijn dood. Ze kon zo niet doorgaan.

'Dit is wel genoeg,' verklaarde ze.

Met bonzend hart liep ze met hem naar een van de palmbomen die schots en scheef over het pad hingen, met een stam die als een slanke zwarte streep tegen het fluweel van de nachtelijke hemel afstak, en daar bleef ze staan.

'Ga zitten.'

Hij hoefde zich dat geen twee keer te laten zeggen. Zijn knieën knikten en hij zakte pardoes in elkaar. Ze zette hem zorgvuldig rechtop tegen de stam, controleerde of hij nog steeds ademde, en hoopte dat hij niet om zou vallen.

'U bent hier veilig,' verzekerde ze hem.

Er volgde een stilte, een moment waarin geen van beiden ademhaalde, waarin ze haar woorden allebei wilden geloven, voor hij met uitvoerige zuidelijke hoffelijkheid antwoordde: 'Dank u vriendelijk voor uw hulp, mevrouw.'

'Ik laat u nu alleen.'

Hij knikte moeizaam. 'Tot ziens.'

'Maak u geen zorgen, ik kom terug.'

Ze trok haar vest uit en knoopte dit strak om zijn middel. Hij verspreidde nu een andere lucht, niet alleen maar van bloed of rum, het was de lucht van iets akeligs. Het was de zure stank van angst, die uit het diepst van zijn ingewanden oprees. Ze herkende die omdat ze hem ooit bij zichzelf had geroken, die dag dat haar vader de uitgestrekte turkooiskleurige wateren bij een Bahamaans strand was ingelopen en had gezegd: 'Wacht jij hier, poppedein. Ik ga terugzwemmen naar Engeland.'

In de eenzame duisternis onder de palmbomen voelde Dodie een steek van medelijden met deze gewonde vreemdeling, en ze sloeg haar armen om hem heen terwijl boven hun hoofd de palmbladeren ritselden in de zilte bries die vanaf de oceaan het land kwam verkennen.

'Vertrouw me,' fluisterde ze in zijn oor.

'Je hoeft echt niet te liegen. Je hebt me tot hier geholpen, en daar ben ik dankbaar voor.'

Ze schudde haar hoofd. 'Ik ga alleen maar iets van vervoer voor u zoeken, meneer Morrell. U kunt echt niet verder lopen.' Ze ging op haar hielen zitten en klopte hem verlegen op de schouder, zich ervan bewust dat hij haar niet geloofde. 'Blijf gewoon stilzitten. Ik kom zo snel mogelijk terug.' Ze wist zelfs een soort glimlach tevoorschijn te toveren. 'U gaat toch niet weglopen, hè?'

Zijn hand greep haar blote arm vast.

'Stil maar,' zei ze zacht. 'Ik beloof dat ik terug zal komen.'

Er ging een trilling door zijn vingers voordat hij zijn hand weer naast zich liet vallen. 'Dank u wel, mevrouw. U bent erg vriendelijk geweest.' Hij slaakte een diepe zucht, alsof hij verwachtte dat dit zijn laatste zou zijn.

Dodie rende weg. Ze zigzagde tussen de bomen door terwijl ze over het zandpaadje sprintte. Haar voeten kenden de weg zelfs in het donker, het was een route die ze elke dag nam, maar de angst maakte haar voeten onzeker. Tot twee keer toe botste ze tegen een boom, zodat ze een elleboog schaafde en naar lucht stond te happen terwijl het nachtelijke koor van cicades in het struikgewas weerklonk. Ze dwong zich vaart te minderen en zich te concentreren toen ze naar het huisje van de oude Bob Coster ging. Rechts van haar, achter de bomen, klonk het gedreun van de golven die op het smalle strand sloegen, en dit vertrouwde geluid kalmeerde haar.

O, meneer Morrell, wat is er toch aan de hand?

Ze dacht aan hem zoals hij daar alleen in het donker zat, in de stellige overtuiging dat ze hem in de steek had gelaten. De arme man hoorde eigenlijk in het ziekenhuis te liggen, maar ze had het recht niet dat besluit voor hem te nemen, als daar echt mensen waren die op hem loerden. *Om hun karwei af te maken.* De herinnering aan de manier waarop hij dat had gezegd, bezorgde haar kippenvel, want hij had dat gezegd alsof het normaal was. Alsof dit alles normaal was.

Het maanlicht stelde haar in staat haar tempo te versnellen en ze had geen enkele moeite het huis van Bob Coster te vinden. Het stond wat naar achteren op een kleine open plek, een houten bouwsel met een golfplaten dak dat rammelde in de wind. Het had een houten veranda waarop de oude Bob graag in zijn schommelstoel zat te luieren en een kletspraatje maakte met iedereen die zin had om een biertje met hem te drinken.

De ramen waren donker, geen enkel teken van leven. Dodie liep snel langs het huis naar de achterkant, waar Bob beschikte over een flink stukje land dat met zoete aardappels was beplant. Hij had daar zelf een schuur voor gereedschap gebouwd. In deze omgeving deed niemand deuren op slot – dat werd als onhartelijk tegenover je buren beschouwd – dus lichtte Dodie de grendel op. Ze tastte naar binnen, vond wat ze zocht, greep dit bij de handvatten beet en liep achteruit naar buiten. Ze had haar vervoer.

De kruiwagen piepte bij elke omwenteling van het wiel. Het geluid ervan klonk rauw tussen de zacht ritselende bomen en deed een vogel van schrik opvliegen: een geelgekroonde kwak die met enorme gespreide vleugels geruisloos en spookachtig over de zilverkleurige boomtoppen vloog. Er vielen wat spatten regen, grote, dikke druppels, die in de bak van de kruiwagen trommelden, maar de wolken trokken voorbij, zodat Dodie beter kon zien.

Wees alstublieft nog in leven.

Ze haastte zich door de warme nacht, terwijl vleermuizen met hun leerachtige vleugels boven haar hoofd fladderden toen ze de plek naderde waar ze hem had achtergelaten. 'Meneer Morrell?' riep ze.

Er lagen donkere schaduwen rond de boom waar hij had gezeten. 'Meneer Morrell!'

Hij was weg.

Ze tuurde in de zwarte wirwar van boomstammen. 'Ik ben het, Dodie.'

Toen pas ving ze gefluister op dat van verder weg tussen de bomen kwam. Ze liet de kruiwagen staan en ploegde, nerveus bij elk geritsel, door het stekelige struikgewas tot ze hem vond. Hij had zich begraven onder een laag glibberige natte bladeren, en ze was verbaasd over de enorme opluchting die ze voelde bij zijn aanblik, nog steeds in leven. Hij had zich hierheen weten te slepen en zijn lichaam gecamoufleerd, dus was hij er nog niet aan toe om te sterven. Nog niet. Langzaam tilde hij zijn hoofd op uit het gebladerte.

'Je bent teruggekomen.'

'Dat had ik toch gezegd!'

'Ik geloofde je niet.'

'Ik heb een kruiwagen meegenomen om u in te vervoeren.'

Er ontsnapte hem een vreemd hikkend geluid, en Dodie besefte dat het een lach was.

'Dus dat was dat lawaai,' mompelde hij.

'Ja, uw rijtuig staat klaar.'

Hij greep haar hand en liet die niet eerder los dan nadat ze hem in de kruiwagen had laten zakken, maar toen ze haar vest wat steviger rond zijn middel knoopte, hoorde ze in zijn keel een vreemd gerochel dat haar angst aanjoeg. 'Daar gaan we dan,' zei ze opgewekt, en ze greep de handvatten beet. De kruiwagen was zwaarder dan ze had verwacht.

Ze greep de handvatten nog steviger beet, maar het gewicht deed haar schoudergewrichten branden. Ze knipperde het zweet uit haar ogen terwijl de muskieten zoemend naderden voor hun middernachtelijk feestmaal. Wat haar bang maakte was dat wanneer ze haar hoofd schudde om de rafelige fragmenten van die avond, die als glasscherven in haar hoofd zaten, weg te schuiven, er niets veranderde. Alleen begon haar hart harder te bonzen, en de kruiwagen kantelde, alsof hij zich van meneer Morrell wilde ontdoen.

2

Ella

'Help me...'

De woorden klonken op uit de slaapkamer. Ella Sanford gooide de sigaret weg die ze op het balkon stond te roken terwijl ze zag hoe de lichtjes van Nassau een voor een tot leven kwamen toen de lucht donker werd en de stad zich opmaakte voor alweer een avond van feestvieren. Sinds de oorlog naar de Bahama's was gekomen, was de stad veranderd. Het leger had het eiland New Providence als een soort natuurgeweld overmeesterd, met alle vliegvelden en uniformen en luid gelach. Deze mannen wisten hoe ze hard moesten werken en hoe ze hun zin moesten krijgen, en de kleinzielige koloniale atmosfeer van loom gekeuvel over koetjes en kalfjes was ter zijde geveegd. Met een verwachtingsvolle glimlach liep Ella naar de slaapkamer terug.

'Wat is er, Reggie?' vroeg ze.

'Wil je me even helpen met die stomme dingen?' Haar man hield een paar gouden manchetknopen omhoog. 'Het zijn kleine rotzakken.'

Ze lachte en schoof ze met gemak in zijn gesteven manchetten. Ze vond altijd dat Reggie er in avondkleding op zijn best uitzag. Ze wist dat hij het fijn vond als ze dingen voor hem deed, vooral dingen die betekenden dat hij haar kon aanraken, en zodra ze dit werkje had gedaan, legde hij beide handen op haar blote bovenarmen.

'Je ziet er vanavond beeldschoon uit,' zei hij.

'Dank je. Jij ook.'

Reginald Sanford had het grootste deel van zijn leven in de diplomatieke dienst van Zijne Majesteits regering gewerkt, en dit viel van zijn gezicht af te lezen. Van de wellevende gelaatsuitdrukking tot de behoedzame blik in zijn grijze ogen en de enigszins gereserveerde trek om zijn mond. Hij hield van orde. Hij hield van hiërarchie. En hij verhief nimmer zijn stem. Als iemand dat in zijn aanwezigheid deed, was hij bedreven in het kalmeren van die ander en bezat hij het opmerkelijke vermogen de angel uit het betoog van zijn tegenstander te verwijderen en diegene tot redelijkheid te brengen. Zíjn redelijkheid uiteraard.

Dat was waarom hij nu de eer had Zijne Majesteit op de Bahama's te vertegenwoordigen, als rechterhand van de gouverneur. Dat was waarom hij in een schitterend huis woonde en in een zilvergrijze Bentley over het eiland rondreed. En Ella vermoedde dat het de reden was waarom hij soms 's nachts lag te woelen en te draaien of een arm stijf om haar heen sloeg in bed, haar in haar hals kuste en mompelde: 'Vraag jij je ooit wel eens af hoe ons leven was geweest als ik de raad van mijn vader had opgevolgd en een gezapige notaris in de provincie was geworden?'

'Nee. Dat zou je vreselijk hebben gevonden.'

Maar het was niet waar. Soms vroeg Ella het zich toch af. Ze glimlachte nu naar hem en probeerde een kleine rimpel naast zijn mond weg te strijken, maar hij hield haar armen stevig vast.

'Je zult je vanavond goed gedragen, hè?' zei hij.

'Reggie, ik ben geen kind meer. Ik ben je vrouw van eenenveertig.'

'Je weet best wat ik bedoel. Dans met hem als hij je vraagt.'

'Misschien vraagt hij me deze keer niet.'

De blik van haar man gleed van haar gouden haar, dat in zware, glanzende golven over haar blote schouders hing, naar de avondjurk van chartreuse zijde die lichtjes in haar blauwe ogen toverde en als een tweede huid over haar slanke heupen viel.

'Hij zal je vragen.' Hij knikte.

'Moet ik?'

Reggie schonk haar een van zijn serieuze glimlachen. 'Het hoort helaas bij de baan, liefste. Praat met hem over die vreselijke muziek waarop hij zo dol blijkt te zijn.'

'Over jazz?'

'Ja. Ik begrijp niet wat hij in hemelsnaam in dat lawaaierige kattengejank ziet. Maar hij wil altijd heel graag als modern worden beschouwd.' Hij sprak de laatste zin uit alsof hij iets smerigs in zijn mond proefde.

Ella lachte. 'Misschien maken die ritmes dat hij zich weer jong voelt. Af en toe willen we ons allemaal graag jong voelen.'

Reggie fronste. 'Hij is maar twee jaar ouder dan ik. Hij is negenenveertig, dat is niet oud.'

Onwillekeurig streek hij met zijn hand over zijn slaap, waar zijn dunner wordende bruine haar grijze tinten begon te vertonen. Ze had hem op een morgen betrapt toen hij bezig was koude thee uit de theepot op de gewraakte plek te deppen. Hij had zich vreselijk gegeneerd, maar ze was tactvol geweest en had nimmer iets over dat korte moment van ijdelheid gezegd.

'Hij lijkt veel ouder dan jij,' vertelde ze haar man naar waarheid.

Eerlijk gezegd begon Reggie een beetje te dik te worden. Niet buitensporig, maar hij was beslist goed gecapitonneerd, ondanks de vele uren die hij op de golfbaan doorbracht. Zijn wangen waren rond en glad als biljartballen en vertoonden geen tekenen van veroudering. De jaren van hard werken hadden zich uitsluitend gemanifesteerd in twee rimpels over zijn voorhoofd en in de enigszins droevige trek die rond zijn ogen ontstond als hij moe was.

Ella lachte hees. 'Ik zou misschien over iets anders met hem kunnen praten.'

Hij kneep zijn ogen achterdochtig samen. 'Zoals?'

'Een bijdrage aan mijn veiling.'

Hij liep bij haar vandaan, rechtstreeks naar het whiskyglas op het nachtkastje. Het was nog halfvol. Hij bracht het naar zijn lippen en bekeek haar gezicht met een neutrale, diplomatieke blik.

'Val hem vanavond niet lastig, Ella.'

'Nee?'

'Begin niet over bijdragen – of over wat voor werk dan ook – bij Zijne Koninklijke Hoogheid, de hertog van Windsor, wanneer hij niet in functie is.' Er blonk iets van ergernis in zijn ooghoeken. Ze zei niets, terwijl hij de whisky in één teug naar binnen goot. 'Kom mee, liefste.' Hij raapte haar fluwelen omslagdoek van het bed en drapeerde die over haar schouders. 'Zet je beste beentje voor.'

Ze schoof haar arm door de zijne en glimlachend marcheerden ze naar de slaapkamerdeur, in een volmaakt gelijke pas. Het was een dwaze kleine gewoonte.

Ella was dol op haar huis hier in Nassau. Niet dat ze niet eerder prachtige huizen had bewoond op andere standplaatsen. Dat was beslist wel het geval geweest. Zo was er het huis in Alexandrië geweest met de spits toelopende toren die de koele zeebries wist te vangen, en dat in Malakka met de wulpse mozaïeken en het wonderlijke rioleringssysteem. Beide onderkomens waren uiteraard verschaft namens Zijne Majesteit.

Maar dit huis – Bradenham House – met zijn lange, koloniale veranda's en elegante witte pilaren, waar de bougainville weelderig langs golfde, was meer dan alleen maar hun huis, het was haar thuis. Haar eerste échte thuis. Reggie en zij hadden hier langer gewoond dan in welk ander huis ook, al elf jaar. Waar was al die tijd gebleven, al die verspilde uren? Ze had ze beter in de gaten moeten houden in plaats van ze tussen haar vingers door te laten glippen. Maar ze was jong geweest, net dertig, toen ze hier arriveerde en zich nog steeds vastklampte aan de hoop dat ze binnen afzienbare tijd een kind zouden krijgen. Maar dat gebeurde niet. De set loden soldaatjes die ze bij Stanhope's Toyshop in Bay Street had gekocht, was in de vuilnisbak gestopt. Die dagen waren reeds lang voorbij.

Vanavond was Ella van plan ervan te genieten. Het was feest in het British Colonial Hotel om geld in te zamelen voor het Spitfire Fund, en alle gebruikelijke gasten zouden er zijn. Maar ze was snel en handig. Ze wist hoe ze de saaie ouwe sukkels kon ontwijken en zich kon richten op de jonge knullen in uniform, met hun gelach en hun cocktails en hun verhalen over hoe ze hun zware Liberator-bommenwerpers bulderend de eindeloze blauwe luchten in dwongen. Maar toen ze de grote, brede trap afkwam, zag ze haar zwarte dienstmeisje Emerald bij de voordeur staan wachten. Reggies handschoenen lagen netjes opgevouwen in de palm van haar mollige hand.

Ella zag hoe Emerald haar stralende blik op Reggie richtte terwijl ze daar op de loer lag, als een spin in een web, maar dan wel een met een witte muts met strookjes en heupen als staldeuren en een lach die een steen kon doen barsten. Haar duim streek langzaam over de kalfsleren vingers van de handschoenen.

'O, meneer Sanford, wat ziet u er vanavond allemachies mooi uit.'

'Nou, dank je wel, Emerald,' zei Reggie minzaam.

'Ik heb uw gala-overhemd heel voorzichtig gestreken. Ik heb er erg mijn best op gedaan.'

'Dat stel ik bijzonder op prijs. Denk vooral niet dat ik jouw goede bezigheden hier in huis niet opmerk.'

'Dat is fijn om te weten, meneer. Echt fijn.'

Emerald begon met haar heupen te wiegen. Altijd een slecht teken. Ella liep haastig over de laatste treden omlaag en stapte in de richting van de deur.

'Goedenavond, Emerald,' zei ze veelbetekenend.

'Meneer Sanford, ik... eh...' kirde Emerald liefjes terwijl Reggie zijn handschoenen aanpakte, 'ik heb eens nagedacht...'

Reggie schoot wortel tegenover haar boezem terwijl hij zijn ronde buik uitzette, blij een praatje te kunnen maken met de enige persoon in het huis die vond dat hij geen kwaad kon doen.

'Waar heb jij over nagedacht, Emerald?'

'Over u, meneer.'

'O?' Hij trok een blij gezicht terwijl hij de handschoenen met een sierlijk gebaar aantrok, waarbij hij het leer tot tussen zijn vingers schoof.

'Weet u dat ik een tante in Bain Town heb, en dat zij een aange-trouwd nichtje heeft dat in Grant's Town woont, meneer Reggie?'

'Nee, dat wist ik niet.'

'Nou, omdat iedereen van de Out Islands naar Nassau is gekomen om een baan bij het leger te zoeken, is er niet veel kans meer voor een meisje – zelfs niet voor een echt intelligent meisje – om hier nog een baan te vinden, en toen vroeg ik me zo af, meneer Reggie, of u mis-schien iets voor haar op uw kantoor kon vinden.'

'Tja, Emerald.' Hij fronste. 'Dat weet ik zo net nog niet.'

'Het hoeft niet iets geweldigs te zijn. Gewoon een klein baantje?'

Ella bleef bij de deur staan om te zien wat Reggie zou zeggen.

Hij zuchtte. 'Ik zal eens zien wat ik kan doen, Emerald. Maar ik waarschuw je: er zijn strenge voorschriften ten aanzien van dit soort dingen.'

Wat hij bedoelde was een hiërarchie. Blanke mannen bovenaan, zwarte mannen eronder, blanke vrouwen ergens in het midden, en jonge zwarte meisjes ergens helemaal onderaan.

'Dank u wel, meneer Reggie. U bent een goede en vriendelijke man.'

Ella bekeek haar blozende echtgenoot even met nieuwe ogen. *Ja Emerald, je hebt gelijk. Reggie is een goede en vriendelijke man.*

Ella ging aan Reggies arm het British Colonial Hotel binnen en ze begreep meteen dat de avond een succes zou worden. Ze had hard gewerkt om deze avond van fondsenwerving te organiseren en ze was opgelucht dat hij zo goed werd bezocht. In de zaal hing een vrolijke, energieke stemming die weerkaatste tegen de glanzende marmeren pilaren en de gouden kristallen van de kroonluchters, het soort energie dat je bloed sneller doet stromen.

De stemming steeg in golven op uit de menigte jonge militairen en overspoelde de zaal met een sterke drang om vandaag alles met beide handen aan te grijpen, want als je eenmaal in een van die grote zilveren kisten in de lucht zat, kon God alleen weten of er ooit nog een morgen kwam. De stemming werkte aanstekelijk en deed Ella hardop lachen, hoewel ze niet goed wist waarom. Zelfs de flegmatieke inwoners van Nassau konden het in de lucht bespeuren. Het niveau van lawaai steeg gestaag terwijl een band 'By the Light of the Silvery Moon' speelde. Langs de ene muur waren de hoge ramen naar het terras opengezet, zodat de bedwelmende geuren van een zoele tropische nacht zich konden vermengen met de sigarenrook en het parfum van Dior.

Het was duidelijk dat New Providence Island het paradijs was waarvan deze jongemannen altijd hadden gedroomd. Intens blauwe luchten, warme, turkooiskleurige zeeën om in te zwemmen en witte, tropische stranden die zowel de geest als het oog deden duizelen. En de hoofdstad Nassau bood het soort verrukkingen waarvan een jongen uit Bermondsey of Brooklyn niet had gedacht dat ze ooit binnen zijn bereik zouden komen. Ella merkte hoe die maatschappij door deze oorlog veranderde en iets in haar binnenste wilde er tegelijk mee veranderen. De oude orde der dingen verdween. Ze wilde niet achter worden gelaten met slechts een schommelstoel en een rumcocktail als gezelschap.

'Hallo Reggie, ouwe jongen, hoe staat het ermee in de heilige hallen van het Government House? Heb je het laatste nieuws al gehoord?'

Ella draaide zich om en zag een zongebruinde man met een enorme rossige krulsnor die haar man begroette. 'Ella, dit is luitenant-kolonel Knightley. Hij heeft de hertog geinformeerd over de nieuwe lichting in het operationele trainingscentrum in Oakes Field. Ik hoorde dat het een groep Tsjechoslowaken is.'

'Goedenavond, kolonel,' zei Ella.

Naast hem stonden twee mannen. De ene was uitermate lang en donker, een modieuze figuur met een puntbaardje, die zich zichtbaar bewust was van zijn aantrekkelijkheid. Dit was Freddie de Marigny, die een gebronsde teint bezat en al het zelfvertrouwen van een man die onlangs met de tienerdochter van Harry Oakes, een van de rijkste mannen ter wereld, was getrouwd. Er hingen voortdurend termen als 'gelukszoeker' en 'geldwolf' in Freddies kielzog.

'Hallo Hector,' zei Ella tegen de tweede man, die haar wang hartelijk kuste.

'Goedenavond, Ella. Een geweldige opkomst. Gefeliciteerd.'

'Daar moeten we Tilly voor bedanken.'

Hector Latcham was de man van Ella's goede vriendin Tilly. Zij was degene die Ella had overgehaald de luchtmachtbasis bij Oakes Field binnen te stappen om alle mannen op te roepen kaartjes te kopen voor een kans om deze avond met de hertogin te dansen. Het feit dat de hertogin niet was komen opdagen, had Tilly niet in het minst verontrust en ze had zelf deze leemte opgevuld.

'En wat is dan wel het laatste nieuws?' vroeg Reggie aan de luitenant-kolonel.

'We hebben een bericht gehad dat er U-boten uit de Atlantische Oceaan zijn teruggetrokken.'

'Dat is geweldig nieuws, als het waar is.'

'Ze worden teruggetrokken met het oog op de mogelijkheid van een geallieerde invasie in Europa. Dat betekent dat wij vliegtuigen vrij kunnen maken van het patrouilleren boven de oceaan op zoek naar vijandelijke onderzeeërs.'

'De hemel weet,' zei Reggie, 'dat die vliegtuigen hard nodig zijn in het Verre Oosten.'

'Het werd hoog tijd dat we eens wat goed nieuws van die club van jou hoorden, Knightley.' Freddie de Marigny glimlachte, en hij blikkerde met zijn onwaarschijnlijk witte tanden. Hij sloeg de luitenant-kolonel op de rug. 'Maar ik hoop wel dat dit niet betekent dat jij het aantal militairen op New Providence Island wilt terugbrengen. We hebben die kerels hard nodig om onze economie draaiende te houden.'

'Integendeel,' verzekerde Knightley hem beleefd, hoewel hij het duidelijk niet prettig vond door lieden als Freddie te worden aangeraakt, 'we zullen meer vliegtuigbemanningen moeten opleiden dan ooit.'

De RAF had de Bahama's als oefenbasis voor de luchtmacht uitgekozen vanwege de onbewolkte blauwe luchten. Er was geen angst dat de B-24 Liberator-bommenwerpers door Duitse indringers konden worden neergehaald. Er landden voortdurend vliegtuigen uit Amerika op Windsor Field alvorens over de Atlantische Oceaan naar de oorlog in Europa en in Afrika te worden gestuurd. Het was iets waar het eiland trots op was, deze belangrijke rol in de oorlogvoering. De aanblik van RAF-uniformen die de straten bevolkten bezorgde de eilandbewoners een gevoel van trots, zodat de Bahamanen zich verdrongen om een baantje te krijgen zodat ze er deel van konden uitmaken.

Ella liet de mannen met hun oorlogspraat en hun sigaren alleen en begaf zich in de menigte. Ze begroette vrienden en bleef staan om een praatje te maken met iedere militair die wat eenzaam leek, maar pas toen ze de dansvloer bereikte slaagde ze erin Tilly op te sporen. Tilly Latcham was een lange, opvallende vrouw met donker, zorgvuldig gegolfd haar, en ze droeg vanavond een uitbundige bordeauxrode jurk met zachtglanzende melkkleurige parels om haar hals. Maar haar blik was uiterst gekweld. Ze werd omklemd door de armen van een kleine tweede luitenant-vlieger met twee linkervoeten, die vrolijk met de band meezong en voortdurend tegen andere paren botste.

'Tilly!'

Tilly draaide opgelucht met haar ogen en snelde de dansvloer af.

'Lieverd, waar blééf je? Je bent laat.'

'Het spijt me, maar Reggie had gedoe in het Government House en was vreselijk laat thuis.'

'Dan vergeef ik het je.'

Ze kuste Ella's wang, en Ella voelde hoeveel warmte ze uitstraalde. Ze besefte dat er iets zachts klonk in de meestal scherpe woorden van haar vriendin. Tilly had kennelijk meer dan een paar cocktails op. 'Ga dit nummer eens even zitten, Tilly. Je hebt je plicht gedaan.' Ze salueerde spottend. 'Ik neem je missie nu over.'

Tilly lachte, en haar rode mond ontspande zich. 'Je redt mijn leven, lieverd.' Ze huiverde even en zei toen: 'Over het redden van levens gesproken, hoe gaat het met je familie thuis?'

Ella's ouders woonden in Kent, op het platteland, onder de vlieg- route van de Duitse bommenwerpers op hun nachtelijke vlucht naar Londen, en hun huis was onlangs geraakt. Verdomde pech. Maar goddank waren zij er – in tegenstelling tot het armenhuis – met slechts wat lichte verwondingen van afgekomen.

'Tilly,' zei ze resoluut, 'jij blijft dit nummer zitten. En dat is een bevel.'

'Is de hertog er al?'

'Ik heb hem nog niet gezien.'

'O,' zei Tilly. 'Verdorie.'

'Hij zal waarschijnlijk later langskomen, maak je maar niet onge- rust. Je zult heus nog wel de kans krijgen om met hem te dansen, daar ben ik van overtuigd.'

Tilly grijnsde. 'Vooral omdat zíj er niet is.'

'Gedraag je een beetje, hè!' Ella lachte en richtte zich op de kwestie van Tilly's vliegenier die in de steek was gelaten. 'Ziezo, meneer de luitenant-vlieger, ik kom eraan.'

Ze viste hem op van waar hij onzeker aan de rand van de dansvloer wachtte, en zwierde behendig met hem weg.

'Heb je er genoeg van?'

Ella draaide zich om bij het horen van zijn stem. Ze stond aan de rand van het terras, waar dit omlaag liep naar het strand, en staarde naar de uitgestrekte duisternis van de zee voor zich. Ze hield het meest van de avonden. Dan voelde ze dat het eiland zijn verblindende masker van overdag afwierp en zijn ware ik onder de beschutting van het donker tevoorschijn liet komen. Ze kon de snelle, hete adem ervan in haar nek voelen en het getrippel van voeten wanneer het de stranden terugwon op de koloniale overheersers. Alleen 's avonds kon ze de zoete geur ruiken van de eeuwenoude bomen met hardhout die voor de scheepsbouw van het eiland waren geroofd. Er groeiden nog steeds weelderige hoeveelheden dennen en palmen en de spookachtige kasuarisbomen, maar het eiland herinnerde zich al het hardhout. Het eiland vergat niets.

Lang geleden hadden de Lucayans honderden jaren vreedzaam op de zevenhonderd eilanden van de Bahama's gewoond, maar ze werden door de Spanjaarden verdreven toen Christoffel Columbus de eilanden in 1492 had ontdekt. Vanaf die tijd sneden de Spanjaarden, de Britten en piraten op rooftocht elkaar jarenlang de keel af over het bezit van deze weelderige eilanden met hun natuurlijke havens en verscholen riffen. In 1717 werden ze een kroonkolonie van Engeland, maar zelfs nu, wanneer 's nachts de heersers van het Empire sliepen, verspreidde New Providence Island zijn geluiden en geuren en ademde de wilde zeelucht in.

'Heb je er genoeg van?'

'Goedenavond, Koninklijke Hoogheid. Ik had alleen maar behoefte aan wat frisse lucht. Het is binnen erg warm.'

'Het is fijn te zien hoe de mannen zich vermaken. Gefeliciteerd met het resultaat, Ella.'

'Dank u.'

'Een geweldige oppepper voor ons Spitfire Fund.'

'En hopelijk ook voor het moreel van de manschappen.'

'Ja, je hoeft maar naar hun gezicht te kijken. Goed gedaan.'

De hertog van Windsor kwam naast haar staan in het warme half-duister, met de lampen van het terras en het helder verlichte hotel achter hen. Hij was een tengere man, niet langer dan Ella, met zacht blond haar en een gezicht dat er jongensachtig uit bleef zien, ondanks de diepe rimpels. Ella vroeg zich af waarom hij hierbuiten was in plaats van binnen feest te vieren. Iedereen wist dat de hertog van feesten hield. Ze vervielen in stilzwijgen terwijl hij Ella een sigaret aanbood en er een voor haar en voor zichzelf opstak, waarbij hij voldaan inhaleerde, alsof hij slechts weinig genoegens kende maar tabak er een van was.

'Hoe maakt de hertogin het?' vroeg Ella. Het licht van de lampen op het terras viel op de rand van de branding op het strand en veranderde die in kant.

'Ze voelt zich helaas onwel.'

'Wat akelig. Wilt u haar namens mij van harte beterschap wensen?'

'Dank je. Dat zal ik doen.'

Als de hertogin 'onwel' was, betekende dit meestal dat ze last had van haar maagzweer, hoewel ze onlangs tegen Ella had gezegd dat het een stuk beter ging. Misschien had ze geen zin om met vliegeniers te dansen. Of had ze gewoon iets beters te doen. De hertogin van Windsor was een gesloten persoon, en achter haar intelligente violetblauwe ogen huisden allerlei gedachten die ze niet onthulde. Ella vond dat de hertog er altijd een beetje verloren uitzag zonder haar.

'Is je man hier?'

'Ja. Reggie is binnen.'

'Misschien wil ik hem later nog even spreken.'

Ze gaf geen antwoord. Ze wilde eigenlijk zeggen: *Blijf vanavond met uw eisen bij mijn man vandaan. Is het niet genoeg dat u hem op zijn werk elke dag leegzuigt? Kunt u het niet eens zelf opknappen, in plaats van hem alles te laten doen?*

Maar ze zei niets. Er was niemand die dat ooit tegen hem zei. Behalve de hertogin.

Het geluid van de branding op het strand werd opeens vermengd met een plotseling gebulder boven hun hoofd toen een formatie bommenwerpers opsteeg om nieuwe rekruten te oefenen in de vaardigheden van nachtelijke manoeuvres.

'Ella, bevalt het je hier?' vroeg de hertog op treurige toon.

'Natuurlijk bevalt het me. Het is hier erg mooi.'

De vliegtuigen dreunden in de verte.

'U niet?'

Ze wist dat hij graag gouverneur van Australië wilde worden, of op zijn minst van Canada.

'Soms,' zei hij, terwijl hij zijn frustratie in de vochtige duisternis uitblies, 'beschouw ik deze eilanden als mijn Elba.'

Elba? Het verbanningsoord van Napoleon. Deze aanmatigende opmerking benam Ella bijna de adem. Ze huiverde en wilde weer naar
binnen gaan, maar met een plotseling vertoon van charme schoof hij
haar arm door de zijne en glimlachte bemoedigend.

'Kom, mevrouw Sanford, laten we samen de volgende dans doen.'

3

Dodie

*D*odies huis lag verder langs de kust op de volgende landpunt, verscholen onder een groepje kasuarisbomen die hun lange groene vingers boven het land lieten hangen. Het was niet meer dan een houten schuurtje met één kamer, een rieten dak dat niet te vaak lekte, en twee ramen die voortdurend over de oceaan waakten. De zomerse onweersbuien waren hier hevig, dramatisch en veelvuldig, en het geweld ervan had haar aanvankelijk geschokt, toen ze zes jaar geleden met haar vader naar dit kleine stipje in de oceaan was gekomen.

Ze stak de lamp aan. De olieachtige geur van de petroleum golfde door de kamer en het amberkleurige licht schoof de nachtelijke schaduwen naar de donkere hoeken.

'Hoe voelt u zich?'

Morrell lag op zijn zij opgerold op het eenpersoonsbed, met zijn armen om zijn buik geslagen.

'Gaat wel…' Zijn adem ging snel en oppervlakkig.

'Mooi zo.'

Nu ze hem bij het lamplicht kon bekijken, zag ze dat zijn huid dezelfde kleur had gekregen als de zinken emmer die ze naast hem had gezet, zo grijs dat het er niet langer als huid uitzag. Ze wist niet waar ze moest beginnen. Waar ze hem moest aanraken. Waar ze hem niet moest aanraken. Ze knielde naast het bed en stopte een opgevouwen schone, witte handdoek onder zijn hand op zijn buik. Hij deed zijn ogen dicht.

'Ik heb veel aan je te danken,' mompelde hij.

Zijn gezicht had zware trekken onder een wilde massa bruin haar, en ondanks zijn gesloten ogen kon Dodie zien hoe taai hij was. Maar nu begon die taaiheid af te brokkelen doordat de pijn eraan knaagde. Ze legde haar hand op zijn wang en er verscheen een flauwe glimlach rond zijn lippen.

'Wat moeten we doen?' fluisterde hij.

'U moet me naar de wond laten kijken.'

'Laat maar.'

'Hij moet worden schoongemaakt.'

Er kwam een grom bij wijze van antwoord. Zijn lippen waren in een strakke lijn opeengeklemd.

Ze boog zich over hem heen. 'Meneer Morrell, er is een vrouw die hier niet ver vandaan woont en die verstand heeft van dit soort dingen, ze is goed met ziekte en...'

'Nee.'

'Ze is geen dokter of verpleegster of iets officieels. Ze zou tegen niemand uw naam noemen. Ze heet mama Keel en ze weet alles wat er te weten valt over kruiden en genezen, dus ik zou...'

'Nee.'

'... haar kunnen halen en zij zou weten wat ze moet doen om u te helpen. Ze zou haar mond stijf dichthouden.'

'Nee.'

'Ik moet wel, meneer Morrell, begrijpt u dat niet? Want ik weet niet wat ik moet doen.'

Zijn ogen gingen op een kiertje open. 'Doe niets.'

Ze begon overeind te komen, maar zijn hand greep haar rok vast. 'Ben je op deze vrouw gesteld?' vroeg hij op dringende toon.

'Ja, ze is...'

'Wil je dat ze sterft?'

'Nee, natuurlijk niet.'

'Zeg dan tegen haar dat ze bij me uit de buurt moet blijven.'

Dodie voelde haar nekharen omhoogkomen. 'Zijn de mensen die dit bij u hebben gedaan zó gevaarlijk,' vroeg ze op verbijsterde toon, 'dat ze ook mensen die u helpen zouden overvallen?'

Zijn ogen bleven op haar gericht. Hij knikte.

Ze deinsde achteruit van het bed, met een felle steek van angst in haar borst. Buiten kon ze het gekreun van de golven horen, en onwillekeurig paste ze haar ademhaling aan het ritme ervan aan.

'Heel goed, meneer Morrell. Geen mama Keel hier.'

'Je bent snel van begrip,' zei hij met een poging tot een galante glimlach, maar ze kon zien dat zijn krachten afnamen met dezelfde snelheid als waarmee de handdoek rood werd.

'Meneer Morrell,' zei ze nu luider, waarbij haar stem probeerde hem naar haar terug te trekken, 'ik hol nu naar het huis van mama Keel. Om iets voor uw pijn te halen. Ik ben zo weer terug.' Ze glimlachte opgewekt naar hem. 'We hebben allebei hulp nodig als we u hier doorheen willen krijgen.'

Voor hij antwoord kon geven of haar rok weer kon vastgrijpen, had ze haar schoenen uitgeschopt en snelde ze over het strand.

4

Flynn

Verdomde meid. Ze heeft alles in de war geschopt. De donkere gestalte van Flynn Hudson zat gehurkt aan de waterkant. Ze was zo snel als een prairiehaas. Hij vond dat ze kattenogen in haar hoofd moest hebben zoals ze in het donker kon zien, zelfs als de wolken de maan verduisterden.

Dat was een van de dingen die hij verafschuwde aan dit vervloekte eiland. Het donker. Dat werkte hem op zijn zenuwen. Het was een wereld van verschil met wat hij in Chicago donker noemde, wanneer hij door onverlichte steegjes met ratten kon rennen en toch nog kon zien waar hij liep. Hier was de duisternis zo intens dat het voelde alsof je in een put werd gegooid waarna het deksel boven je hoofd werd dichtgeslagen. Dat soort donker. Zwaar en ondoordringbaar. Het slokte haar nu op. Terwijl hij met een hand door het water ging, vroeg hij zich af waar het meisje naartoe was gegaan. Op dit tijdstip? Met in de kruiwagen bloed dat nog nat was?

Kom niet terug.

Hij kwam overeind, blij weer in beweging te kunnen komen. Hij wilde niet stil blijven zitten, hij wilde geen makkelijk doelwit zijn, zoals Morrell dat was geweest. De maan glipte nu weg uit de greep van de wolken en maakte dat het witte zand van het strand zilverblauw oplichtte.

Verdomme, wat voor kleur was dat nou?

Een kleur die hij in al zijn vierentwintig jaar nog nooit had gezien, maar in dit spookachtige licht kon hij de hut in het landje met struikgewas zien, even scherp als wat. Hij schatte dat hij slechts enkele minuten had. Die prairiehaas kon elk moment terug komen rennen.

Hij snelde naar voren, nu duidelijk zichtbaar op het strand. Zijn gedachten sprongen wild voor hem uit. Hij kon hun voetafdrukken bijna in het zand zien.

5

Dodie

De hut van mama Keel stond eenzaam op een rotsachtig stuk land en had geen verlichte ramen, maar Dodie kon horen hoe ergens binnen heel zacht een liedje van het eiland werd gezongen. Iedereen wist dat mama Keel nooit sliep.

'Mama Keel,' fluisterde ze en ze tikte op de deur.

De deur bewoog in zijn roestige scharnieren zonder enige haast om open te gaan. Erachter stond mama Keel, met een brede glimlach van welkom op de sterke beenderen van haar gezicht, zelfs nog voordat ze wist wie er in het holst van de nacht op haar stoep stond. In haar armen lag een jengelende baby.

'Kijk eens aan, Dodie, je ziet er allemachtig verhit uit.' Ze stapte achteruit de donkere kamer weer in en haalde een doos lucifers uit de zak van haar ochtendjas. 'Kom binnen.' Ze stak een lamp aan, zorgde dat de vlam laag brandde, en draaide zich daarna om en keek naar Dodie.

'O grote hemel, kind,' riep ze uit.

'Mama Keel, ik heb hulp nodig.'

'Je zit onder het bloed, kind.'

'Het is niet mijn bloed.'

'Ik ben blij dat te horen. Van wie is het?'

'Van een vreemdeling. Ik heb hem op weg naar huis op straat gevonden.'

Mama knikte en deed haar paarszwarte ogen half dicht, alsof ze staarde naar iets wat alleen zij in het schemerige licht kon ontwaren. Haar lange, bonestaakachtige lichaam in de gehavende ochtendjas werd heel stil, en Dodie vroeg zich af welke beelden ze zag. De wond misschien? Het bloed dat eruit stroomde? Niemand wist wat er in het hoofd van mama Keel omging, onder die wilde massa grijs haar.

De woonkamer was eenvoudig gemeubileerd: zelfgemaakte stoelen, een tafel, een kast, alles strikt functioneel met uitzondering van een kleurrijke versiering van vogelveren aan een raffiadraad die zigzaggend langs het plafond was gespannen. De zwarte huid van mama Keel blonk in het lamplicht en ze straalde een kalmte uit die Dodies ademhaling tot rust bracht.

'Mama Keel?'

De vrouw knipperde met haar ogen.

'Hij is gestoken met een mes,' vertelde Dodie haar. Haar stem klonk vreemd en ongewoon.

Mama Keel legde het nu slapende kind op een dekentje in een kartonnen doos in een hoek van de kamer, na er eerst met haar voet een kat uit te hebben gejaagd. 'Joseph!' riep ze zacht. Er ging een deur open en uit een achterkamertje verscheen een slungelige blanke tienerjongen. Hij droeg alleen een korte broek, zijn blonde haar stond in pieken overeind van het slapen, maar zijn ogen gingen wijd open toen hij Dodie zag.

'Sta niet zo te staren, jongen, dat zijn slechte manieren,' zei mama Keel kortaf. 'Alleen maar een beetje bloed. Hier, neem Elysia voor me mee.'

De jongen knikte, pakte de kartonnen doos en verdween. Dodie keek omlaag naar de rode vlekken onder haar vingernagels en naar de vegen bloed op haar uniform van serveerster. Wat voor man deed zoiets? Een mes in het lijf van een ander steken. Er steeg een kil, hard verdriet in haar op en ze deed haar mond open om te spreken, maar er kwam geen geluid uit. Ze legde haar hand tegen haar wang en voelde hoe ijskoud haar vingers waren.

'Ga zitten, Dodie.'

'Ik moet terug. Hij ligt op me te wachten.'

Mama Keel legde even een troostvolle hand op Dodies schouder, daarna kwam ze snel in actie om allerlei potjes en pakjes en flesjes met vreemd ruikende vloeistoffen te verzamelen. Ze duwde Dodie een tinnen beker in de hand met het bevel 'Drink dit op'. Dodie gehoorzaamde, hoewel het bitter smaakte en ze het gevoel kreeg dat al het glazuur van haar tanden werd geschraapt. Toen ze mama Keel een sjaal om haar hoofd zag draaien en de kruiden en de drankjes in een rieten mand zag doen, legde ze snel en vastberaden een hand op het hengsel van de mand.

'U moet niet meegaan, mama. U moet me zeggen wat ik moet doen.'
'Doe niet zo dwaas, liefje. Jij weet niets.'
'Het is te gevaarlijk. Er zijn mannen die hem het zwijgen willen opleggen.'
Mama Keel zweeg. 'Ben je bang?' vroeg ze zacht.
'Ja, ik ben bang. Natuurlijk ben ik bang. Ik zou wel gek zijn als ik niet bang was. Maar ik ben ook bang voor u. U bent te…' Ze gebaarde naar de deur waardoor de jongen was verdwenen. 'U bent hier te kostbaar. Ze hebben u nodig.'
Dodie wist dat mama Keel een wisselend aantal zwerfkatten onder haar hoede had. Ze had zelf geen kinderen, maar haar deur stond altijd open voor de wezen en voor de weggelopen kinderen van het eiland, en achter die deur konden er zo'n tien of twintig jonge zielen zijn die zich aan haar vastklampten. Zonder haar zouden de golven hen te pakken krijgen.
Mama Keel ademde zwaar door haar brede neus.
Dodie maakte de mand bedrijvig open. 'Vertelt u me alleen maar wat ik moet doen.'

De deur van haar hutje zwaaide open toen Dodie hem aanraakte. Toch had ze de grendel ervoor geschoven, dat wist ze zeker. Achter haar zuchtte de Atlantische Oceaan, zacht en hardnekkig, en er zweefden slierten maanlicht op de golven. Alsof er niets was veranderd. Ze stapte over de drempel. Achterdochtig, maar niet achterdochtig genoeg. De zwarte loop van een revolver was recht op haar gericht en maakte dat haar hart in haar keel klopte.
'Naar binnen. Snel.'
Het was Morrell. Hij leunde moeizaam op een elleboog, terwijl het zweet over zijn gezicht stroomde, met een klein pistool in zijn hand.
'Doe de deur dicht,' gromde hij, en hij plofte weer terug in het kussen en liet de revolver naast zich vallen.
Dodie schopte de deur achter zich dicht en deed de grendel erop. 'Doe dat nooit weer bij me.'
'Ik wist niet dat jij het was.'
Ze zette de mand op de tafel en begon hem uit te pakken. 'Is er nog iemand anders geweest?'

'Nee.'

'Weet u het zeker?'

'Ja.'

Waarom zou hij tegen haar liegen? 'Bent u uit bed geweest om de deur open te maken?'

Hij draaide zijn hoofd opzij om haar aan te kijken en schonk haar een halve glimlach. 'Ja, ik ben naar buiten geweest om een kilometer te zwemmen en een paar handstandjes onder de sterren te maken.' Ze probeerde naar hem te glimlachen, maar dat lukte niet. Dus ging ze maar aan de slag met de medicijnen. Ze rook eraan, kieperde ingrediënten in een kopje, deed water in een geëmailleerde kan om op de petroleumkachel te koken. Het hutje begon zich met allerlei aroma's te vullen.

'Wat is dat in godsnaam voor spul?' mompelde Morrell.

'Het zijn inheemse medicijnen.'

Hij trok een zuur gezicht. 'Werken die dan?'

'Natuurlijk werken ze. De bewoners van deze eilanden hebben die kruiden honderden jaren gebruikt.' Ze keek op van de kom met fijngehakte groene kruiden. 'Maakt u zich geen zorgen, meneer Morrell, ze weten wat ze doen. Het is op de honderden kleine buitenste Bahama-eilanden vaak onmogelijk om een dokter te vinden. Ze moesten alternatieve medicijnen zien te vinden, medicijnen die werken, dus…' Ze zweeg even en liep naar hem toe met een potje met iets wat eruitzag als konijnenkeutels. 'Neem hier drie van.' Ze glimlachte bemoedigend en gaf hem een kopje met cerasee thee om ze mee weg te spoelen. 'Ze zullen helpen tegen de pijn.'

Hij pakte ze aan en slikte ze door, zonder enig commentaar te leveren op de bitterheid ervan. Zijn huid vertoonde een gloed als van boenwas en toen ze de handdoek weghaalde, voelde Dodie hoe hij gloeide.

'En nu, meneer Morrell, gaan we die wond van u eens bekijken.'

Hij hield zich taai, dat moest ze hem nageven. Hij maakte geen geluid maar volgde nauwlettend alles wat ze deed, met tot vuisten gebalde handen alsof hij haar weg wilde slaan. Dodie werkte heel zorgvuldig. Ze deed precies wat mama Keel haar had gezegd. Ze maakte de wond schoon, smeerde er een sterk geurend ontsmettingsmiddel van kruiden op, en terwijl ze de rafelige randen van zijn huid tussen haar vingers hield, trok ze die over de glibberige ingewanden naar elkaar toe. Een laag dikke, antiseptische zalf om de wond af te dekken voltooide haar werk. De hele tijd dat haar vingers bezig waren, bleef ze tegen hem mompelen om hem te kalmeren, hoewel ze geen idee had welke woorden er uit haar mond kwamen.

Ze verbond hem heel nauwgezet met repen die ze van haar beste laken had gescheurd, en verdoofde hem met nog meer pillen. Met een washandje veegde ze voorzichtig het zweet van zijn gezicht en smeerde crème op zijn bloedende lip waarin hij had gebeten.

'Dank je,' zei hij, toen ze klaar was. 'Daar was moed voor nodig.'

'U zult zich nu gauw beter voelen. Doe uw ogen dicht. Probeer wat te slapen.'

'Je bent heel goedhartig.'

'U moet eigenlijk mama Keel bedanken.'

Dodie stak haar handen in een bak warm water en boende hard om het bloed onder haar nagels vandaan te krijgen.

'Wat doe jij hier op de Bahama's?'

Dodie schrok van Morrells stem. Ze dacht dat hij nog sliep. Ze had hem gedurende de nacht elk uur een van de brouwsels van mama Keel gegeven, maar pas bij het eerste teken van de dageraad begon de hitte eindelijk uit zijn huid weg te trekken. Toen hij zijn ogen opendeed glimlachte ze opgelucht en vroeg: 'Hoe voelt u zich?'

'Beter dan gisteravond.'

'Mooi zo.'

Ze stond op van het krukje naast zijn bed en schoof de grendel van de deur. Het was benauwd in het huisje en ze had behoefte aan frisse zeelucht. Dus duwde ze de deur wijd open en ging op de stoep zitten. Haar tenen raakten het koele zand en ze voelde zich kalmer.

'Het bevalt me hier,' zei ze tegen hem.

Haar ogen overzagen het strand, dat nog steeds in nachtelijke schaduwen was gehuld. Rechts van haar begon het ochtendgloren de slanke stammen van de palmbomen goud te kleuren.

'Ben je hier alleen?' vroeg hij.

'Ja.'

'Geen familie?'

'Nee.'

Er viel een stilte terwijl ze allebei luisterden naar het ontspannen geruis van de zee; aan de andere kant van de baai spreidde een zilverreiger zijn blinkendwitte vleugels om op te stijgen op de eerste thermiek van de ochtend.

'Je bent een Engelse, hè? Wat voerde je hierheen?' vroeg Morrell.

Ze draaide zich naar hem om en keek hem aan. 'Vanwaar die vragen?'

'Ik ben gewoon belangstellend.' Hij schudde zijn hoofd zwak heen en weer en zijn haar was donker van het zweet. 'Je hebt mijn leven gered.'

Ze kon natuurlijk tegen hem zeggen dat hij zich met zijn eigen zaken moest bemoeien. Maar ze herinnerde zich het gevoel van de haren op zijn borst, springerig en vol leven, toen ze het bloed eraf had gewassen, en op de een of andere manier verbond de intimiteit van die simpele handeling haar met hem op een manier die ze niet kon uitleggen.

'Ik ben opgegroeid in Chippenham, een provinciestadje in Engeland. Mijn moeder is in 1931, toen ik negen was, aan de Spaanse griep overleden, en mijn vader is daar nooit overheen gekomen. Hij had nare dingen meegemaakt tijdens de oorlog en mijn moeder zei altijd dat er een deel van hem was verdwenen toen hij uit de loopgraven van Ieper terug was gekomen. Maar na haar dood werd het erger. Toen ontbrak er nog meer aan hem.'

Ze zweeg. Staarde somber naar de zee.

'Wat is dat vreselijk verdrietig, Dodie.'

Ze schudde haar hoofd, terwijl ze haar gedachten voorzichtig ordende. 'Het was het bekende verhaal, net als dat van duizenden anderen vóór hem. Hij raakte aan de drank en wist daarna geen baan vast te houden.'

'Dus,' maakte Morrell het verhaal voor haar af, 'is hij met jou hierheen gegaan om een nieuw begin te kunnen maken.'

Ze knikte. 'Toen ik zestien was.'

'Maar dat is niet gelukt?'

'Nee,' erkende ze, 'dat is niet gelukt.'

'En waar is je vader nu?'

'Hij is dood.'

Er viel een stilte in het hutje, het duurde lang voor een van beiden iets zei.

'Wat verdrietig,' zei Morrell. Hij zuchtte. 'Het leven kan zwaar zijn voor jongelui.'

'Dus, meneer Morrell, vertelt u mij nu wat u hier doet. Waar houdt u zich mee bezig?'

Hij antwoordde niet meteen. 'Dat wil je niet weten, dame.'

'Toch wel.'

Buiten kwam de zon eindelijk boven de horizon en zette de toppen van de golven in een vurige gloed. Dodie zag hoe haar onderbenen roze oplichtten en hoe het zand rond haar voeten fonkelde als glas. Ze schudde haar dikke, kastanjebruine haar los om de warmte van de zon op te vangen.

'Ik doe in verzekeringen,' zei Morrell. 'Min of meer.'

Maar de manier waarop hij het zei bezorgde haar kippenvel. 'Wat betekent dat?' vroeg ze. 'Wat verzekert u?'

Hij bracht een hand omhoog en tikte zacht tegen de zijkant van zijn hoofd. 'Ik verzeker wat hierin zit.' Hij maakte een vreemd geluid, dat haar aanvankelijk ongerust maakte omdat ze dacht dat het een kreun van pijn was, maar ze herkende het als vrolijk gegrinnik. 'Informatie,' legde hij uit.

Dodie keek even naar het strand, en haar blik werd getrokken door de informatie die ze daar kon zien. Dat was een eigenschap van dit zand: het bewaarde afdrukken even efficiënt als cement, tot de golven of de wind ze uitwisten. Voor het hutje kon ze duidelijk de wirwar van haar eigen haastige voetafdrukken van vannacht zien, en ook het spoor naar links. Maar de afdrukken naar rechts vertelden een heel ander verhaal. Daar liepen ook voetstappen, groot en diep. Ze leidden loodrecht van de waterkant naar haar eigen voordeur en bogen toen af langs de bomenrij, waar ze landinwaarts verdwenen.

Verzekering.

Nou, meneer Morrell, ik heb voor mijn eigen verzekering gezorgd. Dat mooie pistooltje van u ligt, verpakt in een handdoek, veilig onder mijn soeppan.

6

Dodie

'Zorg ervoor dat hij me niet met mijn trouwring om laat begraven, Dodie. Dan zal de begrafenisondernemer hem vast stelen.'

Dat waren haar moeders woorden geweest. De trouwring was een dikke, gouden band, gekocht in goede tijden. Tegen het einde van haar leven viel de ring van haar hand, zo dun waren haar vingers.

'En zorg dat hij hem niet aan een van zijn dwaze plannen kan besteden. Of,' had ze er duister aan toegevoegd, 'aan zijn vloek.'

De vloek was whisky. Zijdezacht of bijtend scherp, het maakte geen enkel verschil voor haar vader, een vurige baptist, die geen nee tegen de drank kon zeggen wanneer de duivel hem op de hielen zat. Ze moest hem nageven dat hij nooit om de ring had gevraagd, niet één keer in de zware jaren die zouden volgen. Maar soms betrapte ze hem wanneer hij een zijdelingse blik wierp op de gouden band die aan een zwart lint om haar hals hing, vooral wanneer hij erge last had van bevingen. Maar hij vroeg er nooit om en zij bood hem nooit aan. Het was alles wat ze nog van haar moeder overhad. De ring, en haar naaimachine.

De ring had voldoende opgebracht om dit hutje te kopen. Soms, wanneer de nachten heel donker waren, dacht ze dat ze haar moeder in de dakspanten kon horen neuriën, maar het was alleen maar de wind in het riet. Deze morgen zag er echter beter uit dan ze vannacht had durven hopen: het strand was leeg gebleven en vertoonde geen nieuwe voetafdrukken, en meneer Morrell had de hele morgen goed geslapen. Zijn ademhaling was ontspannen en regelmatig, zijn huid had een betere kleur ondanks het zweet dat erop glom.

Bij het heldere daglicht kon Dodie hem beter bekijken, maar zelfs in zijn slaap bleef zijn gezicht strak en gespannen, en ze kon zien dat zijn neus ooit gebroken was geweest. Een straatvechter, dat was hij, een man die wist hoe hij zijn grote vuisten moest gebruiken, en toch vertelden de wat lijzige toon van zijn stem en de manier waarop hij zich aan haar had vastgeklampt haar een ander verhaal. Ze was bezig het zand dat naar binnen was gewaaid naar buiten te vegen, terug naar het strand waar het vandaan kwam, en overwoog wat ze nu zou doen. Ze moest contact opnemen met juffrouw Olive in het Arcadia Hotel, om uit te leggen waarom ze niet op haar werk was, maar ze durfde Morrell niet alleen te laten, zelfs niet om naar de telefooncel aan de rand van de stad te hollen.

'Jongedame.'

De kracht van zijn stem verbaasde haar. Hij klonk veel sterker dan gisteravond en het zuidelijke accent was opvallender.

'Ik heet Dodie,' bracht ze hem met een glimlach in herinnering, blij hem wakker te zien en om zich heen te zien kijken.

'Nou, juffrouw Dodie, u hebt hier een erg gezellig huis.'

Dat was wel het laatste wat ze had verwacht. Ze liet de bezem staan en keek in de kamer om zich heen, naar de vele kussens en naar de patchwork quilt die aan de muur hing. De kleuren waren vrolijk – ijsvogelblauw en kolibriegeel en allerlei tinten groen – de kleuren van het eiland.

'Dank u,' zei ze. Ze was niet gewend complimentjes te krijgen. 'Ik heb alles zelf gemaakt.'

Zijn blik viel op de gekoesterde naaimachine in de gebogen kist in een hoek. 'Heb jij dit allemaal zelf gemaakt?' Hij keek naar de quilt aan de muur, naar het ingewikkelde patroon.

Ze knikte.

'Het is echt prachtig.'

'Ik heb er lang over gedaan.'

'Dat geloof ik direct. Hij is beeldschoon.'

'Dank u.'

'Waar heb je al dit mooie handwerken geleerd?'

'Mijn moeder heeft het me voorgedaan.'

'Wat mooi,' zei hij zacht. 'Echt mooi.' En op dezelfde toon ging hij verder: 'Als ik doodga, moet je dat aan niemand vertellen. Vooral niet aan de politie. Stop me gewoon ergens in een gat in de grond en denk niet meer aan me.'

Ze ging op een krukje naast het bed zitten. 'Wat is er gebeurd?' vroeg ze. 'Wie heeft dit bij u gedaan?'

Langzaam hief hij de hand die over zijn buik had gelegen en drukte zijn wijsvinger tegen Dodies voorhoofd, pal tussen haar ogen.

'Je wilt vast geen viezigheid in dat heerlijk schone en stralende hoofd van je hebben.'

Schoon?

Stralend?

Je wilt geen viezigheid in je hebben.

Daar is het te laat voor, meneer Morrell.

Dodie was in haar moestuintje bezig bonen te plukken toen ze het blik hoorde rammelen. Ze liet de bonen in paniek vallen en rende op blote voeten naar het hutje terug. Tijdens het rennen griste ze een spade op die ze als een knuppel vasthield, en verloor haar versleten oude strooien zonnehoed, zodat de middagzon zwaar op haar hoofd brandde. Maar toen ze de deur bereikte, was deze nog steeds op slot.

'Ik kom,' riep ze, terwijl ze de sleutel uit haar zak viste en de deur opendeed. 'Ik ben er al.'

Ze had Morrell een blik met steentjes erin gegeven en hem gezegd dat hij daar hard mee moest rammelen als hij haar nodig had. Ze moest alleen maar even wat bonen achter het huis plukken om die als middagmaal voor hem te koken. Ze had de deur op slot gedaan. Deze keer geen risico's genomen. Nu had het blik haar geroepen. Het zweet stroomde over haar rug toen ze de hut binnen daverde, maar op het eerste gezicht was er niets veranderd. Morrell lag op dezelfde plek als waar ze hem had achtergelaten. Hij lag nog steeds op het bed, met een dun katoenen laken over zich heen, een geëmailleerde beker met het brouwsel van mama Keel op een krukje naast zich. Maar de ene hand klemde het blik vast en sloeg ermee alsof de wereld verging.

Dodie zag het bloed. Er liepen rode sporen onder zijn hand vandaan, door het verband heen, die in de vezels van het laken waren getrokken. Ze proefde gal in haar mond. Hij had over haar naaiwerk gepraat en naar haar quilt gewezen en hij zou straks de bonen opeten die ze voor hem had geplukt. Hij kon niet weer slecht worden. Maar ze greep een schone handdoek en liep haastig naar hem toe, tilde zijn hand op en schoof de handdoek eronder.

'Druk,' fluisterde ze.

Maar in plaats daarvan greep zijn hand haar pols. Ze kon het kleverige bloed tussen hun beider huid voelen, en de geur was terug en maakte de kamer benauwd.

'Rustig maar,' zei ze kalm. 'We hebben het eerder weten te stelpen, dat gaan we nu weer doen.'

Maar hij beefde over zijn hele lichaam en toen ze in zijn ogen keek, zag ze daar een andere blik, een blik die ze niet kon verdragen.

'Ik zal het medicijn pakken,' zei ze snel.

Maar zijn hand omklemde nog steeds haar pols en ze kon zich er niet toe brengen het contact te verbreken, voor het geval de kleine vonk die deze man in leven hield zou doven wanneer zij zich bewoog. Ze drukte tegen de doek om de stroom tegen te houden.

'Dodie.'

'Ik ben hier.'

'Geef me...' Zijn stem was een ijl gefluister. 'Geef me mijn schoenen.'

'Uw schoenen? Maar u gaat echt nergens naartoe, meneer Morrell, u bent veel te zwak om...'

'Mijn schoenen.'

Ze bukte zich om de witte instappers onder het bed vandaan te halen. Er zaten bruine bloedspetters op het witte oppervlak.

'Een mes,' zei hij.

'Wat?'

'Ik heb een mes nodig.'

Ze ging er niet tegenin. Ze pakte een mes uit een la, maar zijn vingers trilden zo hevig dat hij het lemmet niet in bedwang had, en hij duwde het mes weer in haar hand.

'Trek de binnenzool omhoog,' stamelde hij.

Ze wipte de binnenzool met de punt van het mes omhoog en haalde er een stukje opgevouwen papier onder vandaan. Met grote letters stond er een naam en adres op: *Sanford, Bradenham House, West Bay Street, Nassau.*

'Mijn jasje,' fluisterde hij.

'Meneer Morrell, ik vind echt dat u stil moet blijven liggen. Dit is niet goed voor u. Blijf alstublieft stilliggen.'

Hij keek haar strak aan. 'Als mij iets overkomt...' Er verscheen even een grimas rond zijn intens bleke lippen. 'In mijn jasje... alsjeblieft.'

Ze pakte het verkreukelde jasje, dat stijf stond van het opgedroogde bloed, en voelde dat er iets zwaars in de ene hoek zat. Deze keer deed hij zelfs geen poging om het werk zelf te doen.

'Daar,' zei hij. 'Maak eens open.'

Ze deed wat hij vroeg en maakte een listig verborgen zak open. In haar schoot rolden twee gouden munten die blonken in het gedempte licht van het hutje. Ze staarde ernaar.

'Eén voor jou en één voor mevrouw Sanford.'

'Nee, meneer Morrell.' Haar stem was scherp. 'Laat dat geld maar zitten, u moet gewoon beter worden. Ik zal nog wat kruiden van mama Keel koken en er een aftreksel voor u van maken...'

Er ontglipte hem een lichte kuch. Dat was alles.

'Meneer Morrell?' Dodie boog zich dichter naar hem toe.

Het bloed stroomde uit zijn neus en vormde een rood spoor dat zijn lippen bevlekte. Zijn ogen draaiden in zijn hoofd omhoog.

Nee.

Nee, nee, nee.

'Meneer Morrell?' Haar vingers raakten zijn wang aan. Die was glibberig van het zweet.

Alstublieft, nee. Alstublieft, nee.

'Kunt u me horen?'

Niets. Alleen maar de echo van haar eigen stem in de plotselinge leegte van de kamer. Maar ze was niet bereid daar in stilte toe te kijken hoe hij vertrok. Ze sloeg haar armen om hem heen, hees hem omhoog tegen haar borst terwijl ze op het bed ging zitten, met zijn hoofd slap op haar schouder. Zachtjes wiegde ze hem heen en weer terwijl ze voor hem neuriede, een zacht geluid zonder melodie, en haar tranen vielen warm op zijn wangen.

43

7

Flynn

lynn hield haar in de gaten. Hij hielp niet, hoewel zijn vingers jeukten om een hoek te grijpen van het laken dat ze als lijkwade gebruikte, en het dode gewicht van Johnnie Morrell tussen de bomen door te slepen.

Johnnie, dit was niet de bedoeling.

Hij spuugde zijn kauwgum uit, keerde zijn rug naar de verblindend smaragdgroene zee die kalm achter hem klotste, en kroop dieper in de schaduwen van de palmen. Het was veel te warm. Hij droop van het zweet, hoewel hij zich nauwelijks bewoog, en hij kon slechts vermoeden wat zij moest voelen bij het verslepen van een dode man.

Onder de bomen was het benauwd, de lucht was er vochtig en zwaar, bleef er hangen. Hij zag dat ze bleef staan, maar ze keek niet op van de ingepakte figuur aan haar voeten. Ze liet zich er op haar knieën naast vallen, legde een hand op de brede borst en bleef daar lang met gebogen hoofd zitten voor ze verderging met slepen. Het laken bleef voortdurend achter wortels steken, aan takken en aan glinsterende slierten klimop hangen. Ze had magere armen en benen die op hem de indruk maakten te zullen breken als hij eraan trok, maar ze bewoog zich snel en vastberaden. De lichtgroene jurk die ze vandaag droeg vormde één geheel met het struikgewas en hij had het wonderlijke gevoel dat ze zou verdwijnen als hij zijn ogen van haar afwendde, dat ze in het vlekkerige mozaïek van licht en schaduw zou vervagen.

De dood van Johnnie Morrell was een fiasco, een fiasco die als gruis tussen zijn tanden knarste. Het was geen woord dat hij gemakkelijk gebruikte. Meer dan wat ook wilde hij nu weg van dit eiland, waar het zand zo fijn was dat het in zijn ogen schuurde en in zijn oren kroop, waar zandvliegen zijn bloed uitzogen en waar de inheemse bevolking praatte met een zangerig accent dat 's nachts door zijn hoofd ging.

Hij kon het gat zien dat al was gegraven, zwart en leeg. Ze had dit met haar spade aan de zanderige bodem ontrukt, waarbij de spieren in haar nek trilden, strak van alle inspanning. Hij zag hoe ze het lichaam naar de rand van het gat sleepte en aanstalten maakte het erin te rollen. Opeens kon hij het niet meer verdragen. Hij kon niet toezien hoe Johnnie Morrell zijn laatste duik nam. De geur van het eiland zelf scheen uit het gat op te stijgen en hem te verstikken.

Flynn liep geruisloos weg, over een pad terug tussen de bomen, waarbij hij het zonlicht vermeed. Wat maakte het uit of zij moest leven met een lichaam onder de grond op slechts vijftig meter afstand van waar ze sliep? Wat ging hem dat aan?

Ze betekende niets voor hem.

8

Ella

*B*rieven schrijven. Twee woorden die in Ella's hart voor duisternis zorgden. Het was het deel van haar werk als diplomatenvrouw dat haar het minst beviel. Eén keer per week kwam Reggies secretaris naar Bradenham House met een dossierdoos vol brieven voor haar en een geduldige glimlach op zijn gezicht.

Vandaag was het brievendag. Ze ging aan de grote rozenhouten eetkamertafel zitten en bestelde een pot koffie bij Emerald. Daarna verdeelde ze de brieven in verschillende stapels op het blinkende oppervlak, schoof ze wat heen en weer om het moment dat ze er echt aan begon nog even uit te stellen, en pakte haar vulpen. De eerste brief die ze behandelde was een eenvoudige vraag om meer banken voor de kinderen op een school. De tweede was een gecompliceerder verzoek aan haar om te bemiddelen in een dispuut over juridische kosten die de schrijver dreigden failliet te laten gaan. De derde was in elk geval amusant. Hij kwam in de vorm van een uitnodiging om steun te verlenen aan een klein museum over de geschiedenis van de Bahama's, en hij was geschreven alsof hij afkomstig was van Anne Bonny en Mary Reed, de twee meest beruchte vrouwelijke piraten die ooit de Caribische wateren onveilig hadden gemaakt. Ze voorzag deze brief van een tekentje om nader te bekijken en ging verder met de rest.

De mensen zagen haar als een route naar Reggie. Daar had ze op zich geen bezwaar tegen. Vaak hadden ze al andere wegen geprobeerd – hun parlementslid of de plaatselijke politie – en vormde zij hun laatste toevlucht. Ze probeerde altijd te doen wat ze voor hen kon doen, maar ze weigerde de arme Reggie ermee lastig te vallen. Hij had het al druk genoeg.

Na twee uur, met de zon die op de luiken brandde en de ventilator aan het plafond op volle toeren, schoof Ella haar stoel naar achteren, zette haar zonnebril op en liep naar buiten. Ella was dol op haar tuin, met zijn goed besproeide gazons en borders vol felle kleuren van canna's en de stralende allamanda's. Maar haar favoriet was de overhangende vlamboom die haar elk voorjaar op een uitbundige waterval van vuurrode bloemen trakteerde en die zijn fijne blaadjes elke avond bij het vallen van de schemering opvouwde. Ze luierde nu voldaan in de donkere schaduw van de boom, een respijt van de felle gloed van de zon.

Toen Ella elf jaar geleden op de Bahama's was gearriveerd, had ze daar iets verwacht aan te treffen wat veel leek op de weelderige tropische vegetatie van Malakka, waar de dichte jungle oprukte tot aan de rand van de stad, wachtend op een kans er binnen te trekken. Maar ze had het mis. Hier op New Providence Island waren de dichte bossen lang geleden volledig gekapt, eerst voor de scheepsbouw en daarna voor suikerriet, en nooit meer opnieuw aangeplant. Dat had haar bedroefd gemaakt.

Het eiland had nu een dunne laag grond en was voornamelijk begroeid met een droog struikgewas van varens, pijnbomen en palmen, dat door de inheemse bevolking als bush werd betiteld. Het was niet zo agressief of zo groeizaam als het landschap van Malakka, maar het was ook niet zo benauwend. Het liet licht door. Liet de frisse zilte lucht binnen. Maakte dat je adem kon halen, en Ella was daar erg blij om. In de zomer werd het eiland warm en vochtig, maar het grootste deel van het jaar bezat het een mild klimaat dat bezoekers betoverde en de eilandbewoners hun ontspannen manier van leven bood.

Ella liep vastberaden naar het einde van de tuin, waar een hek met gaas een groot stuk open terrein omheinde. Ze rammelde met de geëmailleerde kom in haar hand, zodat de zonnebloempitjes erin op en neer sprongen, en riep luid: 'Dames!' Op slag rende een kakelende toom kippen naar het hek, met opgewonden geduw en gepik. Ella moest altijd om hun streken lachen, vooral om Josephine die de leiding had, een indrukwekkende Rhode Island Red, die dol was op watermeloen.

'Ik snap niet waarom jij zoveel moeite doet voor die stomme kippen,' mopperde Reggie wanneer Ella binnenkwam van het schoonmaken van hun hokken of van het verstuiven van luizenpoeder.

'Ik vind ze leuk.'

'Kun je je eieren niet gewoon kopen?'

'Ik vind die kippen nou eenmaal leuk,' legde ze uit. Maar Reggie zou het nooit begrijpen.

Ze schrok op toen ze een stem achter zich hoorde.

'Ach, daar ben je dan, lieve Ella. Ik dacht al dat ik je hier zou vinden.'

'Tilly, goedemorgen.'

Haar vriendin droeg een onberispelijke linnen blouse en rok in dezelfde tint gebroken wit, en een hoed die breed genoeg was om haar gezicht te allen tijde tegen de zon te beschermen. Haar neus was een beetje rood, maar Ella vermoedde dat dit niet van de zon kwam.

'Iedereen heeft het erover hoe geweldig het gisteravond was, knappe lieverd. En ook een geweldige opbrengst voor het goede doel.'

'Onze jongens weten in elk geval hoe ze feest moeten vieren. Ik hoop dat jij het ook naar je zin hebt gehad.'

Tilly trok een zuur gezicht. 'De hertog is vroeg vertrokken. Hij leek een vreselijk slecht humeur te hebben. Ik heb niet eens de kans gehad met hem te dansen.'

Ella gooide een handje zaden naar de kippen en veroorzaakte daarmee een kleine opstand. 'Kop op, Tilly, er is altijd een volgende keer.'

'Wat doe je vandaag?'

'Brieven schrijven.'

'Doe niet zo suf, lieverd. Ik wil dat je met me mee gaat kijken naar de zeilwedstrijden.' Ze porde ongeduldig met een kanten parasol tegen het gaas. 'Hector doet mee.'

'Tja, eigenlijk moet ik...'

'Hebt u misschien iets nodig, mevrouw Latcham?'

De volle stem van Emerald schalde over het gazon en haar boezem naderde hen in hoog tempo over het tuinpad. Kennelijk was Tilly Latcham erin geslaagd langs de zijkant van het huis te glippen, waarbij ze de vreeswekkende dienstbode had weten te omzeilen. Ella grinnikte.

'Het is in orde, Emerald. Alles is prima.'

Emerald bleef staan, met een boezem die nog steeds op en neer deinde als een vrachtauto waarvan de motor stationair bleef draaien, en ze kneep haar grote, rode lippen afkeurend samen terwijl ze Tilly veelbetekenend aanstaarde. Ze was heel bedreven in het staren. Het was een van de wapens die ze gebruikte in de wereld van blanken waarin zij zich als zwarte vrouw bevond.

'Ik ontdekte u, mevrouw Latcham. U bent niet aangekondigd.' Tilly wuifde luchtig met haar hand. 'Niet nodig. Ik wilde je niet storen toen je...' Ze keek even naar de handen van de dienstbode, met vlekken meel erop, '... toen je bezig was.'

'Zo is het wel goed, Emerald, dank je,' zei Ella, en ze kieperde de laatste zonnebloempitten voor de roofzuchtige meute.

Emerald draaide met haar zwarte ogen en na een laatste veelbetekenende blik in Tilly's richting liep ze terug zoals ze was gekomen, met sandalen die met een eigen stem op het pad klepperden.

'Ella, ik zweer dat ik je niet begrijp,' riep Tilly uit. 'Stuur haar toch de laan uit, verdorie!'

Ella keek naar de brede achterkant van haar dienstbode in het witte uniform, zoals ze naar het huis sjokte, met de zon die op haar krullen vol haarolie schitterde en haar schaduw op het gazon wierp. Ella dacht aan de manier waarop Emerald soms de hele nacht bij het kippenhok zat om een zieke kip te verzorgen, ze herinnerde zich het geluid van haar stem wanneer ze tijdens het bakken in een gezang losbarstte, en ze voelde opnieuw haar vertrouwenwekkende aanwezigheid in haar rug wanneer ze eieren gingen bezorgen in de zwarte sloppenwijken aan de andere kant van de heuvel.

'Nee,' zei ze resoluut tegen Tilly, 'ik stuur haar niet de laan uit.'

'Ze is erg onbeleefd.'

'Dat is waar,' zei Ella knikkend, 'maar ze is ook loyaal. En ze aanbidt de grond waar Reggie op loopt.'

Tilly lachte en keek Ella vol genegenheid aan.

'Hoe kun je daarmee leven, lieverd?' vroeg ze. 'Ik zou er stapelgek van worden.'

'Ach, weet je,' antwoordde Ella terloops, 'ik heb met de meeste dingen leren leven.'

49

9

Dodie

*D*odie doorzocht het zand. De middagzon brandde op haar rug toen ze onder een stralend blauwe hemel over het strand liep, zodat de huid onder de dunne katoen van haar jurk werd gekweld en haar nek werd geschroeid, elke keer dat ze haar hoofd bukte om het zand af te zoeken. Ze zocht de voetstappen van meneer Morrell.

Ze waren hier. Ergens. Een boven alle twijfel verheven bewijs dat hij ooit in leven was geweest. Dat hij zijn merkteken op de wereld kon achterlaten. Ze wilde zijn schoenen of zijn kleren of zijn smerige gouden munten niet, dat waren allemaal levenloze overblijfselen, allemaal voorwerpen die iets betekenden en geen enkel spoor van hem bezaten. Van hém. Van de man die hij in wezen was. Nutteloze dingen. Nee, ze wilde...

Wat wilde ze?

Ze ging op haar hurken zitten, hield een hand boven haar ogen en schudde haar haar naar achteren terwijl ze speurend uitkeek over de sierlijke bocht met wit zand die zich bij haar vandaan uitstrekte, glanzend als suiker dat uit een pot was gevallen. Een leeg strand. De stilte werd slechts verbroken door de turkooiskleurige golven die zich tegen de helling op werkten, en het op en neer deinen van de luidruchtige strandlopers. De palmen langs de bomenrij leken te dutten, sloom in de windstille lucht.

Ze wilde meneer Morrell terugvinden. Ze wilde zich hem niet herinneren als de levenloze massa die ze had gewikkeld in de lijkwade die ze voor hem had genaaid, maar als de man die zich gisteravond grimmig aan haar enkel had vastgeklampt en om haar hulp had gevraagd.

Help me.

Ze had hem geholpen te sterven.

Maar ze kon zich er niet toe brengen hem oneervol te begraven in zomaar een gat in de grond. Ze negeerde het gekrioel van voetstappen voor haar hutje en keek in plaats daarvan met samengeknepen ogen naar de verdwijnende rij afdrukken die vanaf de waterlijn liep. Grote voeten in schoenen met harde zolen, die behoorden bij een vreemdeling met grote stappen.

'Vertrouwde u me niet, meneer Morrell?' vroeg ze. 'Kennelijk niet voldoende.'

Ze liep terug naar de plek waar ze hem gisteravond uit de kruiwagen had geholpen, en ze vond verscheidene duidelijke afdrukken die nog steeds in het zand stonden geprent. Ze zette haar eigen blote voet in een ervan, maar de afdruk was te groot om van haar te kunnen zijn. Ze knielde ernaast neer en veegde voorzichtig met een vinger over de welving van de zool.

Dit was hem, dit was wat ze zocht. Het was zijn kracht die deze vorm had gemaakt, dit kenmerk van Morrell. Ze boog zich er gulzig overheen, haar hand spreidde zich binnen de afdruk, het zweet drupte van haar voorhoofd en liet spikkels in het zand achter, als tranen. Aan haar lippen ontglipte een kreun.

10

Ella

Ella reed. Dat was wel zo veilig. De rode neus van haar vriendin was altijd een goede indicator van haar alcoholgebruik, en ze had zich vanmorgen kennelijk het nodige ingeschonken. Tilly leunde achterover in de passagiersstoel van Ella's donkerblauwe Rover en zat discreet achter haar zonnebril te dutten. Dat kwam Ella goed uit. Ze had nog iets wat ze wilde doen alvorens naar de jachthaven te rijden die aan East Bay Street lag, aan de andere kant van Nassau. Ze wilde even een kijkje nemen bij de school die meer banken nodig had, dus reed ze over de kustweg in westelijke richting en sloeg vervolgens links af, waarna ze door het schaars bewoonde binnenland reed.

Terwijl haar auto op de onverharde weg een wolk van stof achter zich liet, genoot ze van de warme lucht die door het open raam tegen haar wang blies, en slierten haar in haar nek optilde, waardoor de auto gevuld werd met de zoete geur van wilde bloemen. Boven hen welfde de lucht zich in het soort ijsvogelblauw dat een kind zou kiezen om een lucht te schilderen, en bracht haar de dromen uit haar jeugd in herinnering. Als kind had ze een moedige ontdekkingsreiziger in donker Afrika willen worden, en ze had de dagelijkse minachting van haar broer moeten verdragen toen ze zichzelf leerde hoe ze een kompas moest gebruiken en de stand van de zon moest bestuderen. Ze had zulke grootse plannen. Maar daar was niets van terechtgekomen.

In plaats daarvan had ze Reggie ontmoet. Hij was een veelbelovend talent, een intelligent jong parlementslid dat veel aandacht trok. Hij had het in zich om een van de prominenten van zijn partij te worden. Een heel ander soort avontuur dan dat ze zich een weg moest banen door de jungle of door moerassen vol krokodillen moest waden, maar toch opwindend. Als vrouw van een parlementslid zou ze in staat zijn iets positiefs te doen, zijn politiek kunnen beïnvloeden. Ze zou op deze wereld een teken kunnen achterlaten dat zei: *Ella Sanford was hier.*

Wat was er gebeurd?

Hoe had ze op zo'n achterafplek als New Providence Island kunnen belanden? Op dit moment woedde er in Europa een oorlog die landen en levens uiteenrukte, en een deel van haar hunkerde ernaar een ambulance te besturen. Of belangrijke radioberichten op te vangen. Pakjes met geheime boodschappen te bezorgen. Alles... wat dan ook, om de verpletterende verveling in haar leven te verdrijven.

Ze week uit voor een broodmagere hond die het nodig had gevonden midden op de weg in het zonnetje een dutje te doen. Tilly deed haar ogen open maar sloot ze meteen weer, en Ella vond dat ze wel een heel schoon geweten moest hebben, gezien de manier waarop ze pardoes in slaap kon vallen. Aan weerszijden van de weg stonden de bomen lui te suffen boven een onderbegroeiing van jonge dwergpalm, een waaiervormige palm waarvan de bladeren als dakbedekking en vlechtwerk werden gebruikt. Ze snelde langs een kraampje met gele meloenen en de donkergekleurde vrouw erachter stak een hand op. Ella zwaaide terug.

Dus wat was er gebeurd? Waarom zat Reggie niet in het oorlogskabinet?

Alles was veranderd, dát was er gebeurd.

'Ik zal je uiteraard niet aan je trouwbelofte houden, Ella,' had Reggie stijfjes in haar moeders salon aangekondigd, 'als je dat wenst.'

'Nee, lieve Reggie.' Ze was naar hem toe gelopen, had zijn gezicht in haar handen genomen en had hem op de mond gekust. 'Dat is niet wat ik wens. Helemaal niet.'

Er waren tranen in zijn ogen gekomen. In de twintig jaar die ze met hem had doorgebracht, was het de enige keer geweest dat ze haar man had zien huilen. Hij had haar geen details verteld en ze had er niet naar gevraagd. Ze hadden er nooit weer over gesproken. De een of andere financiële strop waar hij bij betrokken was geweest, dat was alles wat ze wist, maar het was voor hem voldoende om zich discreet uit het parlement terug te trekken. In plaats daarvan werd hij op een zijspoor gezet bij het ministerie van Koloniën, en werd hij uitgezonden naar verre uithoeken van het Britse Rijk om hem te beschermen tegen misprijzende blikken in beschaafde Londense salons. Dus in plaats van zich een weg te banen naar de oorsprong van de Nijl, had ze zich jaar na jaar een weg gebaand door komkommersandwiches en beleefde conversatie.

Het was gewoon niet anders.

Toen ze de school had gevonden, bleek deze klein te zijn, met slechts twaalf leerlingen, en slecht geoutilleerd. In het lokaal was een schoolbord, maar er waren te weinig leien voor de kinderen, van wie sommige op omgekeerde kistjes zaten. Ella begroette ieder kind en sprak met de zwarte onderwijzeres over de noodzaak van boeken voor hen om te lezen en krijtjes om mee te schrijven. Misschien zelfs een paar pennen en inktpotten. Een schrift en een liniaal voor ieder zou een groot verschil betekenen.

'Ik zal zien wat ik voor u kan doen,' beloofde Ella.

'De Afdeling Onderwijs zal er niet blij mee zijn dat ik achter hun rug om naar u ben gestapt, mevrouw Sanford.'

'Ik vermoed dat die afdeling bestaat uit blanke mannen die zo hun eigen opvattingen hebben. Maar maakt u zich geen zorgen.' Ella glimlachte met respect naar het frisse, jonge gezicht van de onderwijzeres, die hoogstens negentien of twintig was. 'We zullen hun niets vertellen.'

De ogen van de jonge vrouw stonden enthousiast. 'Dat stel ik bijzonder op prijs. Dank u wel, mevrouw Sanford.'

De kinderen zongen het volkslied niet één maar twee keer voor Ella, en toen ze wegging zei de onderwijzeres: 'Tot ziens, mevrouw Sanford. Wees voorzichtig in de stad.'

Ella bleef staan. 'Hoe dat zo? Wat is er in de stad aan de hand?'

'Niets bijzonders. Het zijn gewoon weer de bouwvakkers.'

'Maar het gedoe over hun loon en dat soort dingen is toch vorig jaar geregeld?' zei Ella. 'Krijgen ze nu weer niet genoeg betaald?'

'Het is maar wat u met "genoeg" bedoelt, nietwaar?'

Ella gaf geen antwoord en stapte in de auto. 'Wakker worden, Tilly. Er is een wedstrijd waar we naar gaan kijken.'

Pas toen ze weer naar de stad reed, over West Bay Street met de eindeloze zee in een verblindend patchwork van smaragd en nachtblauw links van hen, ging Ella opeens rechtop zitten achter het stuur. Op haar hoede en waakzaam.

'Tilly, wat bedoelde ze precies toen ze zei: "Wees voorzichtig in de stad"?'

De binnenstad van Nassau was mooi. Er bestond geen ander woord voor. Het was echt een plaatje. Met allemaal pastelkleurig geschilderde gevels en schaduwrijke luifels om het winkelende publiek tegen de ongemakken van zon of regen te beschermen. Bay Street was de brede, met bomen omzoomde doorgaande weg van Nassau, die evenwijdig aan de oceaan liep, en Ella werd opnieuw getroffen door de elegantie en de ongerepte schoonheid ervan.

Bay Street was de plek waar het geld was. De Bay Street Boys – zo werden ze genoemd – waren de op geld beluste mannen in koele linnen pakken, die op dit eiland de dienst uitmaakten. Ze rookten dikke Cubaanse sigaren in hun kantoren boven de rijen chique winkels, en soms kreeg Ella hen te zien wanneer ze met een voldane glimlach uit hun bovenraam omlaag keken. Dit waren de mannen die de economie en de Assemblee bestuurden, de juristen en rentmeesters, accountants en kooplieden, handelaren die fortuinen verdienden en precies wisten waar ze naartoe moesten voor een officiële vergunning voor hun contracten.

Ze waren man, blank van huid, en veel van hun macht berustte op het op hun plaats houden van de zwarten en de primitieve, zelfvoorzienende landbouw op het eiland. Toch moest Ella erkennen dat een van de eigenschappen van deze samenleving waarvan ze het meeste hield, de vrije geest was. Men was hier volstrekt onverschillig voor allerlei soorten regels. De geschiedenis was hier doordrenkt van illegale dranksmokkel en brutale schurkenstreken, al sinds de tijd dat beruchte piraten als Blackbeard de onverharde straten onveilig maakten met een pistool op elke heup, of toen strandjutters schepen op de rotsen lokten om hun vracht te plunderen.

Ten slotte wist Woodes Rogers, die in 1717 tot eerste Britse gouverneur van de Bahama's was benoemd, wat orde en gezag in de kroegen en bordelen van Fort Nassau te brengen. Maar het eiland bleef altijd een magneet voor fortuinzoekers. Tijdens de Amerikaanse Burgeroorlog voor blokkadebrekers, en meer recent voor dranksmokkelaars die snel geld wilden verdienen aan de drooglegging in de Verenigde Staten. Die glorietijden, waarin een boot vol kratten rum in één gevaarlijke nacht van oversteken naar Miami meer geld opleverde dan een halfjaar moeizaam vissen, waren nu voorbij.

Maar voor de zwarte bevolking van het eiland bleef de levensstandaard bedroevend laag en Ella kon maar al te goed begrijpen waarom er vorig jaar rellen waren geweest. Die gingen over de ongelijkheid in betaling tussen zwarte en blanke bouwvakarbeiders op het nieuwe vliegveld. De fysieke schade die op Bay Street was aangericht, was gerepareerd; de glasscherven en stenen waren snel uit het zicht geveegd, maar de schade aan het vertrouwen van de eilandbewoners in de eerlijkheid van het systeem strekte zich uit tot buiten het bereik van een bezem of een emmer cement. De zwarte Bahamanen waren van nature gemakkelijke mensen, altijd bereid tot een glimlach en hun aanstekelijke calypsomuziek bij een glas bier. Er was vreselijk veel voor nodig om hen op te jutten, maar de onrust nam toe, vlak onder de oppervlakte.

'Weet je wat mij gisteren is overkomen, Tilly?'

'Ik weet in elk geval wel dat je die mooie rand van dat rijtuigje op je motorkap zult krijgen als je niet wat vaart mindert, lieverd.'

Voor hen reed een van de fraai versierde open rijtuigjes die door de hoofdstraten van Nassau op en neer bewogen en door de inwoners als taxi werden gebruikt en door bezoekers van het eiland als voertuigen voor sightseeing. Ella remde hard. De hitte wolkte door het open raam naar binnen en de hoge wielen van het rijtuigje wierpen een mengsel van stof en zand op dat tussen haar tanden knarste.

'Maar wat gebeurde er, Ella?'

'Ik was gisteren bij Walker's fourniturenwinkel. Die bekakte vrouw van hem weigerde een zwarte vrouw te bedienen die een paar handschoenen wilde kopen.'

'Jezus!'

'Precies.'

'Heb je iets gezegd?'

'Uiteraard. Ik heb mijn rekening daar gesloten.'

'Goed zo.'

'Gwen Walker is zo'n verhipte hypocriet.'

Tilly pakte haar zonnehoed van haar schoot om zich er koelte mee toe te wapperen. 'Heb je Reggie op de hoogte gebracht?'

'Inderdaad.'

'Ik wed dat hij boos was.'

'Hij heeft Rob Walker meteen opgebeld.'

'Wat was zijn...'

Een geluid als een klap deed Ella opschrikken in haar stoel, en opeens werd de wereld knalrood.

Ze knipperde wild met haar ogen. Nog steeds rood. Ze bracht een hand naar haar gezicht en trok hem meteen weer weg, met bonzend hart.

Allemaal bloed.

11

Dodie

*W*aar rook dit toch naar?

Dodie ademde scherp in. Het leek wel of er een duidelijke geur van droefheid uit het houtwerk opsteeg. Het maakte dat de haren in haar nek rechtop gingen staan. Ze had, verstijfd van besluiteloosheid, buiten het roze gebouw met zijn groene luiken en zijn blauwe glazen lamp gestaan. Het zag er aan de buitenkant beslist niet uit als een politiebureau. Ervoor stond een monsterlijk grote Amerikaanse populier, midden tussen de gebouwen die Nassaus administratieve centrum op Rawson Square en Parliament Square vormden. Met hun roze gevels en ervoor zuilengalerijen als bij een lieftallig poppenhuis, stonden de Assembly Hall, het Supreme Court, de brandweerkazerne en het postkantoor allemaal opgesteld rond een schitterend standbeeld van koningin Victoria.

Maar binnen was het politiebureau geen poppenhuis. Dodie liep nerveus naar de balie waar de dienstdoende agent in een diep gesprek was verwikkeld met een vrouw met piekharen, die een gecompliceerd verslag gaf van haar meningsverschil met haar buurman.

'En toen heeft die rotzak mijn vijgenboom omgehakt,' klaagde ze luidkeels, terwijl ze hevig met een zakdoek naar haar gezicht wapperde. 'En ik was erg aan die boom gehecht.'

'Dat geeft u nog niet het recht om uw geiten los te laten op zijn...'

Dodie stapte achteruit naar waar een rij houten stoelen met rechte rug wachtte. Er zaten drie mannen op, twee zwart en één blank. De blanke man was oud en dronken. De twee anderen waren jong en zwijgzaam, met een strakke mond, alsof ze iets te verbergen hadden. Geen van hen keek zelfs maar haar kant uit. Het was helemaal niet in Dodie opgekomen dat er misschien een rij zou zijn. Ze wilde dit alles zo snel mogelijk afhandelen.

Ze ging zitten wachten. De minuten kropen voorbij. Haar handen wilden steeds friemelen, aan de stof van haar rok plukken, dus ging ze er maar op zitten om ze stil te houden. Ze had eigenlijk nu aan het werk moeten zijn. Olive Quinn zou al tegen de andere serveersters in het Arcadia Hotel lopen snauwen omdat ze krap in het personeel zat. Dodie keek verlangend naar de telefoon op de balie. Misschien mocht ze hem gebruiken om uit te leggen waarom ze te laat kwam, maar toen ze naar de agent keek veranderde ze van gedachten. Hij had het koppige uiterlijk van iemand die gewend was nee te zeggen.

'Kan ik je helpen, jongedame?' Er verrees een gezicht boven Dodie. Het hoorde bij een lange, blanke man met een Engels accent, in een lichtgewicht pak en stropdas. Ze kon het woord 'politieagent' overal op hem gedrukt zien, door de manier waarop hij met zijn voeten stevig uit elkaar geplant stond, alsof hij vol zelfvertrouwen was ten aanzien van zijn aanspraken op dit stuk terrein. Zijn mond stond beleefd, vriendelijk zelfs, maar zijn grijze ogen waren zo direct en indringend dat ze gedurende een onderdeel van een seconde haar blik afwendde.

'Ik ben rechercheur Calder,' zei hij.

Voor ze antwoord kon geven vloog de deur met een klap open en renden – letterlijk renden – er twee vrouwen het politiebureau binnen, overdekt met bloed.

Iedereen staarde naar hen, maar het was de lange rechercheur in het pak die als eerste reageerde.

'Agent, bel een ambulance,' beval hij terwijl hij zijn hand uitstak naar de langste van de twee, een donkerharige vrouw die in haar ene hand een hoed met een brede rand vasthield, waarvan bloed omlaag stroomde, als vuurrode linten.

Ze greep hem bij de pols, zodat er vieze vegen op zijn mouw kwamen. 'Dit is een schandaal!' schreeuwde ze.

Er stroomde bloed over de ene kant van haar gezicht, over haar schouder en blouse, en sijpelde op haar rok. Maar de blonde vrouw was er slechter aan toe. Haar gezicht was een masker van rood dat op haar wimpers glinsterde, zodat het intense blauw van haar ogen hevig contrasteerde, maar toch was zij degene die kalm bleef. De bovenste helft van haar zomerjurk plakte tegen haar borsten.

Dodie sprong overeind. 'Kan ik helpen?'

'We zijn niet gewond,' verklaarde de blonde vrouw. 'Het is niet ons bloed.' Haar blauwe ogen fonkelden, fel van woede. 'Ga direct kolonel Lindop halen,' beval ze.

De rechercheur knikte snel naar de agent achter de balie, die naar de trap rende, en daarna trok hij zijn jasje uit en hing dit rond de vuurrode schouders van de blonde vrouw. Ze trok het jasje strak om zich heen, om haar lichaam aldus aan starende blikken te onttrekken.

'Dank u.'

'Wat is er gebeurd?' vroeg de rechercheur. Zijn stem klonk kalm en troostvol.

'We zijn op straat aangevallen.' De vrouw klapte haar handpalmen tegen elkaar, alsof ze de belagers wilde verpletteren.

Er klonken snelle voetstappen en er marcheerde een oudere man met een militaire houding de hal binnen, waar hij moeiteloos alle aandacht opeiste. Over de hele wereld droegen mannen als hij het Britse Rijk op hun schouders. Hij droeg het kakiuniform van politie-commissaris van het eiland, compleet met zwarte wapenriem en blinkend gepoetste laarzen. De atmosfeer in de ruimte veranderde direct.

'Mijn lieve dames! Grote hemel, wat voor de duivel is er met u gebeurd?'

Hij kwam met uitgestoken armen naar hen toe, maar Dodie zag dat hij hen niet aanraakte, dat hij niet het risico wilde lopen dat zijn perfect gestreken uniform zou worden bedorven. Hij was niet als de man die zijn jasje had afgestaan.

'Ze waren met zijn vijven, ze gooiden een emmer bloed over ons heen,' verklaarde de blonde vrouw. Ze had zichzelf nu onder controle en sloeg haar handen niet langer op elkaar.

'Wie dit ook mag hebben gedaan, ik zal ze zwaar aanpakken,' verzekerde Lindop haar.

'Zwarte arbeiders die tegen ons schreeuwden en bloed naar ons smeten,' zei de donkere vrouw kwaad. 'Ik verzeker u, kolonel Lindop, dat we van geluk mogen spreken dat we het er levend van af hebben gebracht.' Ze had de rechercheur losgelaten en haar handen fladderden door de lucht, als rode vlinders in paniek.

'Tilly,' zei de blonde vrouw, opeens gegeneerd, 'overdrijf niet. Anders dan… dit…' Ze gebaarde naar de bedorven kleren. '…hebben ze ons geen kwaad gedaan. Ze zijn meteen weggerend.' Kolonel Lindop gebaarde met een hand naar een deur aan de andere kant van de ruimte. 'Kom, dames.' Hij keek even naar de toeschouwers, en zijn blik gleed over Dodie voordat hij zich omdraaide om de twee dames snel te bekijken. 'Blake,' zei hij tegen de agent naast hem, 'waarschuw een dokter. En een fotograaf. Nu meteen.'

Opeens waren ze weg. De vrouwen verdwenen door de deur en Dodie bleef achter in het midden van de receptie. Ze keek naar de deur die naar de straat leidde. Ze kon nu weggaan, nog steeds weggaan, en niemand zou het opmerken als zij stilletjes de straat op glipte.

'Wat kan ik voor u doen, juffrouw?'

Ze draaide zich met een ruk om. Rechercheur Calder boog zich opnieuw bezorgd over haar heen.

'Dat was een hele schok, hè? Kan ik wat water voor u halen?' Hij raakte zijn borst even aan, alsof hij een bonzend hart wilde kalmeren, en Dodies ogen gingen naar het bloed op zijn mouw.

'Nee, dank u.' Ze had veel moeite om de volgende woorden van het puntje van haar tong te duwen. 'Ik kom een moord melden.'

De kleine verhoorkamer was vervuld van stilte en warmte. Er dwarrelden stofdeeltjes door Dodies blikveld en ze probeerde zich daarop te richten in plaats van op de blik in de grijze ogen van Calder. Ze werd nerveus van die behoedzame blik in de samengeknepen ogen. Dat was niet wat ze had verwacht.

Ze had iets anders verwacht, ze zou hun over meneer Morrell vertellen. Alles. De politieagenten zouden aandachtig luisteren, daarna zouden ze het – ze kon het woord nauwelijks denken – *lichaam* ophalen, en met behulp van alle methodes die rechercheurs gebruikten zouden ze de moordenaar vinden, de schuldige voor een rechter en jury slepen, en hem levenslang in de gevangenis opsluiten. Ze had zelfs een beetje medeleven verwacht, zoals de twee vrouwen hadden gekregen.

Maar dat was niet wat zij kreeg.

Zodra ze het woord 'moord' had uitgesproken, veranderde alles binnen het politiebureau. De glimlach verdween van de gezichten. De mensen stapten bij haar vandaan alsof ze onrein was. Zelfs re-

61

chercheur Calder met zijn bloedbevlekte mouw deinsde achteruit, als om een niemandsland tussen hen te plaatsen, en zijn schouders verstrakten.

Hij nam haar mee naar een verhoorkamer zonder ramen en zonder ventilator, zodat de temperatuur gestaag steeg. Ze ging zitten om hem het verhaal te vertellen terwijl een jonge agent in de hoek aantekeningen maakte. Ze hield het eenvoudig: ik heb gisteravond meneer Morrell gewond in een steegje gevonden, ik heb hem meegenomen naar mijn huis waar ik hem heb verzorgd, maar hij is vandaag gestorven. Hij wilde dat ik hem zomaar ergens in een gat zou begraven, maar dat kon ik niet over mijn hart verkrijgen. Op het laatste moment ben ik van gedachten veranderd en hier naar u toe gekomen. Toen ze was uitgesproken, voelde de lengte van de stilte in de kamer als een touw dat zich om haar hals wond.

'Juffrouw Wyatt,' zei de rechercheur op meelevende toon, 'dat moet een uitermate schokkende ervaring voor u zijn geweest. Het spijt me.'

Speet het hem voor haar? Voor Morrell? Voor de reputatie van Nassau?

'Ja.' Zelfs in haar eigen oren klonk het achterdochtig.

'Waarom hebt u niet gisteravond de politie gewaarschuwd?'

'Dat heb ik u verteld. Meneer Morrell smeekte me niemand iets te vertellen, zelfs het ziekenhuis niet. Hij zei dat het te gevaarlijk was.'

'En u dacht dat dat belangrijker was dan het redden van zijn leven?'

'Nee, natuurlijk niet.'

'Waarom hebt u dan geen contact met ons opgenomen?'

'Dat heb ik u verteld. Hij was doodsbang. Hij dacht dat degene die dit had gedaan, dan terug zou komen om het karwei af te maken.'

'Dus u dwong een gewonde en bloedende man om door de straten van Nassau te lopen.'

'Hij wilde dat ik hem daarvandaan hielp. Hij was heel erg bang. Ik heb hem niet gedwongen, ik heb hem geholpen.'

'Ten koste van zijn leven.'

'Ik wist niet dat hij dood zou gaan. Ik dacht dat...'

Dat ik hem kon redden.

In plaats daarvan zei ze: 'Ik dacht dat hij beter begon te worden nadat ik het bloeden had gestopt. Hij knapte op en begon me vragen te stellen over mijn leven en hij bewonderde zelfs mijn quilt aan de muur. Hij was…' Ze keek de rechercheur die tegenover haar zat recht aan. '… belangstellend. Ik dacht niet dat mensen die stervende waren belangstelling voor anderen hadden. Ik vond hem aardig.'

Calder knikte en keek even naar de schaarse aantekeningen die hij op een gelinieerd blocnote voor zich had genoteerd. Hij schoof het gelijk met de rand van de tafel, tikte er peinzend met een vinger op en haalde toen een pakje Player's sigaretten uit zijn zak. Hij presenteerde haar, maar ze schudde haar hoofd. Hij stak zijn sigaret aan en blies een sliert grijze rook uit, die lusteloos in de vochtige lucht bleef hangen, en ze vroeg zich af wat er nu zou komen.

'Ik heb een paar vragen,' kondigde hij aan.

'Ik heb u alles verteld.'

Ze hoorde het bloed in haar oren bonzen.

'Waar is het lichaam van meneer Morrell nu?'

'Dat heb ik u verteld.' Waarom deed hij dit? Waarom moest ze alle feiten steeds weer herhalen? 'Het ligt in mijn huisje aan het strand.' Ze merkte op dat ze *het* in plaats van *hij* gebruikte.

'Mogen we de sleutel alstublieft hebben?'

Ze legde haar sleutel met een klap op de tafel. 'U hebt mijn adres daar zwart op wit voor u.'

Hij knikte. De agent in de hoek sprong snel overeind, pakte de sleutel en bracht hem naar buiten, waarna hij terugkeerde naar zijn donkere hoek. Vreemd genoeg bestudeerde Calder, in het korte interval dat ze alleen waren, haar gezicht en schonk haar iets wat bijna op een glimlach leek. Ze wist niet wat dit betekende. Maar inwendig werd er iets ijskoud bij haar.

'Nog een paar vragen,' zei hij tegen haar. 'Wat was de voornaam van meneer Morrell?'

'Ik weet het niet.'

'U zei dat hij een Amerikaan was. Waar kwam hij vandaan?'

'Ik weet het niet.'

'Was hij hier voor zaken?'

'Ik weet het niet.'

'U zei dat hij geen portefeuille of paspoort bij zich had. Hoe is hij dan hier op New Providence Island gekomen?'

'Ik weet het niet.'

'Wat voor reden had zijn aanvaller om hem te steken?'

'Ik weet het niet.'

'Waar logeerde hij?'

'Ik weet het niet.'

Rechercheur Calder leunde achterover in zijn stoel die hij op de achterpoten wipte, en er hing rook rond zijn lippen, alsof die niet bij hem weg wilde. Hij drukte zijn sigaret uit en keek haar strak aan. 'U weet niet veel, hè, juffrouw Wyatt?'

Ze proefde gal in haar keel. Ze had nog niets gezegd over de gouden munten of de naam Sanford of de medicijnen van mama Keel.

'Ik heb u alles verteld wat ik weet,' zei ze.

Hij stopte zijn handen onder zijn oksels en richtte zijn ogen op de hare. 'Dat mag ik hopen.'

Ze wendde haar blik niet af. Ze deed haar mond open om tegen Calder te zeggen dat ze nu graag dat glas water wilde hebben, maar het begon opeens tot haar door te dringen dat hij geloofde dat zij misschien degene was die Morrell in dat donkere steegje had gestoken. Het was eerder vertoond. Een vrouw die een man mee naar huis nam voor seks en betrapt werd bij het stelen van zijn portemonnee. Een mes in zijn onderbuik voordat hij haar in elkaar kon slaan.

Ze deed haar mond snel dicht. Ze was overdekt met een laagje zweet. *Hij denkt dat ik Morrell heb vermoord.* Ze keek neer op haar handen. *Ik zit te beven.*

'Kom, juffrouw Wyatt, laten we het nog eens doornemen,' zei de rechercheur op beheerste toon. 'Vanaf het begin.'

12

Flynn

*H*oe weet je wanneer iemand liegt? Je kijkt naar de blokkade achter in zijn ogen.

Je wacht op het veelzeggende trekje aan weerszijden van zijn mond. Je luistert naar de verandering in tempo waarmee de woorden uit zijn mond komen.

Soms moet je er moeite voor doen. Maar vandaag was het gemakkelijk. Flynn Hudson kon zien dat de Engelsman die tegenover hem zat zwaar zat te liegen, door de manier waarop de puntjes van zijn oren rood werden. Het bloed ging sneller stromen. Je hoefde maar even met je ogen te knipperen om het te missen. Het gebeurde elke keer dat hij de woorden sprak: 'Geloof me.'

'Geloof me, Hudson. Meyer Lansky in Miami is witheet. Absoluut niet blij met deze afloop. Het is een fiasco.'

'Geloof me, Hudson, ik had naar Morrell moeten luisteren. Hij wilde toch al niet dat jij deel zou hebben aan deze operatie.'

Allemaal gelogen.

Flynn viste een pakje shag op en begon uitvoerig een sigaret te rollen. Johnnie Morrell was zijn vriend, en nu was hij dood. Je hoort niet de ene dag een sigaret met een kameraad te roken en de volgende dag zijn dood een *fiasco* te noemen. Dat dóé je gewoon niet. Niet bij vrienden. Dus die vent die met een keurig Brits accent sprak en praatte alsof hij als ontbijt een woordenboek had ingeslikt, kon de pot op. Hij noemde zich Spencer. Ook al zo'n smerige leugen.

Ze waren in een bar die weggestopt was achter een groezelige rij winkels, waar de plaatselijke bevolking kwam om bier te drinken en te mopperen over soldaten die bij de meisjes de eerste keus hadden. De vent droeg geen das en geen jasje, wat waarschijnlijk zijn idee was van onopvallend gekleed zijn, hoewel de messcherpe vouw in zijn broek en de misprijzende trek rond zijn mond daar niet erg bij hielpen. Er zaten zweetplekken onder zijn armen. Die bedierven het effect van zijn overhemd. Het licht in de bar was schemerig, wat Flynn goed uitkwam. Het betekende een opluchting na het felle, glasheldere licht van buiten. Om hen heen was een mengeling van huidskleuren, mannen die geen enkele belangstelling voor Spencer en hem hadden omdat ze hun eigen zorgen hadden om in hun bier te verdrinken. Ze hadden niet de minste behoefte aan de problemen van twee vreemdelingen die elkaar aankeken als een stel vechthanen.

Flynn stak de sigaret die hij had gerold op en blies een versperring van rook naar de wolk muggen die hem had achtervolgd. Johnnie Morrell had hier bij hen moeten zijn, om rum achterover te slaan en met zijn geintjes deze kerel het leven moeilijk te maken. Niet in een gat in de grond liggen, om met de wormen te praten.

'Dit is de grote klapper,' had Morrell gisteravond in de hut van het meisje tegen hem gefluisterd. 'Dit zal ons bevrijden.'

Jawel, bevrijden van het leven, Johnnie.

Flynn voelde een scherpe steek van verdriet in zijn borst, alsof de een of andere klootzak een beitel in zijn ribben dreef, en hij nam een flinke slok bier om het gevoel weg te spoelen.

'Luister goed, Hudson.' Spencer boog zich naar voren, wilde zijn ellebogen op de tafel zetten maar bedacht zich toen hij de smerige staat ervan zag. 'Ik wil antwoord.'

Flynn vertrok geen spier.

'Waar is dat meisje?' wilde Spencer weten.

Flynn haalde zijn schouders op, alsof ze van geen enkel belang was. 'Ze is de stad in getrokken. Werkt ergens in een wasserij. Ze vormt geen probleem. Weet je iets van haar?'

Hij zorgde ervoor dat zijn ogen kalm bleven, zijn mond en stem stevig onder controle. Als je gaat liegen, dan moet je het goed doen. Hij had haar de stoep van het politiebureau op zien gaan.

'Nee. Weet je zeker dat ze ons niet meer voor de voeten loopt?' Spencer fronste zijn wenkbrauwen.

'Absoluut.'

'Hoeveel weet ze? Wat heeft Morrell haar verteld?'

'Niets.'

'Hoe weet je dat zo zeker?'

Zijn toon was vals. Zoals bij de meeste Engelsen die Flynn had ontmoet, had Spencer een lelijk gebit, en hij overwoog of hij hem een goede dienst zou bewijzen door ze eens anders te arrangeren.

'Ik heb met Morrell gesproken,' zei hij echter, 'toen het meisje de hut uit was. Hij had haar niets verteld.'

'Zorg dat ze haar niet vinden, Flynn. Alsjeblieft.' Morrells gezicht was witter dan het laken op het bed en hij had de glazige blik van een stervende in zijn ogen. 'Ze lapt me weer op. Ik kan hier verborgen blijven, ze zullen me nooit vinden. Gewoon voor een paar dagen. Vertel niemand iets over haar.'

'Tuurlijk, Johnnie. Jij wordt beter en dan zal ik een boot klaar hebben. We zullen wachten tot het donker is.' Hij had zijn vriend op de arm geklopt, en dat was erger dan zeewier aanraken, koud en slijmerig. 'Ik blijf hier, Johnnie. Maak je geen zorgen. Ik zal je in de rug dekken.'

'Nee, ga weg. Ze is heel achterdochtig. Ze gaat meteen naar de politie als we met zijn tweeën zijn. Te gevaarlijk. Kom morgen terug.'

Flynn durfde niet te kijken naar het bloed dat het overhemd had doorweekt en op de vloerplanken drupte, voor het geval hij zou ophouden in een morgen te geloven.

'Oké. Welterusten, Johnnie. Ik blijf hier in de buurt, op het strand.' Hij deed de deur open. 'Zonder jou ga ik nergens naartoe, makker.' Hij bleef staan toen hij gefluister hoorde.

'Ik heb haar niets verteld.' Morrells ogen glinsterden donker in het lamplicht. 'Zorg dat ze haar niets doen, knul.'

Flynn knikte en glipte de duisternis in.

De Engelse kerel was gespannen en wenkte de man achter de bar om nog een whisky. Hij bood Flynn niets aan. Zijn ogen waren klein maar scherp, en de geur van succes steeg op van de gouden manchetknopen die aan zijn polsen blonken en van de zegelring aan zijn pink, wanneer hij met zijn hand over zijn gladde bruine haar streek.

'Morrell was een stommeling om zich te laten grijpen,' zei Spencer verbitterd.

Flynns gezicht bleef onbewogen.

'Morrell werd in het geheim hierheen gestuurd,' ging Spencer verder, met de nadruk op elk woord, 'voor een transactie. Ja?'

'Zeker.' Flynn knikte één enkele keer.

'En jij werd door Meyer Lansky vanuit Miami gestuurd om hem in de gaten te houden. Keurig netjes. Ik heb me laten vertellen dat je daar goed in bent. Corrigeer me als ik hier iets mis.'

'Je mist niets.'

Spencer wees met een vinger naar Flynn. 'Wie heeft dit gedaan? Wie heeft er, toen jij zat te suffen, genoeg dichtbij kunnen komen om Morrell een mes in z'n lijf te steken?'

Flynn haalde diep adem, waarbij de stank van verschaalde alcohol in zijn neusgaten bleef hangen. 'Dat is iets wat ik te weten wil komen,' zei hij.

'En het meisje? Zit zij er ook in?'

'Vergeet haar. Ze is van geen enkel belang.'

'Het valt te hopen dat je daar gelijk in hebt, Hudson,' siste Spencer.

Opeens kon Flynn het niet langer verdragen dezelfde lucht in te ademen als deze vent. Hij liet zijn bier staan en liep naar de deur, zonder zich om de beleefdheden van een afscheid te bekommeren.

'Hela!' riep Spencer hem na. 'Het valt echt te hopen dat je gelijk hebt over dat meisje, Hudson.'

Flynn duwde de deur open. 'Klootzak,' mompelde hij.

Buiten schonk een man die met een kruiwagen vol sponzen voorbijsjokte hem een glimlach die hartelijker was dan hij verdiende. Soms was het gemakkelijk de grote boze wereld daarbuiten te vergeten wanneer de prijs die je die dag op de drukke sponzenmarkt zou krijgen je grootste kopzorg was.

13

Dodie

De zon stond hoog aan de enorme strakblauwe lucht, als een gouden oog dat weigerde te knipperen. Dit oog waakte over het systematisch ondersteboven keren van haar huis door nauwgezet werkende mannen in uniform en overdreven gepoetste laarzen. Dodie trok zich tot aan haar knieën terug in de golven en waadde over de hele lengte van de zandbank, terwijl ze haar blik gericht hield op de kleine visjes die als zilveren tranen tussen haar benen heen en weer schoten. Toen de politie klaar was met alles wat er klaarblijkelijk moest gebeuren wenkte rechercheur Calder haar terug naar zijn stukje strand en kwam ze met tegenzin het water uit.

'We zijn hier klaar,' zei hij. Zijn manier van doen was zakelijk.

Ze knikte.

'Dank u wel,' voegde hij eraan toe, 'voor uw medewerking.'

Ze knikte nogmaals. Zijn schaduw viel over haar heen en ze stapte opzij om het gewicht ervan niet te hoeven voelen.

'Iets gevonden?' vroeg ze.

'Niets speciaals.'

'Het moet voor u toch niet zo moeilijk zijn om uit te zoeken wanneer meneer Morrell naar Nassau is gekomen en met wie hij contact heeft gehad? Het is maar een klein eiland en iedereen weet altijd alles van een ander.'

Ze slikte haar woorden in en sloeg haar hand voor haar mond.

De rechercheur trok zijn schaduw weer over haar heen.

'Juffrouw Wyatt…' Hij boog zijn hoofd tot vlak bij haar gezicht. '… is alles goed met u?'

'Ja.'

'U ziet er niet goed uit. Misschien kan een kop thee…'

'Rechercheur Calder,' zei Dodie stijfjes, 'wat ik wil is een moordenaar, geen kop thee.'

'Ik verzeker u dat we alles zullen doen wat in ons vermogen ligt om de persoon op te sporen die meneer Morrell heeft neergestoken, maar...' Hij zweeg even terwijl zijn blik weer naar het hutje gleed. 'U hebt ons heel weinig informatie gegeven. Is er nog iets anders dat u eraan toe kunt voegen?'

Twee gouden munten. Een naam op een stukje papier.

'Nee,' zei ze. 'Niets.'

In de stilte die volgde bleef ze hem recht aankijken. Over zijn brede schouder kon ze twee agenten in uniform zien, die geduldig op hem stonden te wachten. De kreet van een kokmeeuw, die langs de waterkant vloog, was het enige geluid, maar toen de rechercheur sprak, liet hij zijn stem dalen tot weinig meer dan gemompel, en ze voelde dat er iets van bezorgdheid kroop over het stukje zacht, wit zand dat hen van elkaar scheidde.

'Juffrouw Wyatt, we hebben hier met een gevaarlijk persoon te maken, een brute moordenaar die zijn slachtoffer dood heeft laten bloeden in een steegje. Ik laat dat steegje op dit moment door mijn mensen onderzoeken, maar als zij niets vinden, zal het niet eenvoudig zijn de persoon te vinden die meneer Morrell heeft vermoord.' Hij ademde snel en gefrustreerd in. 'Tenzij u ons verder kunt helpen.'

'Het spijt me, dat kan ik niet.'

Hij wachtte even, alsof hij haar nog meer woorden hoopte te kunnen ontfutselen, en toen er niets kwam keek hij langs het vredige stuk strand met op zijn gezicht iets van verlangen, alsof vredigheid niet iets was wat zich vaak in zijn drukbezette leven voordeed. Er vlogen twee rode ara's door zijn blikveld, met hun lange, sprietige staarten, en hij glimlachte even, maar toen hij haar weer aankeek was de glimlach verdwenen en was zijn formele gezicht terug.

'Juist ja,' zei hij. 'Dank u.' Als hij haar er nog steeds van verdacht het mes te hebben gehanteerd, wist hij dit goed te verbergen. 'Ik stel voor,' zei hij ten slotte, 'dat u in de toekomst alle steegjes vermijdt.'

Met die opmerking liep rechercheur Calder het strand weer op, met medenemen van zijn schaduw.

Het Arcadia Hotel was ooit als privévilla begonnen. Met een voorgevel met zuilengang en vier fraaie torentjes was het gebouwd om het grandioze thuis te vormen van sir Archibald Caroll, die met zijn gezinsleden uit Schotland verhuisde naar Nassau in 1787 toen zijn goede vriend, de graaf van Dunmore, tot gouverneur van de Bahama's was benoemd.

Dat was een periode waarin de verfijnde levensstijl op het eiland bloeide, toen er veel mooie huizen langs de straten verrezen, alle bediend door slaven die 's nachts in krottenwijken buiten het zicht werden opgeborgen. De graaf wilde zo graag meer bedienden hebben dat hij een premie betaalde aan slavenschepen op weg naar Amerika om hun vracht in plaats van daarheen naar de Bahama's te brengen. Het nieuws verspreidde zich en Europeanen maakten de overtocht naar de eilanden, aangetrokken door niet alleen het heerlijke klimaat en de schoonheid van de stranden, maar meer nog door het vooruitzicht van een gemakkelijk bestaan en de winsten die er met katoenplantages konden worden gemaakt.

Olive Quinn had de villa omgebouwd tot een van de meest begeerlijke hotels van Nassau. Ze had geen tijd voor oude verhalen over de dwaze graaf van Dunmore, hoewel ze wel waardering wist op te brengen voor zijn bouw van de uitermate excentrieke forten op het eiland – Fort Charlotte met zijn ophaalbrug en donjons, en Fort Fincastle in de vorm van een strijkijzer – allebei volgepropt met 32-ponds kanonnen om eventuele plunderende piraten of Spaanse schepen regelrecht het water uit te blazen. Dat was meer haar stijl om de dingen aan te pakken.

'Wyatt, dat wordt voor jou de keuken vanavond,' verklaarde ze, met opgetrokken wenkbrauwen, zodra Dodie de personeelsingang van het Arcadia binnen kwam. Olive Quinn was een indrukwekkende verschijning. Ze was stevig gebouwd, met een grauwe huid en gitzwart geverfd haar. Het was in een korte, rechte bob geknipt, even netjes en precies als haar hotel.

'Het spijt me, juffrouw Olive. Ik werd opgehouden.'

'Door wie?'

'Door de politie.'

'Nou, nou, dat is een nieuwe. Wat heb je dan wel uitgespookt, Wyatt?'

Olive Quinn sprak haar personeel, dat volledig uit vrouwen bestond, bij de achternaam aan. Haar regels waren streng. Haar straffen zwaar. Haar vriendelijkheid ongebruikelijk. Maar ze had Dodie een baan gegeven toen niemand anders in Nassau haar wilde hebben. Dodie wist wat haar nu te doen stond, dus liep ze rechtstreeks naar de grote, geëmailleerde gootsteen en stroopte haar mouwen op, klaar om de volgende vijf uur tot aan haar ellebogen in vettig water doende te zijn met het schuren van potten en pannen met soda en azijn. Dit was juffrouw Olives specialiteit voor te laat komen.

'Ik heb gisteravond op weg naar huis een man op straat gevonden. Hij was gewond. Ik heb geprobeerd hem te helpen, maar hij is gestorven.' Ze begon luidruchtig de pannen te verschuiven. 'Ik heb het vandaag aan de politie verteld, maar dat kostte veel meer tijd dan ik had gedacht.' Ze stond met haar rug naar de anderen die in de keuken bezig waren. 'De volgende keer zal ik hem in het steegje laten liggen.'

Ze hoorde een kreun van de kokkin, een vrolijke Bahamaanse vrouw die graag gezangen neuriede terwijl ze brood bakte. Ze beweerde dat dit het deeg van Gods genade vervulde en het luchtiger maakte. De kleine Minnie, het manusje-van-alles in de keuken, slaakte een kreet van schrik.

'Twee uur aan de gootsteen, en daarna mag ze naar boven,' zei Olive Quinn tegen de kokkin.

'Komt voor elkaar, juffrouw Olive,' stemde de kokkin in. Ze had Dodie graag bij zich, beneden in haar keuken.

Dodie stak haar handen in het water, in de verwachting dat het rood zou kleuren alsof ze Morrells bloed niet al vijftig keer van haar huid had gewassen. Maar tot haar verbazing bleef de forse gestalte van juffrouw Olive achter haar staan.

'Gaat het een beetje, Wyatt?'

'Jawel, juffrouw Olive.'

Er viel een pijnlijke stilte waarin Dodies handen de pannen begonnen te boenen met een ijver die was bedoeld om te laten zien hoe goed het wel met haar ging. Gedurende een kort moment lag de hand van de vrouw op haar hoofd, om troost te bieden, maar toen verdween de warmte ervan en hoorde Dodie het gebruikelijke gesnuif van ongeduld.

'Mooi zo.' De hakken van Olive Quinns schoenen tikten kordaat terug naar de wereld van cocktails en beleefde glimlachjes waarmee ze elke avond haar gasten tegemoet trad.

'Mooi zo,' herhaalde Dodie binnensmonds. Het leven hernam zijn normale gang.

Het enige voordeel van een bestaan als personeelslid was dat je dingen hoorde. Vaak dingen die niet voor jouw oren bestemd waren. Sommige mensen zagen een serveerster zowel als een menselijk wezen als als een bediende, dus waren ze voorzichtiger met wat ze zeiden als jij in de buurt was. Maar velen zagen een serveerster als niet meer dan een lichaamloze hand met een dienblad met glazen, of als een uniform met roesjes dat een bord voor hen neerzette. Soms vroeg Dodie zich af of ze soms van glas was, zo onzichtbaar was ze in de zaal, maar Olive Quinn beweerde dat dit bewees dat ze een uitstekende serveerster was. Het was als compliment bedoeld, maar Dodie zag het niet zo.

Het feest van die avond was luidruchtig. Amerikaanse stemmen van het contingent van de Amerikaanse luchtmacht dreunden door de zaal, weerkaatsten tegen de spiegels en de champagneglazen, met veel mannen die er aantrekkelijk uitzagen in hun onberispelijke gala-uniform. Nu er meer dan drieduizend militairen permanent op New Providence waren gestationeerd, benevens de talrijke vliegtuigbemanningen die elke maand voor training naar de basis kwamen, was er voortdurend een overschot aan mannen op het eiland en altijd een tekort aan vrouwen, tot grote ergernis van de jonge kerels.

Dodie kwam binnen met een dienblad met drankjes, haar handen rood van het werk in de keuken, en het vrolijke gelach in de zaal sneed haar door de ziel, als bamboesplinters in de huid. Ze had het liefst geschreeuwd: *Wees stil. Er is iemand gestorven.* Maar haar gezicht vertoonde de beleefde nietszeggende glimlach van een serveerster en zo ging ze rond met de drankjes. De mannelijke geur van sigaren en het gepraat over de oorlog domineerden de zaal, terwijl de mannen zich als bijen rond de vrouwen verdrongen, niet in staat weerstand te bieden aan de glanzende satijnen jurken of de geur van hun zwoele parfums. Dodie bleef, onzichtbaar, bij ellebogen staan en treuzelde daar langer dan strikt nodig was wanneer ze een flard opving van een gesprek dat haar interesseerde.

'De bommenwerpers hebben het Ruhrgebied zwaar geraakt.'

'Ik hoor dat de achtste luchtmachteenheid van de VS er tweehonderd B-17 vliegtuigen op uit heeft gestuurd om de Duitse marinebasis bij Wilhelmshaven te bombarderen. Dat zal die rotzakken leren.'

'Ik mag het hopen. Hun U-boten zijn een verdomde plaag geweest voor onze scheepvaart op de Atlantische Oceaan. In maart is er meer dan zeshonderd ton aan geallieerde schepen verloren gegaan, wil je dat wel geloven? Verloren gegaan door die smerige nazibeesten.'

Dodie zag de aderen in hun hals zwellen en ze hoorde hun stem scherper worden. Een vrouw met diamanten in haar haar stond zachtjes te huilen en fluisterde tegen haar vriendin: 'Mijn zusje is omgekomen bij het vreselijke bombardement op Plymouth.' Ze zag eruit alsof ze geen zin had om op dit feest te zijn, maar ze greep een glas van het blad en dronk het in één keer leeg. Elders hoorde Dodie dat Amerikaanse mariniers van eiland naar eiland trokken in de slag tegen de Japanners in de Grote Oceaan, en dat de 43e infanteriedivisie onder bevel van generaal MacArthur op weg was naar Nieuw-Guinea. Een knappe, jonge, blonde vrouw had zojuist op Broadway *Oklahoma!* gezien, en een ernstig uitziende man met een bril probeerde indruk op haar te maken door over het cynische proza van Raymond Chandler te praten, maar hij was zich totaal niet bewust van de zijdelingse blikken die ze op het Leslie Howard-type aan de andere kant van de zaal wierp.

'Ga eens een bourbon whiskey voor me halen, meisje.'

Dodie draaide zich om naar de Amerikaanse stem die dit abrupte bevel had gegeven. De stem hoorde bij een gezette man van in de zestig die zojuist was binnengekomen, met naar voren gestoken hoofd, de brede spieren van zijn borst gespannen, een scherpe blik in zijn ogen terwijl hij overzag wat de bijeenkomst te bieden had. Hij was geen vreemde in het Arcadia Hotel, en Dodie herkende hem onmiddellijk. Iedereen op het eiland kende sir Harry Oakes. Hij was de eigenaar van de meest productieve goudmijn ter wereld, in Canada, en ook van het British Colonial Hotel, het indrukwekkende gebouw van zeven verdiepingen met uitzicht op eigen privéstrand en tennisbanen aan de rand van Nassau. Gekocht, had Dodie zich laten vertellen, in een opwelling van boosheid toen de gerant hem toegang weigerde wegens zijn gebruikelijke allegaartje van slordige kleren. Zijn eerste daad als nieuwe eigenaar was de betreffende gerant ontslaan. Een les voor anderen.

Sir Harry liet zich door niemand de wet voorschrijven. Maar aan de andere kant hoorde Dodie overal verhalen over zijn medeleven en goedgeefsheid jegens zijn zwarte personeel. Hij was een van de grootste filantropen van Nassau, maar wel iemand aan wie het, na twintig jaar lang in zijn goudzoekersdagen met weinig meer dan een emmer vol zand en een pikhouweel als gezelschap te hebben geleefd, aan de gepolijste manieren van mensen van koloniale afkomst ontbrak.

'Een bourbon.'

'Ja, meneer.'

Ze haalde de bestelling direct en presenteerde hem die met neergeslagen ogen. De gasten nooit recht aankijken. Dat was een van de regels van Olive Quinn. Dat maakte je op slag zichtbaar, en daar hield men niet van. Sir Harry was druk bezig de koperprijs te bespreken met een tengere man die een ongeduldige zeurtoon in zijn stem had, maar hij brak het gesprek af en richtte zich direct tot Dodie toen ze hem het glas op haar dienblad aanbood.

'Zo jongedame.' Sir Harry pakte het glas. 'Een drukke dag, vermoed ik.'

Dodie wist niet zeker wat hij bedoelde. Ze richtte haar blik op zijn gezicht, een hoog voorhoofd en kalend haar, en een twistzieke vierkante kaak. Zijn ogen waren die van een man die in zijn leven meer had gedaan dan de meeste mensen, en iemand die zijn privacy op prijs stelde, iemand die zijn geheimen koesterde. Daar kon ze begrip voor hebben.

'Elke dag is een drukke dag,' antwoordde ze met de beleefde glimlach van een bediende.

'Maar je vindt niet elke dag een lijk.'

Ze kreeg een brok in haar keel. 'Ik heb geen *lijk* gevonden.'

'Nou, het scheelde anders niet veel, naar wat ik heb gehoord.'

'Hoe hebt u het gehoord?'

Hij nam voldaan een slok van zijn onverdunde whisky. 'Nou meisje, laat me je verzekeren dat er op dit eiland niet veel gebeurt dat ik niet te weten kom.'

O ja, dat geloofde ze direct. Ze kon zijn macht en wilskracht zelfs door de mooie stof van het dure, zwarte jasje van zijn avondkleding voelen. Ze sloeg haar ogen neer en begon weg te lopen met het dienblad.

'Heeft die kerel nog met je gepraat?'

'Wie?'

'De kerel die je hebt gevonden.'

'Nee.'

'Echt waar?'

'Ja.'

Aan de andere kant van de zaal wenkte een met gouden ringen getooide hand om nog een cocktail.

'Tegen de politie heb je geloof ik iets anders gezegd, hè?'

Ze voelde de vlammen in haar binnenste opstijgen, maar het dienblad in haar hand bleef rustig, de glazen rinkelden niet, voegden zich niet bij het gelach. *Help me, help me,* tolden Morrells woorden in haar hoofd rond. Ze draaide zich om, keek sir Harry Oakes opnieuw aan en zag dat hij haar aandachtig opnam.

'Het spijt me, dat is persoonlijk,' zei ze.

Hij rolde een slok whisky door zijn mond, spoelde zijn tanden ermee, en knikte. Gedurende een moment stonden ze elkaar zwijgend aan te staren, zonder zich iets aan te trekken van het lawaai om hen heen.

Wat wil hij van me?

'Bevalt het werken je hier?' vroeg hij ernstig.

'Ja.'

Maak niet dat ik word ontslagen. Maak alsjeblieft niet dat ik word ontslagen. Ik heb deze baan nodig.

Hij tikte op het witte front van zijn overhemd. 'Kom voor mij werken.'

Dodies hart stond even stil. Ze besefte dat haar mond was opengevallen, en ze deed hem snel weer dicht, maar de glazen op haar dienblad rinkelden.

'Ik heb je nu maanden gevolgd,' ging hij ontspannen verder. 'Je bent goed in je werk. Verdomde goed zelfs, vind ik. Ik ben altijd op zoek naar het beste hotelpersoneel, en jij bent ervoor geknipt.' Hij keek even in de richting van Olive Quinn, die bij de deur stond, met haar scherpe blik klaar om toe te schieten bij problemen waar dan ook in de zaal. 'Ik wed dat ze je een hongerloontje betaalt. Daar staat dat mens om bekend.' Hij kwam een halve stap dichterbij. 'Kom in mijn British Colonial Hotel werken, en ik betaal je het dubbele. Wat zeg je daarop?'

'Nee, dank u.'

'Doe niet zo dom, jongedame. Het is een verdomd goed aanbod.'

'Het bevalt me hier.'

'Is dat echt waar?'

'Sir Harry, ik ben u zeer erkentelijk voor dit aanbod, maar...' Ze schudde resoluut haar hoofd. '... nee, dank u.'

Ze liep snel weg voor hij nog meer kon zeggen. Ze negeerde de wenkende handen van gasten, liep regelrecht naar de deur en snelde de gang door tot ze de keuken bereikte, zette het dienblad op de tafel, griste haar vest mee en stopte niet. Ze bleef lopen, ook al riep Minnie haar na. Ze liep de deur uit en bleef de avond in lopen.

Er zat iets heel erg verkeerd.

14

Ella

Ella zat te pokeren. Ze had zojuist haar horloge verloren met twee tienen. Tijd om weg te gaan.

'Ga nog niet weg, mevrouw Sanford. Blijft u nog even bij mij kijken.'

Ella ging weer zitten. 'Ik kijk.'

De bruinharige piloot uit Wales draaide zijn rolstoel razendsnel om en zoefde naar de tafeltennistafel waar hij zijn batje hanteerde met een agressie en een vastberadenheid waarvan ze geen idee had gehad gedurende hun gesprek bij een glas bier. Zijn manier van doen was rustig geweest, zijn stem zacht. Maar geef hem een tafeltennisbatje in de hand of een pak kaarten en hij veranderde in een doldrieste kerel. Was dat waardoor zijn vliegtuig was neergestort? Door te laag met de vleugels over het water te scheren, aangetrokken tot de grenzen van het gevaar?

'Jonesy, hou es op!' riep iemand.

Maar Ella klapte toen hij behendig in zijn stoel weer een punt scoorde, en hij grijnsde naar haar. Hij had de prijs voor zijn waaghalzerij moeten bekopen met nu maar één been, maar hij was opgelapt in het militaire hospitaal op Oakes Field. Hoewel hem een comfortabele reis naar huis was aangeboden, had hij dit afgeslagen en een kantoorbaan bij de RAF in Nassau aangenomen met administratief werk.

'Dan ben ik tenminste nog hier,' had hij haar trots verteld. 'Zo kan ik nog steeds een steentje bijdragen.'

Het was niet ongewoon om mannen in uniform door de straten van Nassau geduwd te zien worden. Ze waren altijd degenen die door winkeliers met de breedste glimlach werden begroet of die gratis bier kregen in een bar. Ze vormden een van de redenen waarom Ella graag een paar uur in de Canteen langsging. Na een dag zoals ze vandaag had meegemaakt, zette het alles weer even in perspectief.

De Canteen was opgezet als een ontmoetingsplaats voor militairen, een plek waar ze naartoe konden gaan om stoom af te blazen, wanneer ze behoefte hadden aan iets te drinken of zin in een spelletje darts, of zelfs om even de dansvloer op te gaan voor een jitterbug met een knap meisje. De Orde van Vrijmetselaars had een deel van de schitterende loge in Bay Street ter beschikking gesteld en er was een comité dat dansavonden en zangers of een steelband organiseerde, en zelfs films vertoonde wanneer ze de projector aan de gang konden krijgen.

Er heerste hier een levendige atmosfeer met veel uitbundig gelach, waar Ella van hield. En ze was niet de enige. Ze was blij te zien dat er een groepje meisjes bij de jongens was komen kijken, waardoor de gebruikelijke rivaliteit tussen Britse en Amerikaanse soldaten weer opvlamde. Er was slechts een knappe blondine of een opvallende roodharige voor nodig om de boel aan de gang te krijgen.

'Zin om te dansen, mevrouw Sanford?'

Ella keek op. Er stond een stroblonde luitenant van de luchtmacht voor haar, met een hoopvolle glimlach op zijn gezicht. Heel knap. Heel jong. Waarschijnlijk amper twintig. Als lid van de bemanning van een bommenwerper was de kans dat hij de dertig zou halen klein, en ze besefte dat hier de energie in de zaal vandaan kwam: die glimp van de dood om de hoek.

'Ik zou nu eigenlijk moeten gaan,' zei ze. 'Ik ben al te laat voor iets.'

Hij grijnsde ondeugend. 'Is het belangrijk?'

Ella keek in de zaal om zich heen. Voelde de snelle maat van de muziek. Zag de verwachtingsvolle blauwe ogen.

'Nee, helemaal niet belangrijk.'

'Je bent laat.'

'Het spijt me, liever, ik werd opgehouden.'

Reggie fronste zijn wenkbrauwen. 'Ik maakte me ongerust. Na alles wat Tilly en jou vanmorgen is overkomen, vind ik het niet prettig als jij er alleen op uitgaat.'

Ella kuste hem op de wang en nam een punch met rum van een in een wit jasje gestoken ober aan. 'Doe alsjeblieft niet zo moeilijk, Reggie.' Ze glimlachte vrolijk. 'Waar is Hector eigenlijk?'

Ze vierden de verjaardag van Tilly's man Hector in de Nassau Yacht Club. Het was een wat saai, uitgestrekt gebouw met geel pleisterwerk en goed onderhouden tuinen aan de oostelijke rand van de stad, vlak bij het Fort Montague Hotel en het oude fort, maar het was een populaire kroeg en de gebruikelijke menigte had zich er verzameld.

'Gefeliciteerd met je verjaardag, Hector!' begroette Ella hem.

Hector was advocaat, een van de groep van Bay Street-jongens. Die waren vanavond op volle sterkte uitgerukt in smoking en met gouden horlogeketting. Maar het viel Ella op dat de stemming minder uitbundig was dan ze had verwacht. Of kwam het doordat ze zojuist uit de Canteen was gekomen, waar het zo vrolijk en geanimeerd was dat het hier nu saai leek?

'Ella, lieverd, wat heerlijk om jou gezond en wel terug te zien. Tilly en jij hebben ons flink laten schrikken. Die verdomde oproerkraaiers!'

'Het was niet echt een oproer, Hector.' Ella lachte en ging snel op een ander onderwerp over. 'Hoe zijn de zeilwedstrijden vanmiddag verlopen? Het spijt me dat we die hebben gemist.'

Hector trok zijn borstelige wenkbrauwen op maar nam niet de moeite zijn stem te laten dalen. 'Die buitenlandse knul heeft weer gewonnen. Je weet wel, die losbol.'

'Freddie de Marigny?'

'Precies, die bedoel ik. Wat Nancy, de dochter van sir Harry, in hem ziet is me een raadsel. Maar hij wil gewoon graag winnen.'

Ella glimlachte. 'Willen jullie dat niet allemaal?'

Hij lachte en slenterde verder, naar een groepje sigarenrokers dat in diep gesprek was over het tiendaagse bombardement op Pantelleria, een eiland in de Middellandse Zee, halverwege Sicilië en Tunesië, om de asmogendheden tot overgave te dwingen.

'Die rotzakken van Italianen hebben we grondig weggevaagd,' zei een stem vergenoegd.

'En aan Britse zijde niet één man gesneuveld. Onze jongens zijn gewoon naar binnen getrokken en zij hebben zich als makke schapen overgegeven. Geen enkele ruggegraat, dat zie je maar weer.'

'Hierna is Sicilië aan de beurt. En daarna gaat het van een leien dakje dwars door Italië.' Dat was Reggies stem.

'Generaal Montgomery zal met zijn Achtste Leger gehakt maken van die futloze Italianen, let maar eens op,' verzekerde Hector.

Ella maakte zich van hen los. Ze wilde zich niet moeten voorstellen hoe jongemannen moesten vechten, misschien zelfs sommige mannen die ze vanavond in de Canteen had gezien. Met kogels die in hun lichaam insloegen, waarna hun glimlach in vreemde modder werd begraven. Er ging een huivering door haar heen.

Ze reikte naar nog een punch met rum en was juist bezig een sigaret op te steken toen Reggie naast haar verscheen en kortaf vroeg: 'Wat is er met je horloge gebeurd?'

'Het eiland gaat veranderen, Tilly. Het verandert ten goede.'

'Doe niet zo belachelijk, Ella. Neem nou wat er vandaag met ons is gebeurd. Dat is toch vreselijk!'

Ze stonden voor de ramen van de zeilclub die uitzicht boden over de oostelijke haven. Het was donker buiten, maar er stonden amberkleurige lampen die het terrein verlichtten dat in terrassen was ingedeeld en dat omlaag liep naar een kleine jachthaven waar zeiljachten aan hun meertouwen lagen te dobberen. Hoe vaak, vroeg Ella zich af, had ze op deze plek gestaan? Met dezelfde mensen? Om punch met rum te drinken?

'De oorlog is goed geweest voor het eiland,' hield ze vol. 'Steek je hoofd niet in het koloniale zand, Tilly.'

'Hoe kun je dat nu zeggen, lieverd? Het is vreselijk. De straten en cafés zijn propvol met brutale jongelieden in uniform die denken dat zij het hier op het eiland voor het zeggen hebben. Ze trekken op de raarste plaatsen hun shirt uit en pikken alle meisjes in, zodat onze eigen beschaafde jongemannen geen enkele kans maken.' Ze sloeg de inhoud van haar glas in één keer naar binnen. 'Gewoon vreselijk.'

Het was waar. Ella kon niet ontkennen dat er enige frictie bestond tussen de mannen van het eiland en de nieuwkomers. Ze blies een wolk sigarettenrook naar haar spiegelbeeld dat in het raam werd weerkaatst, zodat de trekken van haar gezicht vervaagden.

'Maar de oorlog heeft ook welvaart gebracht, Tilly, dat zul je moeten toegeven. Duizenden banen erbij. Niet alleen op de luchtmachtbases maar ook in de winkels en restaurants, en dat betekent ook veel meer werk voor de zwarte vrouwen op het eiland, beter loon en betere...'

'Ella, hou op.'

'Waar moet ik mee ophouden?'

Tilly zuchtte. 'Ophouden met proberen ons te veranderen. Ik wil dat de dingen precies zo blijven als ze waren.'

Ella bekeek haar lange, elegante vriendin met haar precieze zwarte haar en haar fijn gevormde mond, en ze besefte dat ze haar op een vreemde manier helemaal niet kende. Ze wist niet goed wat er achter dat zorgvuldig gecultiveerde koloniale masker school. Zou Tilly ook zo over haar denken?

'Maak je geen zorgen, Tilly,' plaagde Ella, 'ik ben ervan overtuigd dat de hertog gouverneur zal blijven tot het eind van de oorlog, wanneer dat ook mag zijn.'

Tilly trok een zorgvuldig bijgewerkte wenkbrauw op, en vertoonde een lome glimlach. 'Lieverd, je bent een grote troost voor me.'

Van buiten drong het gedempte gemurmel van de oceaan door.

15

Dodie

e warmte van de nacht omhulde Dodie toen ze bij het Arcadia vandaan holde. Er streken schaduwen langs haar huid, met een vochtige adem die weinig deed om de hitte in haar aderen te koelen. Ze strekte haar benen en verviel in een gestage tred toen ze de afstand naar de kustlijn aflegde. Ze boog in westelijke richting af langs de rij hoge palmen die zich in het donker met graaiende vingers over haar heen bogen. Boven haar hoofd fluisterden de bladeren van de palmen en in het struikgewas tsjirpten onzichtbare wezens. Het een of andere instinct dreef haar naar huis, hoewel ze niet goed wist waarom. Er was geen reden voor, alleen maar een hevige behoefte zich terug te trekken in haar eigen huis, de luiken stevig dicht te doen, de wereld buiten te sluiten.

Er zat iets fout.

Vreselijk fout.

Hoe wist sir Harry Oakes wie ze was of wat ze had gedaan? Of welke woorden ze in de beslotenheid van het politiebureau had gebruikt? En wat ging hem dat aan?

De rode gloed aan de hemel achter de bomen, voor Dodie uit, had kunnen doorgaan voor de eerste lichtbundels van de zonsopgang. Maar ze ging naar het westen, niet naar het oosten, en het was nog niet eens middernacht. Ze snelde over het terrein, waarbij ze steeds dichterbij kwam tot ze de gouden schittering op de stammen van de kasuarisbomen kon zien en de vuurrode vlekken die tussen de bladeren van de palmen flakkerden en dansten.

Toen ze het strand op rende was het alsof er een rood gat in de duisternis was geslagen. Er kwam haar een luid gebulder over het zand tegemoet en ze voelde de hitte nog voordat ze de bron ervan zag. Haar huis stond in brand.

Zonder zich iets aan te trekken van de vonken en de asresten die door de lucht wervelden, rende ze erheen in een wanhopige poging haar huis te redden. Er had zich een kleine groep mensen rond de brandende hut verzameld en hun schaduwen kronkelden over het zand terwijl de vlammen in de nachthemel klauwden. Er waren stemmen die schreeuwden. Maar Dodies oren hoorden alleen maar het geknetter en gebulder van het vuur en van haar hart dat bonsde toen ze naar binnen en naar buiten rende, in een poging iets – wat dan ook – van haar leven uit de vlammen te redden. Maar ze werd stevig bij haar arm gegrepen en weggetrokken. Het was mama Keel.

'Stil, kind, hou op met je lawaai.'

De geluiden die uit Dodies mond kwamen waren angstaanjagend. Ze sloeg haar arm ervoor om ze te smoren. Uiteindelijk was het de stank van de geschroeide katoen van haar mouw die haar weer bij haar positieven bracht, evenals het besef hoe dichtbij de vlammen waren gekomen om haar te verslinden, net als het huis. Ze liet zich door mama Keel in veiligheid brengen en pas toen merkte ze de mensen op die emmers water doorgaven via een keten van handen van de zee tot aan de hut. In de gloed van de vuurzee kon ze het zweet op hun gezicht zien glimmen, en ze had hun het liefst gezegd dat ze moesten ophouden, moesten stoppen, hun taak moesten opgeven. Ze kon zien dat het te laat was. De vlammen hadden gewonnen. Mama Keel stond naast haar, met haar arm om haar schouders geslagen, maar geen van beide vrouwen was in staat weg te kijken van het vuur.

'Goddank zat je niet binnen, kind.'

Dodie huiverde.

'Je moet het maar zo bekijken,' zei mama Keel tegen het gebulder van de vlammen in, 'je raakt alleen maar wat spullen kwijt. Je hebt een leven gehad vóór die spullen, en je zult ook een leven hebben nu die spullen weg zijn. Er is geen eind aan onze begeerte of aan onze inhaligheid, maar dit zijn slechts dwaze dingen. Geloof me, kind.'

'Mama, zeg tegen de mannen dat ik hen dankbaar ben, maar dat ze nu kunnen ophouden.'

'Je geest is sterker dan die vlammen daar. Bedenk dat goed.'

'Dat zal ik doen, mama.'

Maar toen mama Keel wegliep om met de mannen met de emmers

te praten, stortte een deel van de hut in, met een spectaculaire vonkenregen. Dodie zag een jongeman, als in goud geëtst, die met een lange tak stond te harken in het inferno dat ooit haar huis was geweest. Hij trok wat van die dwaze spullen terug naar het leven en liep serieus gevaar zich te verwonden. *Stop*, probeerde ze te zeggen, *ik wil dat je ophoudt.*

Maar ze kon niets uitbrengen. Ze voelde zich alsof ze aan de rand van een klif stond. Ze keek niet omlaag omdat ze kon voelen dat daarbeneden iets donkers was dat bewoog. Dat wachtte tot ze zou vallen.

Dodie werd wakker. Het licht was gedempt en grijsachtig, wat paste bij de stemming achter haar oogleden. Aanvankelijk was ze nog steeds in haar droom, met haar vader die huis-aan-huis bijbels verkocht in het regenachtige Manchester in Engeland, toen zij pas acht was. Maar ze hoorde de kreet van een meeuw en deed haar ogen open, en op dat moment herinnerde ze zich de brand weer. Het leek of er een knoop van prikkeldraad in haar keel zat.

Ze had de nacht in het huis van mama Keel doorgebracht, opgerold op een deken op de vloer. Ze had niet gedacht dat ze kon slapen, maar mama had haar iets te drinken gegeven en ze was weggezakt in een zwarte, lege ruimte waarin geen dromen bestonden. Het was amper licht, maar de voordeur stond wijd open en Dodie kon de verzameling grijze wolken, laag ineengedoken aan de horizon, zien alsof ze naar binnen gluurden, en mama Keel die op de stoep erwten zat te doppen.

Dodie treuzelde niet. Ze accepteerde mama's aanbod van een oude katoenen jurk om in plaats van haar serveerstersuniform te dragen, en stapte naar buiten, de vroege ochtendwind in. Ze kon zich er deze keer niet toe brengen over het strand te lopen, maar nam in plaats daarvan de weg langs de kust, die er op dit uur grijs en verlaten bij lag. Ze stak tussen de bomen door en kwam zo het strand op.

Ze was voorbereid. Ze had zich geen tranen beloofd. Maar ze was niet op de stank voorbereid. Dat drong als eerste tot haar door, de stank van verkoold hout die in de lucht hing, en daarna de aanblik van haar verschroeide en verlepte groentetuin achter de overblijfselen van het huis. De bonenplanten lagen bruin en levenloos als dode spinnen op de grond, en er rommelde een rat tussen de resten. Slechts een paar pompoenen hadden het overleefd, nog steeds schreeuwerig rood te midden van het grauwe puin.

Haar huis was verloren. Een woestenij van herinneringen. Niemand had er nog wat aan. Er staken slechts wat stukken verwrongen metaal uit de zwartgeblakerde hoop omhoog, als rotte tanden. De wind blies de as eruit op en joeg die over het strand, maar Dodie kon er niet langer naar kijken. Ze wendde zich af van de grimmige aanblik en werd overmand door woede jegens degene die dit had gedaan, en ook jegens de politieman die hier op ditzelfde strand had gestaan en haar had lastiggevallen met vragen die haar doodsbang hadden gemaakt. Ze liep weg, en terwijl ze dit deed ving ze de contouren op van een eenzame man die onder een palmboom zat, precies op de plek waar de baai een bocht maakte en een hoefijzer vormde. Op deze afstand was zijn gezicht moeilijk te zien, maar het was duidelijk dat de jongeman blank was met een licht overhemd en lange, slungelige ledematen.

Hij zat naar haar te kijken.

Ze wilde niet worden bekeken, ze wilde niet dat een vreemde naar haar verdriet zat te gluren, dus keerde ze de gestalte haar rug toe en liep naar de zee.

De lucht was zwaar van donkere wolken, en de golven raasden naar haar toe met witte schuimkoppen, als waarschuwing voor de zomerse storm die vanuit Florida de eilanden naderde. Er waren slierten grof, bruin zeewier op het strand aangespoeld en kleine, oranje krabbetjes die beschutting in die massa zochten. Dodie hees de zoom van haar jurk op en waadde het water in, terwijl haar tenen bij elke stap het zand tot harde klonten knepen, als enige zichtbare uitdrukking van de woede die in haar binnenste heerste. Ze slenterde lang door de ondiepte, heen en terug over de zandbank, terwijl ze nadacht over de mannen die bij het ziekenhuis op Morrell hadden geloerd, en zich afvroeg wat hij kon hebben gedaan om hen tot moord te drijven.

Wat voor mensen waren dat? Was het in brand steken van haar huis een waarschuwing van hen? Een teken dat ze haar mond moest houden? Wat zouden ze haar nog meer willen aandoen?

Wat was er in hemelsnaam aan de hand?

Ze was naar dit eiland gekomen om demonen te ontvluchten, niet om ze te vinden. Haar vader was van het ene uitzichtloze baantje naar het andere gestrompeld, van de ene whisky naar de volgende, en Dodie had geprobeerd hem te helpen. Ze had rumflessen voor hem verstopt, zijn schrammen en snijwonden van al zijn dronken valpartijen verbonden, en zijn arm gespalkt toen hij die had gebroken. Maar het was onbegonnen werk geweest, en uiteindelijk had ze het niet meer kunnen opbrengen.

Na zijn dood had ze terug kunnen gaan om een nieuw begin te maken in Engeland, maar dat deed ze niet. Ze kon zich er niet toe brengen de Bahama's de rug toe te keren. Ze was heel veel van dit mooie, exotische eiland gaan houden. Met de zachte, warme bries, de felle kleuren van de bloemen en de vogels en de grote vlinders, de lage roep van de lelijke kikkers en het gefluister van de palmbladeren in haar oren, dat alles had haar betoverd. En de uitgestrekte blauwe oceaan omringde haar geest net zo volledig als hij New Providence Island omringde, zodat ze aan de slag was gegaan om een nieuw leven op te bouwen. Het was in het begin moeilijk geweest. Ze had geleerd achterdochtig te zijn jegens mensen. Aanvankelijk vond ze werk bij Stanley Sewing Factory, een textielfabriek, maar toen daar problemen ontstonden en zij werd buitengesloten, had Olive Quinn haar als serveerster in het Arcadia aangenomen, en ze was daar sindsdien gebleven.

Maar nu probeerden ze het eiland van haar af te pakken, deze mensen die anderen zomaar met een mes in de buik staken. Ze wilden haar bang maken. Haar wegjagen. Ze keek omhoog en staarde woest naar de onderkant van de zware wolken die laag boven de golven hingen. Ze ging hier niet weg.

Een eenzaam Liberator-vliegtuig, gegeseld door alle winden, baande zich een weg naar het nieuwe vliegveld Windsor, en het vastberaden gebrom van de vier motoren vond een echo in Dodies hoofd. Ze draaide zich met een ruk om, met de bedoeling terug te gaan om het puin van de hut door te harken voordat het ging regenen, maar ze bleef opeens staan. Recht voor haar zat de jongeman nog steeds in de schaduw. Nog steeds met zijn rug tegen de stam van een boom, alsof hij daar heel lang had gewacht. En hij keek nog steeds naar haar.

Wie was hij? Waarom was hij daar? Kwam hij haar weer waarschuwen?

Nee, deze keer niet. Ze was niet van plan zijn waarschuwingen gedwee af te wachten. Deze keer zou zij naar hém toe gaan om de waarheid uit hem los te krijgen. Zonder enige aarzeling rende ze over het strand naar de vreemdeling in de schaduw, voor hij zelfs maar kon overwegen weg te gaan.

16

Flynn

Flynn zag haar over het strand naar hem toe komen, met haar lange, kastanjebruine haar dat door de wind in alle richtingen werd geblazen, haar snelle voetafdrukken in het zand. Maar hij verroerde zich niet. Het enige wat hij deed was zijn sigaret uitdrukken en wensen dat ze niet zo kwaad was. Hij kon haar woede zien in de snelle, vastberaden stappen die ze nam en in de scherpe stand van haar ellebogen toen ze de helling op rende.

Hij had meer dan een uur naar haar zitten kijken, terwijl hij zich afvroeg wat er in haar hoofd omging terwijl ze door het water liep. Ze wierp steeds brede bogen fonkelend water met haar handen op, woelend in de zware deining van de golven, alsof ze probeerde de wereld te veranderen. Ze liep over de volle lengte van de zandbank heen en weer, in haar verschoten blauwe jurk, verzonken in haar gedachten. Hij had de stemming van anderen altijd goed kunnen peilen, aan de houding van hun nek, hoe ze met hun heupen draaiden, aan de manier waarop ze hun handen hielden. Het was een vaardigheid die meer dan eens zijn leven had gered. Hij kon zien, ondanks haar kennelijke woede, dat het lichaam van dit meisje op instorten stond, alsof ze te vaak een zware klap te verduren had gekregen.

Ze was niet gewend aan de dood. Dat kon hij aan haar zien, en de gedachte aan al het bloed dat op de vloer van haar hut was gestroomd, baarde hem meer zorgen dan hij wilde toegeven. Er was moed voor nodig om te doen wat zij voor Morrell had gedaan. Toch was ze een schuchter wezen. Dat was te zien aan de manier waarop ze in de wereld om zich heen keek, niet helemaal zeker van haar plaats erin. Klaar om te bukken en weg te snellen. Hij bewonderde dat in haar, die alertheid.

Ik heb haar niets verteld.

Flynn wenste dat Morrells woorden waar waren.

Zorg dat ze dat kind geen kwaad doen.

De vraag was: hoeveel kwaad kon zij hun doen?

Dodie.

Dat was hoe de arme Johnnie Morrell had gezegd dat ze heette.

17

Dodie

'Wie ben je?' Dodie wachtte niet op een antwoord. 'Wat doe je hier op dit uur van de dag?'

Ze bekeek de man eens goed. Hij zat met zijn hoofd achterover naar haar op te kijken en ze bedacht dat hij iemand was die zijn taaie stadsmanieren immer om zich heen hield. Onder een dichte bos zwart haar waren zijn bruine ogen snel en scherp.

'Waarom zit je naar mij te kijken?' Het bloed klopte snel in haar hals.

'Het is een vrij land, weet je,' zei hij kalm.

Hij kwam ontspannen overeind. Met zijn vingers vol nicotinevlekken veegde hij het haar uit zijn ogen, met een gebaar waarvan ze besefte dat het was bedoeld om haar een moment te geven om na te denken. Maar het enige waar zij over wilde nadenken was de vraag waarom hij daar zo lang had gezeten om haar te bespioneren.

'Mijn naam is Flynn Hudson.'

Hij sprak met een Amerikaans accent, zo te horen van ergens in de koude, noordelijke staten. Zijn huid was bleek, alsof hij onder normale omstandigheden niet veel zon kreeg. Flynn Hudson was halverwege de twintig, lang en pezig, met een wat rauwe, gespannen uitstraling die in tegenspraak was met de kalmte in zijn diepliggende ogen en het geduld dat hij tijdens zijn wacht onder de boom had betoond.

'En, meneer Hudson?'

'Ik bied u mijn excuses aan als ik u heb laten schrikken door hier te zijn. Dat was niet mijn bedoeling. Ik zat gewoon onder die boom te wachten tot u het strand weer op zou komen.'

'Wat wilt u van me?'

'Ik dacht dat u misschien wat hulp kon gebruiken, dus…'

'Ik heb niets van u nodig, meneer Hudson.' Ze keek hem achterdochtig aan. 'Als u degene bent die deze brand heeft gesticht of als u hier bent om me een nieuwe waarschuwing te geven, dan zeg ik u – en uw vrienden – bij mij vandaan te blijven. Jullie jagen me niet weg. Ik ga nergens heen.' Haar stem klonk luid in de frisse ochtendlucht en het hart klopte haar in de keel, maar ze keek hem recht in de bruine ogen opdat hij zou begrijpen dat ze geen kakkerlak was die zich liet vertrappen. 'Ik herhaal wat ik heb gezegd, meneer Hudson, ik heb niets van u nodig.' Ze draaide zich op haar hielen om.

'Toch wel, denk ik.'

Dit maakte dat ze stilhield. Ze wachtte tot er meer kwam, maar toen dat niet kwam voelde ze zich genoodzaakt zich weer naar hem toe te keren om hem aan te kijken. Hij droeg een overhemd met lange mouwen, geen das, en hij liep op bruine veterschoenen die onder het zand zaten. Op zich heel netjes, maar het overhemd zag er goedkoop uit en de knieën van zijn broek glommen. Het zag ernaar uit dat hij rond wist te komen, maar ook niet veel meer dan dat. Hij stond met zijn handen in zijn zakken, maar zijn blik onderzocht haar met een scherpe aandacht die haar nerveus maakte.

'Wat bedoelt u precies?'

'Niets bijzonders.' Hij haalde zijn schouders op. 'Ik wou dat het meer was, maar ik was te laat... om gisternacht te helpen, bedoel ik. Het spijt me geweldig.'

Dodie staarde hem zwijgend aan.

'Van de brand,' voegde hij eraan toe. 'Ik probeerde te helpen.'

'Hoor eens, meneer Hudson, mijn excuses als ik...'

'Kom eens mee,' zei hij. 'Dan zal ik u iets laten zien.'

Hij liep op zijn onpraktische schoenen door het zand naar de andere kant, waar de hut had gestaan, maar ze kon zich er niet toe brengen hem te volgen. Hij moest dit hebben aangevoeld, want halverwege keek hij achterom en glimlachte naar haar.

'Kijk maar niet zo bezorgd. Ik ga u heus niet ontvoeren of als blanke slavin verkopen of zoiets exotisch.'

Hij zei het met een lach die gemakkelijk uit hem rolde en zijn hele gezicht deed oplichten. Dodie voelde dat ze tot in haar haar bloosde, maar hij leek het niet op te merken. Hij knielde op het strand neer, naast een bergje dat was verpakt in iets wat kennelijk zijn jasje was.

De stof ervan was verkreukeld en zat onder het zand, met zwarte vegen erop, als van vloedlijnen.

'Kijk eens.'

Ze kwam dichterbij toen hij het jasje wegtrok met de flair van een goochelaar. Haar mond viel open en er ontsnapte haar een kreet. De kreet vormde zich niet tot woorden.

'Ik had zo'n idee dat u die misschien wel graag wilde hebben,' zei hij.

Het was haar moeders naaimachine. Dodies knieën konden haar niet langer dragen en ze plofte naast hem in het zand. Ze strekte een hand uit om het wiel van de machine aan te raken. De houten basis was danig verkoold en de zwarte emailverf op het metalen huis was afgebladderd, maar op verbazingwekkende wijze leek het mechaniek nog intact te zijn. Dodie voelde hoe er in haar binnenste een holte ontstond die de exacte vorm van de naaimachine had.

'Ja, ik heb je vannacht gezien.' Ze herinnerde zich hem. 'Met die lange stok in je hand om dingen uit het vuur te harken. Ik dacht dat je wilde stelen. Ik wist niet dat je…' Ze gebaarde naar de beschadigde naaimachine. 'Dat je…'

'Was het de moeite van het redden waard?'

'Ja,' fluisterde ze.

'Mooi zo.'

Ze nam de zwartgeblakerde machine in haar armen. Toen ze hem in haar schoot legde, leek haar eenzaamheid niet meer zo volledig. Maar toen ze ten slotte haar hoofd ophief omdat ze Flynn Hudson wilde bedanken, was hij al weggelopen tussen de bomen.

Dodie zat op handen en knieën in haar moestuin, met haar haar naar achteren gebonden om het niet steeds in haar ogen te laten waaien. Ze vond het vreemd te beseffen dat ze niets meer bezat. Dit hoorde gemakkelijk te zijn, en toch voelde het moeilijk.

Ze legde een hand op de rand van het gat dat ze in de grond voor zich had gemaakt, groot genoeg om een metalen geldkist, die in jute was gewikkeld, te bevatten. Maar nu had ze het groter gemaakt om er ook de gehavende naaimachine in te kunnen doen. Vol liefde had ze alle viezigheid weggepoetst van dit enige voorwerp dat ze bezat en dat ooit van haar moeder was geweest, en ze had een zakje aardappels geruild voor een handdoek en een stuk oliedoek om het in te verpakken. Nu dit pakket veilig naast het geldkistje was begraven, voelde ze zich een stuk beter.

Ze zocht opnieuw het strand af, maar Flynn Hudson was niet teruggekomen. Ze kon niemand in de buurt ontdekken. Ze luisterde. Er was slechts het geruis van de wind in de pijnbomen en het gedreun van de branding op het strand. Ze kon ruiken dat er onweer op komst was. Snel maakte ze het geldkistje open en haalde er een envelop met zeven briefjes van een pond uit. Ze nam er twee van af. Ze zou niet van honger omkomen, in elk geval nu nog niet. Deze keer gunde ze zich geen tijd voor de vergeelde foto van haar ouders, die op de bodem van het kistje lag, of voor de verleidelijke pagina's met goud op snee van haar vaders bijbel, maar ze griste wel een van de twee gouden munten die in de hoek lagen weg en klapte het deksel dicht.

18

Ella

Ella tikte op haar gekookte eitje en keek op van haar ontbijt-
bordje. Reggie staarde haar aan.

Het was altijd hetzelfde. Na een nacht als vannacht. Alsof de touwtjes die zijn gezicht strak hielden in elastiek waren veranderd en zich
uitrekten om zijn gezicht zachter te laten worden. Zijn lippen weken
iets uiteen in een ontspannen glimlach toen hij haar aankeek zonder
de behoefte te hebben over koetjes en kalfjes te praten of over zijn
laatste partij golf. Ze had hem graag zo. Niet op zijn hoede en met
die ongedisciplineerde blik in zijn ogen waarvan ze wist dat die betekende dat hij aan haar tussen de lakens dacht.

Ella zei in bed nooit nee tegen haar man, zelfs niet wanneer zij moe
of hij dronken was. Ze vond dat ze hem dat verplicht was. Hij had
haar een goed leven gegeven – niet het soort leven dat ze had verwacht, maar toch goed – en hij was zonder uitzondering liefhebbend
en vriendelijk tegen haar. Ze wisten allebei in het diepst van hun hart
dat er een kleine onbalans in hun huwelijk was, dat hij meer van haar
hield dan zij van hem. Maar hij begon daar nooit over, hij gaf nooit
uiting aan zijn teleurstelling wanneer ze plichtmatige seks leverde in
antwoord op zijn behoedzame toenadering elke nacht.

Hij leek redelijk gelukkig. Hij klaagde in elk geval nooit. Ze hadden
zo hun kleine tekens, de veelzeggende tekens die Ella beschouwde als
hun paringsritueel. Reggie en zij lazen bijna altijd in bed, zij ging dan
op in de nieuwste Hemingway of Ngaio Marsh terwijl hij wat
papieren van kantoor bekeek, zich allerlei feiten en getallen inprentte
om die de volgende dag aan de hertog door te geven. Ella was altijd
onder de indruk van het vermogen van haar man om zulke data te
onthouden.

Na precies twintig minuten in bed, gecontroleerd door zijn horloge, schoof Reggie zijn papieren bij elkaar, schraapte zijn keel, rekte zijn armen uit met een geeuw en deed zijn bedlampje uit. Dat was het teken. Ze legde dan haar boek opzij maar deed haar lampje pas na afloop uit. Ze wilde graag zien wat ze deed. Twintig jaar getrouwd en toch benaderde Reggie haar elke nacht alsof ze misschien nee zou zeggen. Een aarzelend been werd over het hare gehaakt, een hand die haar middel streelde, een kus in haar hals. Niets opdringerigs. Tot ze zich naar hem omdraaide en zijn mond kuste, waarbij haar tong de zijne raakte.

Af en toe wenste ze dat hij tot haar zou komen als een leeuw, met klauwen die haar beetgrepen, grauwend en bijtend om dat te grijpen wat hem rechtens toekwam. Maar elke keer streelde en liefkoosde hij haar lichaam alsof hij het nooit eerder had gezien en verbijsterd was over het geluk dat hem ten deel viel. Hij had haar verteld dat hij nooit met een andere vrouw naar bed was geweest en ze geloofde hem, maar ze merkte hoe ze tegenwoordig steeds vaker wenste dat hij dat wel had gedaan. Wanneer hij in haar stootte, keek hij altijd aandachtig naar haar gezicht, om te zien of hij haar geen pijn deed of op de een of andere manier kwetste. En dan kwam ze in de verleiding om hem te vertellen dat saaiheid verreweg de ergste pijn was, maar dat zei ze natuurlijk nooit.

Af en toe verloor ze haar geduld. Dan ging ze schrijlings op hem zitten en ging woest tekeer tot ze allebei nat waren van het zweet, en zijn huid was doordrongen van de hare en de smaak van haar borsten op zijn tong lag. Geen liefkozingen. Alleen maar kneuzingen op zijn lippen en schrammen op zijn bovenbenen. Wanneer ze ten slotte hijgend van hem af rolde, met een lichaam dat nog nahuiverde van de bevrediging, wendde Reggie zijn gezicht af en kroop er een blos in zijn nek.

'Welterusten,' mompelde hij dan.

'Welterusten, Reggie.'

En daarna dit. Dit rekken van de touwtjes van zijn gezicht, wanneer ze hem de volgende morgen aankeek alsof ze hem op de een of andere manier uit model had getrokken. Geen van hen kwam ooit met een opmerking over of een verwijzing naar de nacht ervoor. Ella nam een hapje van haar toast en glimlachte beleefd naar haar man, maar vanmorgen legde Reggie zijn servet neer, ging staan en liep naar de terrasdeuren. Daar bleef hij staan met zijn rug naar haar toe.

'Wat is er, Reggie?'

Ze zag dat hij zijn mollige rug iets rechtte. Toen hij zich omdraaide wist ze dat het haar niet zou bevallen wat hij haar te zeggen had.

'Ik maak me zorgen, Ella.'

'Waarover?'

'Over het gevaar waar Tilly Latcham en jij gisteren in terecht zijn gekomen. Het had veel erger kunnen zijn dan het beetje varkensbloed dat over jullie heen werd gegooid.'

'Ach.'

Ella had geen zin er nog verder over te praten. Ze hadden het er de vorige dag al uitentreuren over gehad.

'Jullie hadden ernstig gewond kunnen zijn.'

'Maar dat waren we niet, lieve Reggie.'

'Dat is niet het punt. We hebben vorig jaar gezien wat er kan gebeuren als een opstootje uit de hand loopt.'

'Maar gisteren was het niet meer dan een groepje ontevreden arbeiders dat...'

'Ella, onderschat in hemelsnaam niet wat die arbeidsongeregeldheden vorig jaar betekenden. Die zwarte arbeiders hebben ons uitgedaagd en gewonnen. Vergeet niet dat wij maar met tienduizend zijn en zij met zestigduizend. Ik verzeker je dat dit nog maar het begin is.'

'Het begin waarvan?'

Reggie trok zijn lippen glad om de doorns wat uit zijn woorden te halen. 'Van het einde van de natuurlijke maatschappelijke orde in deze kolonie. Op een dag zullen de zwarten gelijke rechten eisen, en dan...' Hij glimlachte droevig.

Ella voelde een steek van schrik. Reggie had die overtuiging nooit eerder onder woorden gebracht. Toch kon ze zich hem voorstellen, achter gesloten deuren in het gouvernementshuis, om te overleggen met de gouverneur en een aantal selecte en machtige zakenlieden uit Bay Street. *Het begin van het einde.* Ze voelde een golf van paniek.

De opstand van vorige zomer, van zwarte arbeiders, was als een uitbarsting geweest. Tweeduizend mensen die zich op Parliament Square voor de roze gouvernementsgebouwen verdrongen om een eerlijk loon te eisen, vergeleken bij de goedbetaalde Amerikaanse arbeiders die waren aangevoerd om te werken aan wat als Het Project bekendstond. Dit was de aanleg van de twee vliegvelden voor de Amerikaanse en de Britse luchtmacht.

Voor de oorlog behoorden de Bahama's tot de armste koloniën van het Britse Rijk. De werkloosheid op de eilanden maakte het leven moeilijk. De meeste zwarte bewoners leefden van de hand in de tand, aangezien zowel de visserij als de sponzenhandel sterk achteruitging. Met het nieuws over Het Project veranderde de hele sfeer in Nassau en stroomden bewoners van verder gelegen eilanden toe om werk te zoeken. Maar de regering had zich misrekend, en Reggie ook. Ze betaalden de Bahamanen de helft van wat ze de Amerikaanse arbeiders betaalden voor precies hetzelfde werk: vier shilling per dag in plaats van acht. Ella kon zich niet voorstellen dat zogenaamd intelligente mannen zo dom konden zijn. Natuurlijk ontstond er woede. Natuurlijk eindigde die in een vreselijke opstand. De ongeregeldheden explodeerden in een tweedaags uitzinnig geweld waarbij winkelruiten werden ingegooid en plunderingen plaatsvonden in heel Bay Street, het hart van het blanke koloniale territorium.

De vrede werd pas hersteld nadat er vier mannen door Britse soldaten waren gedood en meer dan veertig gewond waren geraakt. Ten slotte werden er nieuwe loonafspraken gemaakt. Het leven in Nassau leek langzaam weer normaal te worden, maar onder de rustige oppervlakte heerste een duistere onderstroom die er eerst niet was geweest.

Daardoor had Ella – net als Tilly – zo slecht gereageerd, gisteren in de auto. Deze keer bleek het niets meer te zijn dan een paar jonge metselaars die boos waren over een vermindering van loon. Hun wapens waren emmers varkensbloed geweest, in plaats van ijzeren staven. Maar het was genoeg om iedereen aan de verschrikkingen van vorig jaar te herinneren, toen blanke vrouwen hun huis niet durfden te verlaten en blanke mannen hun middelen van bestaan verloren toen hun winkels werden verwoest.

Ella schoof haar bord weg. 'Wat probeer je me te zeggen, Reggie?'

'Dat ik met de gouverneur en kolonel Lindop heb gesproken. We zijn het erover eens dat, tot we er zeker van zijn dat de huidige situatie geen bedreiging meer vormt, de commissaris voor een aantal vrouwen van prominente personen op het eiland een politiefunctionaris aanwijst als lijfwacht. Dus…'

'Nee, Reggie.'

'Dus krijg jij een lijfwacht om jou voorlopig te vergezellen bij alles wat…'

'Nee, Reggie. Nee.'

'Bij alles wat je buitenshuis onderneemt tot er geen gevaar meer dreigt.'

'Reggie! Je luistert niet naar me.'

'Het is waarschijnlijk maar voor een paar weken.'

'Ik weiger om…'

Hij liep naar haar toe, met grote, vastberaden stappen die haar verbaasden. Hij boog zich over haar heen en nam haar gezicht tussen zijn handen. Niet met de behoedzaamheid die ze gewend was. Zijn handen waren gespannen en de kracht waarmee ze werd beetgepakt, maakte dat haar kaken pijn deden. Zijn blik was op haar gezicht gericht en ze was geschokt door wat ze in zijn ogen zag: hevige, onbedwongen woede.

'Ze hadden je kunnen vermoorden, Ella. Dood op de straat achter kunnen laten. Is er op dit moment in de steden en straten van Engeland al niet genoeg gaande? Kun je daar dan niet aan denken? Onze families thuis moeten al door een hel gaan zonder dat jij jezelf hier ook nog eens in gevaar brengt.'

'Zo erg was het nou ook weer niet, echt waar. En dat is niet eerlijk, Reggie. Je weet dat we ons hier allemaal voortdurend zorgen maken over onze familie en over de bombardementen thuis. Kijk maar wat er bij de luchtaanval op Bristol met de arme oom van Tilly is gebeurd.'

'Je moet een lijfwacht hebben, Ella, ik sta erop. Ik kan het risico niet lopen dat…'

Ze legde een hand over de zijne op haar wang en knikte. Op slag keerde er een laagje hoffelijkheid terug en werd hij weer haar diplomatieke Reggie.

'Mooi zo,' zei hij opgewekt. 'Dan ga ik Lindop bellen. Hij is degene die alles regelt.' Hij glimlachte naar haar, met nu slechts de gebruikelijke blik van genegenheid in zijn ogen. 'Het gaat niet alleen om jou, Ella. Er zijn ook andere vrouwen die moeten worden beschermd, onder wie Tilly.'

'Maar het was jouw idee, nietwaar?'

Hij schraapte zijn keel. 'Dat moet ik toegeven, maar…' Hij draaide zich om naar de deur, waardoor hij niet zag hoe ze haar schouders opeens liet hangen bij het vooruitzicht overal een vreemde achter zich aan te hebben, waar ze ook naartoe ging. '… het is van het grootste belang verdere incidenten die aan weerszijden de gemoederen kunnen verhitten, te voorkomen.'

'Uiteraard, Reggie.'

Zodra hij vertrokken was, vluchtte Ella de tuin in.

Ella was bezig met het opbinden van haar uitbundig groeiende passiebloem, die de gewoonte had zijn amethisten, stervormige bloemen in onvoorstelbare overdaad tentoon te spreiden. Dat was de vreugde van een tuin in de tropen, die wist nooit van ophouden. Die deed nooit diplomatiek. Ella hield van de vitaliteit van haar tuin en de dieren erin. Ze bleef even staan om een Bahama woodstar – een veelvoorkomend type kolibrie – met zijn schitterende violette keel te bewonderen, toen de eerste druppels regen begonnen te vallen.

'Mevrouw Ella!'

'Wat is er, Emerald?'

'U hebt bezoek.'

Ella richtte zich op. 'Ik verwacht niemand.'

'Vast niet deze iemand.'

Emeralds dikke nek was tussen haar schouders getrokken en Ella wist niet of dit tegen de regen of tegen haar bezoek was.

'Wat bedoel je, Emerald? Wie is het?'

De dienstbode rimpelde haar neus van afkeer. 'Een mager blank juffertje dat beweert dat ze iets persoonlijks met u te bespreken heeft.'

'Hoe heet ze?'

'Dodie Wyatt.'

'Waarvoor komt ze?'

'Dat wil ze niet zeggen.'

Ze begonnen samen het tuinpad op te lopen.

'Wat mankeert er aan die jongedame, Emerald?'

'Ze is geen dame.'

'Emerald, je bent een vreselijke snob.'

Emerald grijnsde trots. 'Reken maar.'

'Ik hoop dat je beleefd tegen haar hebt gedaan.'

'Tuurlijk doe ik beleefd. Dat ben ik toch altijd?'

'Nee, dat ben je niet altijd.'

Ze grinnikten allebei.

Toen ze dichter bij het huis kwamen zag Ella dat de bougainville op het terras wild met zijn paarsrode bloemen in de wind stond te wapperen. Ze fronste haar voorhoofd. De plant zou veel te lijden hebben in het onweer.

Ze schudde haar vinger naar haar dienstbode. 'Dat ik jou te veel te eten geef, hoeft nog niet te betekenen dat je lelijk doet tegen een meisje dat mager is. Het is moeilijk om werk te vinden op dit eiland.'

Emerald sloeg zichzelf voldaan op haar brede achterwerk. 'Dat komt doordat wij zwarte mensen alle slecht betaalde baantjes steeds voor onszelf willen houden. Ik snap daar helemaal niks van.' Ze keek Ella met grote onschuldige ogen aan. 'U wel, mevrouw Ella?'

'Hou op, Emerald. Als je over politiek wilt kibbelen, moet je dat maar met mijn man doen.'

'Ik kibbel niet. Ik zég alleen maar wat.'

'Nou, ga maar tegen juffrouw Wyatt zeggen dat ik zo bij haar kom, als ik mijn handen heb gewassen. Waar heb je haar gelaten?'

'Op de zuidelijke veranda. Daar waait het niet.'

'Wat mankeert er aan de zitkamer?'

'Er staat goed zilver in die kamer.'

'Emerald, je bent slecht!'

Emerald grijnsde. 'Ik pas gewoon goed voor u op, mevrouw Ella.'

Ella moest erkennen dat Emerald op één punt gelijk had. Het meisje was mager. Toen Ella de overdekte veranda op stapte, draaide het meisje zich meteen om van waar ze het kortgeschoren gazon en de hoge mangoboom die in de wind zwiepte, stond te bekijken. Haar gezicht had mooie, verfijnde trekken, maar haar jukbeenderen waren te opvallend en haar lippen te vol om een conventionele schoonheid te kunnen zijn. Toch had ze iets van een kleine kolibrie over zich, iets kleurrijks dat maakte dat je je ogen moeilijk van haar af kon houden. Op dit moment was haar mond tot een strakke streep getrokken en bekeek ze Ella van onder dichte, donkere wimpers. Haar lichtgroene ogen leken jong, en Ella besefte dat ze niet veel meer dan half zo oud als zijzelf kon zijn.

'Goedemorgen, juffrouw Wyatt. Wat kan ik voor u doen?'

'Dank u wel dat u me wilt ontvangen, mevrouw Sanford.' Haar vingers plukten aan een vouw in haar jurk. 'Ik moet u iets vertellen.'

Er lag enige schroom in haar houding, die Ella voor haar innam, en een heldere blik in haar ogen, maar het donkere, kastanjebruine haar was met een stukje touw strak naar achteren getrokken en haar voeten waren in gehavende sandalen gestoken.

'Laten we gaan zitten.' Ella gebaarde naar twee stoelen bij een tafel en ze zag met tevredenheid dat Emerald een kan verse limonade en een bord zelfgemaakte gemberkoekjes had klaargezet. Volgens Emerald had zelfs juffrouw Wyatt iets te eten nodig met al haar magerte. 'Waar gaat het over?'

'Over meneer Morrell.'

'Sorry?'

'Meneer Morrell. Een grote Amerikaan met rossig haar.' Haar ogen waren op Ella gericht. 'Ik denk dat u hem kent.'

'O ja, dat is mogelijk.' Ella aarzelde en keek het meisje ongemakkelijk aan. 'Maar ik kén hem niet echt. Ik heb hem pas onlangs op een avond ontmoet en toen hebben we elkaar even gesproken, dat is alles.'

'Mag ik vragen waarover u hebt gesproken?'

'Ik was bezig donaties voor het Rode Kruis in te zamelen en hij was zo edelmoedig om bij te dragen. Maar vanwaar jouw belangstelling voor de heer Morrell?'

De jonge vrouw keek naar de koekjes, naar een rij mieren die over de stenen vloer trok, naar haar handen die in haar schoot ineengeslagen waren, en ze zei helemaal niets. Toen ze haar ogen ten slotte opsloeg, lag er een andere blik in. Er was iets donkers in naar voren gekomen.

'Hij is dood.'

Ella slaakte een gesmoorde kreet en haar hand ging naar haar hals. De jonge vrouw pakte de kan op, schonk limonade in een glas en zette dit voor Ella neer.

'O nee, wat vreselijk. Zo plotseling. Wat erg. Wat is er gebeurd?'

'Hij werd neergestoken. Ik heb hem eergisteravond in een steegje gevonden,' antwoordde ze. 'Ik probeerde hem te redden, maar... hij heeft het niet gehaald.' Ze schudde haar hoofd.

'Wie heeft het gedaan?'

'Ik weet het niet. Daarom ben ik hier.'

Het begon koeler te worden toen de regen op het glazen dak van de veranda kletterde, omlaag glibberde en sporen als van slakken achterliet.

'Hoe is het gebeurd?' vroeg Ella.

'Ik weet het niet. Morrell heeft me niets verteld.'

'Is het aan de politie gemeld?'

'Ja. Maar zij weten ook niets.'

Ella nam een slokje limonade. Haar mond was droog. 'Wat vreselijk voor je.'

Het kastanjekleurige hoofd leek naar voren te buigen, als om nog iets te zeggen, maar in plaats daarvan pakte ze een koekje en keek Ella zwijgend aan.

'Waarom ben je naar mij toe gekomen?' vroeg Ella niet-begrijpend.

Dodie Wyatt legde het koekje terug, ze haalde iets uit haar zak en legde het midden op de tafel. Het was een gouden munt die zelfs in dit grauwe ochtendlicht glansde, een oude munt die wellicht een dubloen of een nobel of iets dergelijks zou heten. Ella wilde hem graag aanraken.

Dat is het punt met goud – het is fantastisch. Het is oppermachtig, het corrumpeert de ziel. Het hypnotiseert de geest. De munt van de duivel. Toch versiert en ontheiligt het kerken, overal ter wereld.

Ella herinnerde zich de woorden die ze sir Harry Oakes eergisteravond had horen spreken, zacht en overredend.

Vooruit, Morrell, pak dit. Bevrijd je ziel.

Ze herinnerde zich Morrells grom van voldoening toen het goud won. Ze zag het zweet in zijn nek.

'Mevrouw Sanford?'

Ella wendde haar blik met moeite van de munt af.

'Meneer Morrell vroeg me deze munt aan u te geven.'

Het meisje legde een stuk papier voor Ella op de tafel en ze zette haar glas op de hoek ervan om te zorgen dat het niet weg zou waaien. Ella's naam stond erop. Ze herkende meteen het grove handschrift. Het was dat van sir Harry Oakes.

'Waarom,' vroeg Dodie Wyatt, 'zou hij dat doen?'

De zachte intensiteit van haar stem reikte nauwelijks over de tafel door het lawaai van de wind in de bomen.

'Ik weet het eerlijk niet. Geloof me wanneer ik zeg dat ik hem niet kende. Ik heb hem maar één keer gedurende niet meer dan vijf minuten ontmoet en…'

'Wanneer was dat?'

'Eergisteravond.'

'Dat is de avond dat hij is vermoord.'

Ella keek uit het raam naar de striemende regen die haar wereld in een kille, grijze overjas hulde. Ze maakte haar vingers los van het glas en ging staan.

'Laten we naar binnen gaan.'

In de zitkamer was het iets warmer, maar deze keer ging geen van beide vrouwen zitten. De kasten van ingelegd rozenhout met hun fraaie Meissen porselein, de verfijnde marquetterie tafeltjes en de jadegroene zijden gordijnen maakten een plechtige indruk op Ella, en ze constateerde dat ze allebei nu stijfjes bleven staan, met hun gezicht naar elkaar, in het midden van de kamer.

'Waarom zou hij mij met zo'n munt naar u toe kunnen sturen?' vroeg Dodie Wyatt plompverloren. 'Hij moet daar iets mee hebben bedoeld.'

'Ik heb geen idee.'

'Hebt u de munt ooit eerder gezien?'

'Nee. Ik begrijp er helemaal niets van, het spijt me.'

Dat had het eind van het gesprek horen te zijn. Juffrouw Wyatt had afscheid horen te nemen om te vertrekken, dus keek Ella verbaasd op toen haar bezoek dichter naar haar toe stapte.

'U liegt,' zei het meisje zacht.

'Niet zo grof alstublieft, juffrouw Wyatt. Anders moet ik u verzoeken mijn huis te verlaten.'

'Ik ben niet grof. Ik wil alleen maar de waarheid over meneer Morrell te weten komen. Dat ben ik aan hem verplicht.'

'Het lijkt me dat u de man helemaal niets verplicht bent als hij een vreemde voor u was.'

'Mevrouw Sanford, mijn huis is vannacht afgebrand en ik heb alles verloren wat ik bezat. Ik denk dat het is gebeurd omdat ik meneer

Morrell heb geholpen, dus moet ik zoveel mogelijk over hem te weten zien te komen.'

'Wat vreselijk is dat. Ik heb met u te doen.'

Ella pakte een schildpadden sigarettenetui van een tafeltje. Meestal rookte ze niet tot aan het cocktailuur, maar nu had ze echt behoefte aan een sigaret. Ze bood juffrouw Wyatt er een aan, maar toen die beleefd werd afgewezen, stak ze er zelf een op.

'Als u de waarheid zo graag te weten wilt komen,' zei ze door een rookwolk heen, 'waarom gaat u dan niet meteen met die munt en dat stuk papier naar de politie?'

Het gebeurde in een oogopslag. Het meisje veranderde. Ze deed een stap naar achteren en haar wangen werden vuurrood.

Ella werd bezorgd. 'Wat is er?'

'Niets.'

'Vertel het me.'

Het meisje staarde naar haar sandalen. 'Het is alleen dat ik ooit eerder een misdrijf heb gemeld. Niemand geloofde me, zelfs de politie niet. Ze zeiden allemaal dat ik een onruststoker was. Ik ben er mijn baan door kwijtgeraakt en niemand anders wilde me nog in dienst nemen, tot juffrouw Olive medelijden met me kreeg en me een kans gaf in het Arcadia Hotel. Als ik naar de politie ga met een verhaal over meneer Morrell, en u raakt er ook bij betrokken, dan...' De woorden bleven achter haar lippen steken.

'Dan rakelen ze het verleden misschien weer op en zien ze u opnieuw als onruststoker?'

Een zwijgende knik.

'Maar waarom laat u dit dan niet rusten?' drong Ella aan. 'Wat betekent Morrell voor u? Of voor mij? We weten niets over hem. Hij is slechts een rimpeling op het oppervlak van het eiland. Lieve help, hij is hier nog geen vierentwintig uur geweest, dus...'

Het kastanjebruine hoofd ging snel omhoog. 'Hoe weet u dat?'

'Dat heeft hij me verteld.'

'Dus u weet wél iets over Morrell.'

'Ik herinner me dat hij noemde dat hij die morgen was gekomen en die avond weer zou vertrekken.'

'Nog meer?' Haar ogen stonden opnieuw helder.

'Nee, het spijt me, dat was alles.'

'Ik wilde eerst met u praten,' legde het meisje uit. 'Daarom ben ik hierheen gekomen.'

'Ik ben erg blij dat u dat hebt gedaan. Ik heb op geen enkele manier banden met meneer Morrell, dat zweer ik. Ik heb hem alleen toevallig ontmoet toen ik campagne voerde voor het Rode Kruis.'

'Gaat u dan naar de politie,' zei Dodie Wyatt ernstig. 'Vertel hun dat. En vertel hun ook wat u mij niet wilt vertellen: waar u hem hebt ontmoet.'

'Het spijt me, dat kan ik niet doen.'

'Waarom niet?'

Ella fronste haar wenkbrauwen. 'Ik ben getrouwd met een diplomaat die dagelijks met veel machtige mensen te maken heeft om dit mooie eilandje draaiende te houden. Hij weet hoe belangrijk het voor Engeland is om alle verbindingen open te houden en dingen als regering en handel vrijelijk te laten functioneren. De moord op een eenzame vreemdeling is betreurenswaardig en ja, afschuwelijk, dat geef ik grif toe, maar het is het niet waard om het systeem voor te verstoren. Het belang van het eiland gaat voor.'

De ogen van Dodie Wyatt keken haar aan alsof ze een vreemde taal sprak.

'Waarom zou dat het systéém verstoren?' wilde ze weten.

'Omdat…' Ella zuchtte. Hoe verklaar je aan een jong en onschuldig iemand hoe de dingen werken om het gevoelige evenwicht in de diplomatie te handhaven? 'U weet zelf hoe het is. Om als onruststoker nagewezen te worden. De mensen laten je zoiets niet vergeten. Als ik iemand het etiket geef als de persoon die mij met Morrell in contact heeft gebracht – iemand die banden had met een vermoorde man – zullen er ondanks alle protesten van onschuld rare praatjes de ronde gaan doen. Het zal diegene beschadigen. En dat wil ik niet.'

Dodie Wyatt liep bij Ella vandaan naar de deur.

'Mevrouw Sanford, misschien bent u wel te lang met een diplomaat getrouwd geweest.'

19

Ella

Vandaag was het Ella's Rode Kruis-dag in het ziekenhuis. Het was haar beurt om in de kinderzaal bij Gus te zitten om zijn kleine, levenloze benen in bed te masseren. Hij stond erop 'Voorwaarts Christenstrijders' voor haar te zingen, omdat zijn vader ergens in Frankrijk streed en de Wapenrusting van God op zijn borst zou dragen. Hij was pas zeven jaar oud en herstellend van polio, maar hij hielp Ella de zware metalen beugels aan zijn magere benen te gespen en hield zich aan haar vast terwijl ze hem een paar wankele stappen door de zaal liet maken.

Er klonk luid gelach aan het andere uiteinde van de zaal waar Ella een bekend donker hoofd hard aan het werk zag. Het was de hertogin van Windsor. De hertogin was goedlachs en wilde graag actief zijn. Ze was zevenenveertig jaar oud maar voortdurend iets aan het doen, alsof ze niet stil durfde te zitten. Altijd bezig verband te verwisselen, lakens recht te trekken, haren te kammen. In haar frisse Rode Kruis-uniform trok ze moeiteloos alle aandacht. De verpleegsters waren dol op haar en de dokters haastten zich voorwendsels te bedenken om patiënten te onderzoeken in de zaal waarin zij toevallig aanwezig was.

In de afgelopen twee jaar had Ella vol bewondering gezien hoe Wallis Windsor zich op haar rol als vrouw van de gouverneur-generaal had gestort, met een energie waar vrouwen die half zo oud waren het bij af zouden leggen. Ze bezocht ziekenhuizen, scholen, klinieken, zette een kantine op voor de Bahamian Defense Force en een onderkomen voor de overlevenden van gebombardeerde schepen. Ella ging vaak met haar mee om met militairen te dansen teneinde het moreel op te krikken, of naar theemiddagen voor hen in het gouvernementsgebouw, en de hertogin was al even ijverig in het zoeken naar manieren om het lot van de zwarte Bahamaanse bevolking te verbeteren.

Ella liep naar haar toe. Dat gebeurde steeds als de hertogin ergens binnenkwam: de mensen werden tot haar aangetrokken zoals een pot honing vliegen aantrekt. Ella moest erkennen dat Wallis Windsor bazig kon doen wanneer ze dat wilde, dat ze een scherpe tong had en af en toe heel grillig kon zijn, maar Ella mocht en respecteerde haar om de hartstocht waarmee ze leefde.

De hertogin keek op toen Ella naar haar toe kwam, terwijl ze juist de luier bij een baby had vastgespeld. 'Ach Ella, precies degene die ik zocht.'

'Goedemiddag, hoogheid.'

'Ik sprak Freddie de Marigny gisteravond en hij liet me geweldig schrikken met een verhaal over hoe jullie gistermiddag onderweg in de stad zijn aangevallen.' Haar violetblauwe ogen namen Ella bezorgd op. 'Is alles goed met je?'

'Ja, mijn arme Rover heeft het meest te verduren gehad. Tilly Latcham en ik zijn alleen maar geschrokken.'

'Ik kan me voorstellen dat jullie je wezenloos zijn geschrokken.'

'Ik vrees dat we inderdaad een beetje misbaar hebben gemaakt.'

'En met reden, lieve Ella. Je kunt niet altijd de rol van verstandige en behulpzame echtgenote spelen. Je mag af en toe ook wel eens gillen, weet je.'

'Ze haten me.'

Ze stonden in een kleine spoelkeuken, slechts met hun tweeën, en de hertogin staarde somber naar buiten, naar de regen die neerkletterde. Ze rookte een sigaret in een ebbenhouten pijpje, terwijl de spieren aan weerszijden van haar brede kaken gespannen bewogen.

'Wie haten u?' vroeg Ella.

'De Britten. En de koninklijke familie nog meer. Die haten me omdat ik hun koning heb gestolen.'

'O, maar dan overdrijft u, mevrouw. Ze waren uiteraard teleurgesteld dat ze hem moesten verliezen, maar ze haten u echt niet.'

'Waarom maken ze mij dan steeds zwart in de pers? Alsof ik de duivel in eigen persoon ben.' Ze wendde haar blik af van het raam en trok een fraai gewelfde wenkbrauw naar Ella op. 'Jullie premier Churchill wil me vernietigen.'

'Nee, hij probeert waarschijnlijk de belangstelling van het publiek af te leiden van het aantal tonnen aan schepen dat de afgelopen maand in de Atlantische Oceaan is gezonken. Hij wil dit ergens in een hoekje wegstoppen terwijl u op de voorpagina wordt gezet om de aandacht te trekken. Zie het een beetje als uw bijdrage aan het oppeppen van het moreel.'

De hertogin lachte, met een laag, sensueel geluid. Haar hand ging naar haar hals, betastte de pezen en de parels.

'Dat kreng,' mompelde ze, en ze drukte haar sigaret in de gootsteen uit en stak een nieuwe op. 'Zij heeft alles: de troon, de titels, de sieraden, de paleizen, de aanbidding van het goedgelovige publiek.' Ze haalde haar schouders op. 'Zo zou ik door kunnen gaan...'

'Toe mevrouw, doet u dat niet.' Ella glimlachte en wierp de doorweekte sigarettenpeuk in een afvalemmer. 'Misschien praat ik wel in mijn slaap en wat zou Reggie er wel niet van zeggen als ik uw opmerkingen mompelde?'

Wallis lachte opnieuw, maar haar gezicht stond strak en haar schouders waren gespannen. Ze was een kleine, magere vrouw, niet bijzonder knap, maar wonderlijk aantrekkelijk, een vreemde mengeling van mannelijke bouw en de charme van een 'zuidelijke schone' die ze op de juiste momenten wist te gebruiken.

'Ze hebben weer nee gezegd,' zei ze tegen Ella.

'Tegen de titel?'

'Ja.' Haar werd de titel van Hare Koninklijke Hoogheid ontzegd, de gebruikelijke aanspreektitel voor een hertogin van koninklijke afkomst, maar ze begeerde hem niettemin. 'Churchill heeft zojuist het laatste verzoek van mijn man daartoe afgewezen.'

'Dat spijt me, mevrouw.'

Wallis kneep haar ogen een eindje dicht. 'Geloof me wanneer ik zeg dat het allemaal de schuld is van die heks in Buckingham Palace.' Haar ogen fonkelden boos en haar zuidelijke accent werd duidelijker. 'En nu ze koningin is, loopt ze tegen iedereen te zeggen dat ze blij is dat Buckingham Palace is gebombardeerd, omdat dit betekent dat ze het East End in Londen in de ogen kan zien wanneer dat nacht na nacht door bommen wordt verwoest.'

'Ik neem aan dat dat waar is.'

'O Ella! Ze woont verdorie in een huis met zeshonderd kamers. Ze bezit vijf andere huizen. Hun koninklijke landgoederen stapelen bergen voedsel op hun borden terwijl de rest van het land als honden moet vechten om een armzalig klontje boter of een ei. Werkelijk álles is op de bon. En zij is een hypocriet.'

Misschien was het waar. Maar Ella had genoeg gehoord. Ze was zich terdege bewust van de roddelcampagne tegen de Windsors en waar deze vandaan kwam. Reggie vertelde haar dat Wallis Windsor gelijk had door naar het paleis te wijzen. 'Maar de koning heeft zijn plicht verzaakt door afstand te doen van de troon van Engeland. Dat was onvergeeflijk,' had Reggie ongewoon scherp opgemerkt. 'Wat hadden ze dan verwacht?'

Inderdaad. Wat hadden ze dan verwacht?

'Weet u, mevrouw,' zei Ella, 'het is niet verstandig om die dingen te zeggen.'

'Zelfs niet tegen jou, mijn beste Ella?'

'Vooral niet tegen mij, mevrouw. Ik hoor Reggie al naast me bezwijmen.'

Dit ontlokte Wallis een glimlach, en Ella greep haar kans om te zeggen: 'Ik heb een vraag die ik u graag zou willen stellen.'

Op slag richtte de hertogin haar volle aandacht op Ella, op die directe manier van haar. 'Brand maar los.'

'U hebt mensen om u heen die... nou ja, die u op de hoogte houden van wat er hier gaande is.'

De hertogin glimlachte zwijgend. Het was een algemeen bekend feit dat de koninklijke familie een hecht web van informanten om zich heen had.

'Dus vroeg ik mij af,' ging Ella verder, 'of u iets had gehoord over een man die eergisteren 's avonds op straat is gedood.' Ella probeerde het zo terloops mogelijk te laten klinken, maar dat lukte haar niet.

'Ach, mevrouw Sanford. Wat betekent deze onbekende man voor u?'

'Niets. Er kwam vandaag een jonge vrouw naar me toe om over hem te praten, maar ik had nog niets van deze tragedie gehoord.'

De hertogin blies een sliert rook uit, die als mist tussen hen bleef hangen. 'Je bent niet erg bedreven in het jokken, Ella. Ik ben bedreven in het ontmaskeren van leugenaars.' Ze lachte zacht. 'En ook in het liegen.' Ze wuifde de rook weg. 'Maar ik zal het je vergeven en ik zal ook antwoord geven op je vraag. Ja, we hebben het er vanmorgen op het gouvernementshuis over gehad. Kolonel Lindop was er ook bij. Ik heb het niet echt gevolgd.'

Ella leunde tegen de deur. Ze wilde niet dat er nu iemand zou binnenkomen. 'Hebben ze enig idee wie het heeft gedaan?'

'Ik denk dat ze het in verband brengen met de onrust onder de arbeiders. Ze vermoeden dat het een uitbarsting van inheemse woede is geweest. Net als de aanval op Tilly en jou, in de auto.'

'Echt waar?'

'Ja.'

'Gaan ze het verder onderzoeken?'

'Uiteraard.' De hertogin liep langzaam naar haar toe, waarbij haar schoenen op de linoleumvloer even geruisloos waren als de klauwen van een luipaard. 'Wat heeft dit allemaal te betekenen? Die plotselinge belangstelling van jou?'

Maar op dat moment duwde er iemand tegen de deur en Ella sprong opzij, om Tilly Latcham in haar Rode Kruis-uniform binnen te laten stormen. Ze grijnsde naar Ella, zag toen de hertogin en bond in. Ze was bij Wallis altijd wat afstandelijk.

'Goedemiddag, hoogheid. Hallo Ella. Raad eens wat ik heb gekregen?'

'Wat?'

'Een bodyguard-chauffeur. Hij werkt bij de politie.' Tilly schudde haar donkere haar en liet een rauwe lach horen. 'Hij is dik en oud en heeft een oerwoud aan haren in zijn neus. Ik heb ook altijd pech!' Ze keek Ella aan. 'Hoe is die van jou?'

'Geen idee,' zei ze. 'Ik heb hem nog niet ontmoet.'

'Ik hoop voor jou dat hij een verrekt stuk leuker is dan de mijne.'

'Dat zal vast wel,' merkte de hertogin op.

Tilly keek haar scherp aan. 'En waarom dan wel?'

'Dat is toch duidelijk?'

'Niet voor mij, mevrouw.'

'En ook niet voor mij.' Ella glimlachte.

'Gewoon door jouw man, Ella. Hij is degene die deze beslissingen neemt.'

Ella kon zien dat Tilly opeens bleek werd, met haar roodgeverfde mond waarvan de hoeken omlaag gingen. 'Verdomme, Hector,' mompelde ze. 'Waarom zorgt hij er nou niet voor dat ik een fatsoenlijke lijfwacht kreeg?'

'Wees niet zo'n domkop, Tilly,' zei Ella. 'Hector bekommert zich er net zoveel om dat jij veilig bent. Ik wíl niet eens een lijfwacht.'

'Kom, kom, dames,' zei de hertogin lachend. 'We weten allemaal dat Reggie kolonel Lindops beste man zal hebben geëist om zijn knappe vrouw te beschermen. De snelste, intelligentste, bekwaamste man van alle politiefunctionarissen in Nassau. Dus zal hij ook gezelliger zijn om in de buurt te hebben dan een dikke pummel met nasaal struikgewas.'

Tilly zuchtte dramatisch. 'Als ik jou was, lieverd, zou ik nu als een haas naar huis gaan om te kijken.'

Ella reed door de regen naar huis. Het kletterde om haar heen, terwijl plotselinge bliksemschichten de laaghangende wolken openscheurden. Het geweld van dit alles kroop over het eiland, maakte dat Ella sneller ging rijden dan verantwoord was. Ze hield van onweer. Net zoals Reggie het verafschuwde.

Was het waar wat de hertogin zei? Dat de politie een ontevreden zwarte arbeider de moord op Morrell in de schoenen wilde schuiven? Een handige manoeuvre. Ze voelde een steek van woede omdat het systeem zo gemakkelijk gemanipuleerd kon worden door degenen die aan de touwtjes trokken, vooral wanneer dat sir Harry Oakes was.

Luister goed, lieve kind, had hij gezegd op de avond dat Morrell stierf, *je hebt vanavond dingen gezien die je maar beter kunt vergeten.* Hij had zich naar haar toe gebogen, met zijn hoofd naar voren gestoken als de kop van een stier, zijn goudzoekerslaarzen ongedurig, alsof ze zich moesten bedwingen om haar niet te vertrappen. Sir Harry was een bullebak. Hij was een goedgeefse en onvoorspelbare man die miljoenen aan Bahamaanse liefdadigheidsdoelen schonk. Maar toch een bullebak. Hij was fysiek in staat iedereen die dwaas genoeg was om hem voor de voeten te lopen, neer te slaan.

Het is niet nodig om Morrell aan wie dan ook te noemen, had hij ge-gromd. *Ik denk dat je me begrijpt, Ella.*

Ze begreep hem heel goed.

En nu was dat meisje vragen komen stellen. Ella gaf een felle ruk aan het stuur om een hoek om te slaan, en voelde hoe de achterwielen piepend slipten toen ze probeerden houvast te vinden op de natte weg.

Ella parkeerde de auto in de garage en rende naar het huis. Ze stormde de keuken in terwijl ze de regen uit haar haar schudde en de knoopjes van haar drijfnatte blouse losmaakte.

'Emerald, ik moet een...'

Ze zweeg. Emerald zat aan de tafel met op haar gezicht een blik als van een kat die zojuist een kom room heeft gevonden. Voor haar stonden twee kopjes van Ella's op een na beste porseleinen theeservies en aan de tafel zat een man in een lichtgewicht kostuum een van haar koekjes te eten. Hij stond op zodra Ella binnenkwam, legde zijn koekje neer en stapte naar voren. Hij was lang en gespierd, met gol-vend zwart haar, en hij zag eruit als een man die hoffelijk de deur voor je open zou houden, maar die ook wist hoe hij die moest dichtsmij-ten voor de neus van iemand die zich misdroeg. Dat viel in de kalme grijze ogen te lezen. In de rustige, onverstoorbare blik waarmee hij Ella aankeek.

'Goedemiddag, mevrouw Sanford. Ik ben rechercheur Dan Calder.'

Ze stak haar hand uit. 'Goedemiddag, rechercheur. Ik herinner me u van het politiebureau. Mijn excuses dat ik uw jasje heb bedorven. Wat kan ik voor u doen?'

Hij drukte haar hand stevig, maar er was een moment van aarzeling geweest en Ella bedacht dat de mensen misschien niet vaak de hand van een politiefunctionaris drukten. Ze zag zijn blik naar haar knoop-jes gaan en ze maakte ze snel weer dicht.

'Ik ben tot uw lijfwacht benoemd, mevrouw Sanford.'

Haar mond viel open. De hertogin had gelijk gehad. Dit was er niet zo een als die van Tilly, met neushaar en een bierbuik, dit was iemand van begin dertig, die eruitzag alsof hij graag te veel vragen stelde.

'Ik neem aan dat uw man u ervan op de hoogte heeft gesteld dat u een lijfwacht is toegewezen,' zei hij.

'Inderdaad, maar...'

'Maar u wilt er geen?' Zijn mond glimlachte, maar zijn ogen bleven serieus, terwijl ze elk onderdeel van haar gezicht bestudeerden alsof ze het vast moesten leggen.

'Ik wil geen politie in mijn huis.'

'Dat begrijp ik,' antwoordde hij. 'Ik zal in de garage wachten om het huis te bewaken.' Hij begon langs haar heen naar de achterdeur te lopen.

'Mevrouw Ella!' Emerald sloeg haar vlakke hand op de tafel, met een geluid als van een stoomhamer. 'Denk aan uw manieren.'

'Rechercheur Calder, zo bedoelde ik het niet. Drink rustig uw thee op en eet uw koekje. Ik bedoelde gewoon dat ik me niet op mijn gemak voel met iemand die de hele dag achter me aan loopt.'

Hij had respectvol moeten knikken en moeten zeggen: 'Daar heb ik alle begrip voor, mevrouw Sanford. Ik zal mijn uiterste best doen zo onopvallend mogelijk aanwezig te zijn.' Dat hoorde een lijfwacht toch zeker te zeggen? Maar hij zei het niet. In plaats daarvan keek hij haar strak aan en fronste zijn wenkbrauwen.

'Ik ben hier voor uw veiligheid, mevrouw Sanford.' Hij gebruikte haar naam als een kleine wig die hij tussen hen in hamerde. 'Ik ben hier om u te beschermen, en om geen enkele andere reden.'

'Ik heb geen behoefte aan bescherming.'

'Uw man en kolonel Lindop vinden van wel.'

'Ik ben geneigd het niet met hen eens te zijn.'

'Maar zij zijn degenen die in dit geval de beslissingen nemen.'

Ella's wangen vertoonden een blos. Hoe durfde hij zo bot te doen in haar eigen huis?

'Beslissingen voor u,' zei hij. 'En voor mij.' Tot haar verbazing verscheen er een plotselinge glimlach in zijn ogen. 'We doen allebei ons best.' Hij haalde een hand door zijn haar, zodat dit over zijn voorhoofd viel, en de hartelijke, intelligente blik in zijn ogen bracht haar weer tot zichzelf. Ze zou hem dankbaar moeten zijn. Buiten jammerde de wind rond de veranda, terwijl binnen het enige geluid van Emerald kwam, kauwend op een koekje.

Ella wapperde zorgeloos met een hand. 'Wat een dwaasheid, allemaal,' zei ze luchtig. Waarmee ze Reggie bedoelde.

'Ze willen alleen maar dat u niets overkomt.' Hij boog zich iets naar voren, zodat zijn colbert over zijn brede schouders straktrok. 'En ik ook.'

'Dat is uw werk.'

'Ja. Het is mijn werk.'

Ze besefte opeens dat het geen onderdeel van zijn werk was dat hij graag deed, en wie kon hem dat kwalijk nemen? De hele dag moeten rondhangen bij een werkloze vrouw wanneer hij eigenlijk de misdaad wilde bestrijden. Misschien was hij wel van een zaak gehaald om dit dwaze werk te doen. Die gedachte maakte dat ze zich omdraaide. Ze tastte naar haar drijfnatte haar en besefte dat ze het koud had in haar doorweekte blouse. Ze liep naar de deur.

'Warme thee, alsjeblieft, Emerald.'

'Ja, mevrouw Ella. Komt eraan. Ik wil niet dat u kouvat. Trekt u die natte dingen snel uit.'

Eerst haar man. Nu haar dienstmeisje. Die haar allebei vertelden wat ze moest doen. Ze dacht aan de plannen uit haar kinderjaren om een onverschrokken ontdekkingsreiziger te worden, en ze verbaasde zich over de persoon die ze was geworden. Soms herkende ze zichzelf niet.

20

Dodie

Stormen gaan voorbij.

Dat zei Dodie tegen zichzelf. Stormen gaan voorbij. Net als die van vandaag, die ten slotte naar het zuiden was getrokken en zich een weg naar Cuba baande. Maar stormen laten schade achter. En het verwerken van die schade is moeilijk.

Het is het niet waard om het systeem te verstoren.

Dat had de vrouw van de diplomaat gezegd. Die woorden hadden Dodie geschokt. Ze had de vrouw aardig gevonden, ze had haar hartelijkheid aardig gevonden, haar mooie huis en haar volmaakt gladde gazon, ze had bewondering gevoeld voor het ordelijke, begerenswaardige leven dat ze zo moeiteloos leidde. Pas tijdens haar lange wandeling naar huis, in de regen, had ze bedacht dat ze tegen mevrouw Sanford had moeten zeggen dat het systeem je alleen interesseert als je een radertje in het geheel vormt. Als je een buitenstaander bent, een reserveonderdeel dat door het systeem is afgewezen, dan kan het je geen donder schelen.

'Kan ik een handje helpen?'

De vraag deed Dodie opschrikken. Ze was bezig zoveel mogelijk uit haar gehavende moestuintje te redden en ze schoof alles wat er van de opbrengst over was in een jutezak om mee te nemen naar mama Keel. Ze herkende de Amerikaanse stem meteen.

'Meneer Hudson, wat fijn dat u terug bent gekomen.' Ze richtte zich op, legde de zak neer en glimlachte naar hem. 'Ik wilde u nog bedanken voor het redden van mijn moeders naaimachine.'

'Niet nodig.'

Hij stapte naar voren in het zonlicht, gekleed in een schoon blauw overhemd waarvan hij de mouwen had opgerold. De huid van zijn onderarmen had een bleke stadskleur, maar zijn gezicht had zon gehad, en toen hij haar glimlach beantwoordde, leken zijn mahonie-bruine ogen ook zon te vangen, zodat de donkere ruimten erin werden verwarmd. Hij liep naar een boom die door de storm was geveld en nu afgebroken over het ene uiteinde van haar landje lag, de overgebleven meloenen verpletterend.

'Een slechte dag voor meloenen, lijkt me zo,' zei hij.

Er bungelde een sigaret tussen zijn vingers en hij blies loom wat rook uit terwijl hij naar haar zak gebaarde. 'Kan ik helpen?'

Ze overwoog dit aanbod. Ze hield van de manier waarop ze niet de noodzaak tot haast voelde rond deze man, alsof hij de tijd trager voorbij wist laten kruipen door zijn rustige manier van doen.

'Waarom niet?' zei ze, en ze wierp hem een spade toe. 'U kunt aardappelen oogsten.'

Hij bekeek het verschroeide bladgroen met een verbaasde frons. 'Waar zijn die aardappelen?'

'Weet u dat niet?'

'Geen flauw idee.'

'Die zitten in de grond.'

'O. Op die manier.'

Ze schoot in de lach, met een lichte rimpeling van vrolijkheid die iets straks en pijnlijks in haar borst verjoeg dat er helemaal niet had horen te zijn.

'Ze liggen onder die bergjes grond daar.'

Hij ging aan de slag terwijl zij wat paprika's en een paar courgetteplanten verzamelde die de brand hadden overleefd, en die deed ze in haar zak. Toen ze omkeek zag ze hem op zijn hurken zitten bij enkele aardappelen, zo wit als vogeleieren in de palm van zijn hand. Terwijl ze keek wreef hij er een aan zijn broekspijp af en bracht die toen naar zijn mond. Hij nam een hap en glimlachte.

Zonder zich om te draaien vroeg hij: 'Wat gaat u aan een huis doen?'

'Ik slaap op dit moment bij een vriendin op de vloer.'

'Klinkt niet erg comfortabel.'

'Het is beter dan met de muskieten onder de sterren.'

Hij legde de aardappelen op een bergje en schoof verder langs de rij. 'Hoe is die brand ontstaan?' vroeg hij.

'De politie denkt dat ik het fornuis aan heb gelaten toen ik naar mijn werk ging.'

'En is dat zo?'

'Nee, natuurlijk niet. Iemand heeft mijn huis in brand gestoken.'

Zijn hoofd ging met een ruk omhoog en hij keek haar onderzoekend aan. 'Met opzet?'

'Misschien.'

'Of per ongeluk? Een paar kerels die rare dingen uithaalden met te veel bier op?'

Dodie hield haar mening voor zich. Eerst moest ze uitvinden of Flynn Hudson alleen maar een praatje maakte of dat er meer achter zijn vragen school. Hij stond op om haar de aardappelen te brengen. Ze hield de zak op en hij kieperde ze erin, tevreden alsof hij ze zelf had gekweekt.

'En de hut? Bent u eraan toe om die ook zelf op te ruimen?'

'Ik kan me er niet toe brengen er zelfs maar naar te kijken.'

'Ik zal wel een kuil graven,' bood hij aan.

Hij pakte de spade om het zware werk te doen, en hij groef een grote kuil in de zanderige grond achter de bomen terwijl hij de laatste geblakerde flarden van haar leven bijeenharkte en in de kuil schoof. Hij gooide de kuil dicht, en ze stampte de aarde erop zo hard aan dat het leek of ze een krijgsdans uitvoerde. Daarna begroef hij de resterende zwarte resten op het strand onder een diepe laag zand, en toen hij daarmee klaar was, was het of haar leven hier nooit had bestaan. Er stapten roofzuchtige meeuwen over heen en weer, in de hoop nog wat buit te vinden.

'Zo is het beter,' zei hij tegen haar. 'Het is beter om alles snel te begraven, om alle slechte herinneringen te verjagen.'

'Kom mee,' zei ze. 'Laten we ons schoonmaken.'

Ze liep naar het water, blij dat ze weg kon van de plek waar haar huis was geweest, en ze schopte haar sandalen uit. Ze ademde de warmte van de dag in en voelde de blik van Flynn Hudson op haar gericht. Het leek alsof die blik de blote huid van haar armen raakte en woelde in haar loshangende haar nadat ze het touwtje rond de staart eruit had getrokken. Haar voeten waren vies en haar handen zaten vol grond en as. Ze had het gevoel alsof ze vanbinnen en vanbuiten vies en beschadigd was, en ze wilde zich ervan ontdoen. Ze stortte zich in de golven.

Ze liepen langs het strand. Hun blote voeten glinsterden in het zand en Flynn Hudson droeg de zak met groenten over zijn schouder, waardoor zijn eerst schone overhemd nog viezer werd. Ze keek naar de lange pezen van zijn blote voeten en naar de bloedeloze kleur ervan, alsof ze nooit eerder daglicht hadden gezien. De onderkant van zijn broekspijpen was nat van de golven, hoewel hij er niet verder dan tot zijn enkels in was gegaan om zijn handen in het zoute water te wassen, terwijl zij wegzwom in haar jurk, om zich te verliezen in de heldere, fonkelende oceaan. Tijdens het wandelen drupte ze nog na.

'Ik heet Dodie Wyatt.'

'Nou, juffrouw Wyatt, waar houdt die mama Keel van u zich op?'

'Een eindje landinwaarts, achter de bomen. Ze was er gisteren bij, tijdens de brand.'

'Er waren gisteren veel mensen bij de brand.'

Ze bespeurde een ondertoon in zijn stem, maar ze wist niet wat die betekende of wat ze ermee aan moest. Ze keek even naar zijn profiel, zijn hoge voorhoofd dat schuilging achter de massa dik bruin haar, de holte van zijn wang in de schaduw onder zijn diepliggende ogen. Een laagje zand op zijn ene wenkbrauw.

'Meneer Hudson.'

Hij draaide zich snel naar haar toe. Misschien had hij in haar stem ook een ondertoon gehoord.

'Vertel me eens waar u vandaan komt.'

'Uit de Verenigde Staten.' Hij zei dit zonder de gebruikelijke trots die de meeste Amerikanen aan deze verklaring ontleenden. 'Uit Chicago.'

'Het zal daar 's winters wel koud zijn.'

'Koud genoeg om de gedachten in je hoofd te laten bevriezen.'

'Bent u hier met vakantie?'

Hij lachte, met een ontspannen, gemakkelijk geluid. Ze hield van zijn lach. Het was de enige keer dat hij niet op zijn hoede leek.

'Hemel nee! Zie ik eruit als iemand die met vakantie naar de Bahama's gaat? Ik zit niet in het leger, voor het geval dat een vraag mocht zijn, want ik heb als kind tuberculose gehad en mijn longen zijn slecht. Nee, ik ben hier voor mijn werk.'

Verder niets. Geen uitleg. *Wat voor werk?* Maar ze vroeg het niet. Ze was zich bewust van barrières bij hem en ze wilde die niet forceren. Ze wist maar al te goed hoe barrières een mens bij elkaar konden houden, als het steigerwerk van het dagelijks leven.

'Bent u van plan lang te blijven?'

Hij staarde uit over de uitgestrekte wereld van blauw die de zee en de lucht samen vormden, en hij haalde adem tussen zijn tanden alsof hij de geur ervan wilde proeven.

'Ik zou graag langer willen blijven,' zei hij. 'Al is het maar om er zeker van te zijn dat alles goed met u gaat na deze ramp. U zult een ander huis moeten zoeken.'

Hij bleef lopen, alsof de woorden van weinig betekenis waren, maar Dodie voelde hoe ze haar, als met zwaartekracht, naar hem toe trokken.

'Blijf hier niet,' zei ze.

Hij bleef staan om haar aan te kijken, en hij wikkelde een vuist in de katoenen stof van haar drijfnatte jurk om haar vast te houden. 'Waarom niet?'

'Omdat ik ongeluk breng. Twee nachten geleden heb ik een man geholpen die gewond was. Hij stierf, en de volgende dag brandde mijn huis af. Ik denk dat ik in de problemen zit. Ik waarschuw u dat het gevaarlijk kan zijn om bij mij in de buurt te blijven, meneer Hudson.'

Zijn ogen vonden de hare en de haartjes op haar onderarmen gingen overeind staan.

'Zeg alsjeblieft Flynn,' zei hij. En met een glimlach voegde hij eraan toe: 'Ik blijf.'

Ze voelde haar hart in haar keel kloppen.

Ze aten beignets van aardappel met courgette die buiten waren gebakken door mama Keel, onder een donker wordende, met sterren bezaaide hemel, samen met repen verse kroonslak, die in een rotsachtige inham iets verder langs de kust was gevangen.

'Hij bijt echt niet.' Mama Keel grinnikte toen Flynn het rubberachtige vlees op zijn bord met achterdocht bekeek.

Om hen heen dartelden kinderen in allerlei vormen en maten als kleine hondjes over het strand. Een meisje dat Rosa heette pakte een met knoflook gekruide reep van zijn bord en liet die in haar open mond vallen. 'Zie je wel? Dit is echt lekker.'

Flynn keek naar het kind alsof hij serieus verwachtte dat ze ter plekke dood zou neervallen, maar toen dit niet gebeurde voerde hij de rest van het schelpdier aan de broodmagere hond die onder het huis lag. De manier waarop zijn hand sussend langs de flank van het dier streek, vertelde Dodie dat hij meer tijd met honden dan met kinderen had doorgebracht.

'U hebt goed werk gedaan, hoor ik, meneer Hudson. Door het hutje van onze Dodie op te ruimen,' merkte mama Keel op.

Hij stak een zelfgedraaide sigaret op en knikte vol respect naar de lange, zwarte vrouw. Hij hield zijn hoofd achterover en staarde omhoog naar de avondhemel alsof hij nog nooit zoiets had gezien. Het uitspansel verrees hoog boven hen, inktzwart en bezaaid met wat een miljoen stukjes glas leek. Er kwamen nachtvlinders en andere gevleugelde insecten dichterbij, aangetrokken door het licht van het vuur, en ergens tussen de bomen klonk een schelle, sissende kreet die Flynn deed schrikken.

Mama Keel grinnikte. 'Dat is alleen maar een oude kerkuil.'

'Echt waar? Daar hebben ze er niet veel van in de achterbuurten van Chicago.' Hij nam een trek aan zijn sigaret en spuugde een sliertje tabak uit. 'Ik hoor dat u zelf ook goed werk hebt gedaan, mama Keel, bij de verzorging van die gewonde man die Dodie had gevonden.'

'Ik heb helemaal niets gedaan. Ik heb haar alleen maar wat zalfjes gegeven tegen de pijn. Ze heeft hem zelf verzorgd, maar dat heeft d'r een hoop narigheid bij de politie bezorgd.'

Hij richtte zijn blik nu op Dodie. 'Hoeveel narigheid?'

'Niets bijzonders.'

'Zeker weten?'

'Ja.' Dodie sprong overeind. 'Ik ga de kinderen in bed stoppen, mama.'

Ze liep haastig weg, buiten het bereik van het gesprek. Maar met een baby op de heup en de kleine Rosa aan haar rok bleef ze even in de deuropening staan toen ze mama Keel zich in haar krakende schommelstoel onder de sterren hoorde uitstrekken en zeggen: 'Wat dacht u ervan als u me eens zo'n rokertje van u gaf, meneer Hudson, en mij vertelt wat u in hemelsnaam in deze buurt bent komen doen?'

'Ik ben ingehuurd om een klus te doen.'

'Wat voor klus?'

'Dat kan ik u niet zomaar vertellen, mama, maar het is een klus die betekent dat ik mijn neus moet steken in dingen waarvan de mensen niet willen dat ik hem erin steek.'

Dodie hoorde mama Keel de rook van haar sigaret uitblazen, en het gezoem van de muskieten werd luider.

'Weet u, meneer Hudson,' zei de zwarte vrouw, 'wanneer ik een intelligente man als u ontmoet, met een hoofd dat gewoon wemelt van de gedachten, vraag ik me soms af wat die zijn, maar meestal wil ik ze het liefst uit zijn hoofd slaan voordat hij er kwaad mee kan aanrichten.'

Dodie hoorde Flynn geamuseerd grinniken terwijl de invallende duisternis hen als een warme deken omhulde.

'Wat nou, huis? Ze heeft helemaal geen huis nodig. Ze kan hier blijven.'

'Mama, ze is geen kind meer. Ze heeft behoefte aan een eigen onderkomen.'

'Praat niet over me alsof ik er niet bij ben,' zei Dodie tegen hen. 'Wiens huis is het?'

'Het is van iemand die voor een tijdje in Miami is gaan werken,' zei Flynn. Ze zaten rond de tafel, met zijn drieën. 'Ik hoorde ervan toen ik op zoek was naar iets voor mezelf.'

'Waar woont u dan?' vroeg mama Keel.

'Ik huur een kamer aan de andere kant van de stad.'

'Dus het is een hut,' zei Dodie, 'dat huis waar je het over hebt.'

'Ja. Het is niet veel bijzonders. Maar het staat leeg en het is vrij. Je kunt er nu een kijkje nemen, als je dat wilt.'

'Waarom nu?' wilde mama weten. 'Het is donker buiten. Morgen heb je tijd genoeg.'

'Vandaag is mijn vrije dag, mama,' verklaarde Dodie. 'Morgen moet ik werken.' Ze keek Flynn aan. 'Waar is het?'

'In Bain Town.'

Dodie en mama Keel keken elkaar aan.

'Da's een zwarte wijk,' zei mama hoofdschuddend. 'Ze hoort helemaal niet in een zwarte wijk.'

'Ik dacht maar zo,' zei Flynn tegen Dodie, 'dat als je in problemen zit, niemand je daar zal gaan zoeken.'

'Problemen?' Mama Keel haalde de stenen pijp uit haar mond. 'Wat voor problemen?'

De hut had een golfplaten dak en was klein. Maar er zat wel een slot op de deur en er hingen gordijnen voor de ramen, en het dak leek stevig. De hut was leeg, op een gevlekt matras op de vloer en een verschoten robijnrode fauteuil na waarvan de grijze paardenharen vulling door de bekleding naar buiten stak, als de snor van een oude man. De ruimte was smetteloos schoon en in een hoek stond een splinternieuwe gegalvaniseerde emmer, twee dingen waarvan ze besefte dat ze het werk van Flynn moesten zijn.

Waarom doe je dit voor mij?

Maar de woorden bereikten haar lippen niet. Wat zijn antwoord ook mocht zijn, ze wilde het niet horen. Zijn vriendelijkheid verwarmde koude plekken in haar binnenste waar schaduwen zich verdrongen, en ze wilde die warmte niet verliezen. Wat zijn antwoord ook was, het zou dingen veranderen. Ze wilde geloven dat het slechts toevallig was dat hij gisteravond voorbijkwam en de vlammen zag. Louter toeval dat Flynn Hudson in haar leven had gebracht.

Ze besefte dat ze hem vragen zou moeten stellen, dat sprak voor zich. Over zijn leven. Over waarom hij op het eiland was. Misschien zelfs of hij Morrell kende. Ze zou die vragen stellen, beloofde ze zichzelf. Maar nu nog niet.

Ze zei slechts: 'Dank je, Flynn.'

Bij het flakkerende licht van de kaars leken de contouren van zijn gezicht steeds te veranderen, niet bereid zich vast te laten leggen, en alsof hij haar gedachten kon lezen hield hij zijn blik behoedzaam. Zijn ogen stonden beleefd en hartelijk, maar daar bleef het bij. Maar toen hij haar hand pakte om er een zware, ouderwetse ijzeren sleutel in te leggen, bleven zijn vingers even talmen, alsof ze haar hand niet terug wilden geven. Hij boog zijn hoofd zo dicht naar haar toe dat ze het zeezout in zijn haar kon ruiken.

'Welterusten, juffrouw Wyatt,' zei hij, en hij vertrok.

Dodie had van mama Keel een paar schone maar versleten lakens, twee kaarsen en haar pasgewassen uniform van serveerster meegekregen. Maar toen ze op het matras lag kon ze de stilte van de nacht in de kamer horen ademen en het *welterusten* in haar hoofd horen neuriën. Zonder het geluid van de golven kon ze niet slapen.

Dodie deed haar ogen open. Het begin van de dageraad baande zich een weg rond de dunne gordijnen en krulde zich als een bruine kater over de vloer. Ze bleef nog even liggen, om te luisteren naar de onbekende geluiden buiten: het piepen van een kar, het brutale gebalk van een ezel, het gezwiep van een bezem en een vrouwenstem die zacht een gezang zong. Het leven in Bain Town begon vroeg. De meeste bewoners werkten als bedienden in de stad, dus moesten ze hun eigen huishoudelijke werk bij het aanbreken van de dag verrichten alvorens naar de binnenstad van Nassau te vertrekken om daar hun dagen door te brengen met het huishoudelijke werk voor de blanken.

Snel trok ze haar uniform aan en deed de deur van het slot. Bij de standpijp verderop in de straat stond al een groepje vrouwen, maar ze zwegen allemaal en inspecteerden Dodie met grote, verbaasde ogen. Ze glimlachte naar hen en stak een hand op bij wijze van groet, maar niemand reageerde, behalve een kind.

Ze moest om elf uur op haar werk zijn voor een dienst van twaalf uur, maar ze had eerst iets anders te doen. Terwijl ze haastig over de stoffige weg liep, kraaide er een haan om aan te kondigen dat de zon was opgehouden met treuzelen en de lucht bloedrood had geverfd.

21

Flynn

'Godallemachtig! Wat doe jij verdomme hier?' wilde sir Harry Oakes weten. 'Ik dacht dat jij allang was opgehoepeld en van het eiland was verdwenen.'

'Nee,' antwoordde Flynn zacht. 'Ik ben er nog steeds.'

Flynn bleef in de diepe schaduw terwijl de vroege ochtendzon langs de rand van de villa kroop. Overdag was het een gezellige plek met rode dakpannen, veel houtwerk, smetteloze gazons en een lang balkon dat was gehuld in de geur van bougainville, maar op dit uur, in het schemerdonker, verspreidde deze plaats een andere geur, die werd gemaskeerd wanneer de bloemen opengingen. Het was de stank van geld. Geld en geheimen. Flynn kende die geur want het was die van zijn eigen adem.

Buiten de grenzen van het luxueuze geheel moest het terrein van de Cable Beach Country Club and Golf Course nog ontwaken, maar de breedgebouwde man tegenover Flynn was de buitentrap van zijn uitgebreide huis met witte luiken al af gekomen en ademde de nieuwe dag gretig in. Zelfs in zijn werklaarzen en kakishort was sir Harry Oakes een indrukwekkende figuur. Met zijn zware gelaatstrekken en forse spieren had hij het uiterlijk van een man die met zijn blote handen goud aan het land had ontrukt en dit als de normaalste zaak van de wereld beschouwde. Hij stond op het punt een inspectie van zijn landgoed in Westbourne te maken voordat het personeel arriveerde.

'Wat moet je?' vroeg Oakes.

'Johnnie Morrell is dood.'

'Godsamme, Hudson, dat weet ik. Dat heb ik allang gehoord. Die arme klootzak.'

'Is dat alles wat je te zeggen hebt?'

'Die lul had beter uit zijn doppen moeten kijken.'

'Hij had die avond andere dingen aan zijn hoofd.'

'Wat verwacht je dan?' zei Oakes nijdig. 'Dat ik om die kerel in zak en as ga zitten?'

Oakes haalde zwaar adem. Flynn had het grootste deel van zijn leven met mannen als Oakes te maken gehad, kerels die het liefst met hun vuisten praatten. De bendes in Chicago zaten vol gangsters met meer spieren dan hersens, daarom hadden ze hem nodig. Denken was iets waar hij goed in was. Hij had gezien hoe mannen door het hart werden geschoten doordat ze geloofden dat een kogel of een mes of een afgebroken fles alle antwoorden bevatte. Maar verdomd, ze waren vergeten dat je de dans moet blijven dansen, het web moet blijven weven, het spel moet blijven spelen, als je elke dag wakker wilde worden zonder een gat in je kop.

'Ik wil je laten weten dat ik nog even in de buurt blijf.'

'Niet te lang, Hudson. Je moet die zeikerd van een Meyer Lansky in Miami gaan vertellen dat ik geen zaken met 'm wil doen. Zeg tegen hem dat hij bij mij uit de buurt moet blijven, dat hij zijn jongens van mijn grond weg moet houden. Gesnopen? Ik wil geen maffia rond Nassau hebben.' Zijn kaken waren gespannen, zijn schouders opgetrokken.

Flynn keek met een schuin oog naar de vuisten. Bij Oakes kon je het nooit weten. Op sommige dagen was hij als een stier die een rode lap zocht. 'Oké, dat zal ik doen. Maar hij laat zich niet graag de wet voorschrijven, daar kun je je volgende dollar onder verwedden.'

'Dat is jouw probleem.'

'U bent degene met een probleem, sir Harry.'

'Wat wil je daarmee zeggen? Wat heb je nou weer te zeuren?'

'Ik wil over Johnnie Morrell zeuren. Over het kleine probleem hoe dat mes in zijn buik terecht is gekomen.'

Oakes vertrok geen spier. Zijn vuisten werden hoogstens wat rustiger, maar zijn blik verschoof naar ergens over Flynns schouder.

'Morrell was een stommeling,' zei Oakes, 'om iemand zo dichtbij te laten komen. De politie zegt dat het plaatselijke onruststokers waren, dat de een of andere afgunstige kerel – waarschijnlijk dronken – hem heeft opgewacht om…'

'Weet de politie dat Morrell die avond hier is geweest?'

Oakes grijnsde breed en nam niet de moeite die vraag te beantwoorden. Ergens in de verte pruttelde een motor. Klonk als van een boot.

'Nadat hij hier wegging, heb je hem toen laten volgen?' vroeg Flynn.

'Nee.'

Er gleed een stilte op het vochtige gras tussen hen. Flynn liet die daar liggen.

'Wat wil je hiermee zeggen?'

'Morrell is die avond naar jou toe gekomen en meteen daarna is hij gestorven,' verklaarde Flynn.

'Dat is toeval.'

'Maar wel verdomd veel toeval.'

Hij haalde uit naar Flynn. Geen gekke snelheid voor een man van in de zestig. Moest goed zijn geweest in zijn jonge jaren, maar te veel goud in zijn laarzen had hem traag gemaakt. Tien jaar eerder had hij Flynn misschien geraakt met de dreun die hij verkocht, maar Flynn week snel uit en de klap raakte alleen maar lucht. Oakes gromde en keek om zich heen, op zoek naar de twee bewakers die over zijn landgoed patrouilleerden, maar Flynn wist dat ze stiekem een sigaretje stonden te roken onder een tamarindeboom aan de andere kant van het land, ver buiten het zicht van hun werkgever.

'Maak dat je wegkomt, Hudson,' snauwde Oakes. 'Je begint me te vervelen.' Toen Flynn zich niet verroerde, draaide hij zich met een ruk om naar het huis.

Flynn liet hem tot aan de deur komen. 'Het goud is zoek.'

Oakes verstijfde. Op exact dat moment vloog er een grote zilverreiger door de duisternis naar de meren in de moerassen aan de westelijke kant van het eiland. Flynn keek op en wendde zijn blik snel af. Verdomme, dit voelde als een slecht voorteken.

Oakes keek Flynn strak aan. 'Ga het zoeken.'

'Ik zal het weten te vinden,' zei Flynn. 'Op één voorwaarde.'

Oakes snoof smalend. 'Je verkeert niet in een positie om voorwaarden te stellen.'

'Onder de voorwaarde dat je de politie bij dat meisje vandaan houdt.'

'Welk meisje?'

'Je weet best wie ik bedoel.'

'Jij zult je verdomme over je eigen mensen zorgen moeten maken. Meyer Lansky houdt niet van losse eindjes. En dat meisje is een los eindje.'

'Dat houd ik wel in de gaten.'

Oakes bekeek hem in het schemerige licht, terwijl Flynn een sigaret opstak. Het punt bij Oakes was dat hij zijn eigen baas was, hij danste niet naar andermans pijpen. Hij was een botte kerel met de mentaliteit van een bulldozer, maar hij was tegelijkertijd ook heel goedgeefs. En nu nam hij het in zijn eentje op tegen de maffia.

Allemachtig, Flynn had wel bewondering voor die vent. Oakes bezat lef. Dat moest je hem nageven. Maar Oakes begon het niet alleen moeilijk te krijgen met de maffia en met lieden als Lansky, maar ook met de komst van het leger. De oorlog had inmiddels de Bahama's bereikt – en hoe! – en Oakes kon daar nu niet meer de grote jongen spelen. Zelfs hij kon het leger niet voor zijn karretje spannen. De militairen waren op het eiland neergestreken en hadden het machtsevenwicht in hun voordeel doen doorslaan, zodat mannen als Oakes en de jongens uit Bay Street op hun tellen moesten passen.

Zonder nog iets te zeggen begon Flynn over het gazon weg te lopen, terwijl het brandende uiteinde van zijn sigaret als een vuurvliegje door het donker zweefde.

'Ik zal kolonel Lindop over dat meisje aanspreken.'

De woorden van Oakes bleven in de koele lucht hangen, en ergens vlakbij was te horen hoe het dreunen van de branding het eiland wakker porde.

22

Dodie

*D*odie maakte het hek van Bradenham House open en liep regelrecht naar binnen. Geen geluiden, geen licht, alleen maar het gezoem van de stilte in haar oren. Ze had niet verwacht dat het zo gemakkelijk zou zijn. Geen hangslot op het smeedijzeren hek en geen bewaker om haar tegen te houden. De Sanfords schenen te geloven in het aangeboren fatsoen van de Bahamanen, in plaats van in het 's nachts alles op slot doen.

Dodie deed het hek zachtjes achter zich dicht, maar ze was deze keer niet van plan aan te kloppen op de voordeur, waar het dienstmeisje haar van top tot teen kon inspecteren alsof ze iets was wat de kat op de stoep had uitgekotst. Deze keer, nu het ochtendlicht nog door een dunne sluier van duisternis werd gehinderd, glipte ze onder de pijnbomen die langs het terrein stonden en sloop geruisloos naar de achterzijde van het huis.

De tuin was enorm, en de lucht geurde zwaar naar alle bloemen die er weelderig groeiden. Dodie zocht een plekje achter een camelia waarvandaan ze een goed zicht had op het huis. De stilte werd slechts verbroken door de tsjirpende roep van een paar suikerdiefjes die naar een tak van de flamboyant vlogen en hun felgele buikjes aan elkaar lieten zien.

Ze ging zitten wachten.

Mevrouw Sanford kwam met haar dienstmeisje in de vroege ochtendzon de achterdeur uit, beiden gehuld in een lang bruin schort, allebei met een emmer in elke hand. Er streek een vochtige bries door de bomen toen ze over het gras liepen, langs de heesters en verder naar een omheining aan het eind van de tuin. Hier lieten ze een toom vrolijk kakelende kippen uit hun hokken los. Terwijl de kippen rond hun enkels kakelden en kirden, strooide mevrouw Sanford graan in troggen en goot water in bakken, terwijl ze rustig praatte.

Dodie keek toe, volledig in beslag genomen door dit vredige toneel. De ene vrouw was heel blond en slank, de andere zwart en dik, zo verschillend als olie en water. Maar zelfs van waar ze onder de bomen verstopt zat, kon Dodie de genegenheid voelen die tussen hen bestond. Gedurende dat moment vergat ze waarom ze naar Bradenham House was gekomen, of waarom ze daar in een stukje schaduw bleef zitten. Daardoor hoorde ze niets achter zich. Bespeurde ze geen beweging die naar haar toe kwam.

De handen die Dodies ellebogen van achteraf tegen elkaar drukten, maakten haar onmachtig. Ze gilde het uit van schrik en probeerde zich om te draaien om haar aanvaller te zien, maar hij wist precies wat hij deed. Hij rukte haar armen omhoog en duwde haar voorover terwijl zij vergeefs vocht om zich los te rukken.

Ze schopte wild met haar voeten en trof doel. Iemand schold en krijste, dreigde het hart uit haar lijf te rukken, maar pas toen ze plat op haar gezicht in het gras plofte met de man boven op zich, besefte ze dat de scheldwoorden en dreigementen uit haar eigen mond waren gekomen.

Ze kon ze niet bedwingen. Nu kwamen alle woorden die ze niet had gesproken toen dit drie jaar geleden gebeurde. Toen ze zwijgend had gevochten, te beschaamd om te gillen. De woorden die ze sindsdien in haar mond had opgeslagen, golfden daar deze keer uit in een stroom van verwensingen.

'Laat haar los!' schreeuwde de stem van een vrouw. 'Laat haar los!' Er verschenen een paar met gras bevlekte canvasschoenen op enkele centimeters van haar neus, en een paar fraaie enkels erboven. 'Rechercheur, laat haar onmiddellijk los.'

Meteen verdween het gewicht van haar rug, maar een sterke hand hield een arm vast en hees haar overeind. Ze beefde, en haar wangen waren drijfnat, of het van de tranen was of van de dauw, ze had geen idee. Haar hart bonsde tegen haar ribben en ze proefde bloed in haar mond, slijmerig op haar tanden, maar de woorden waren gestopt. Op de plek waar ze eerst in haar hoofd hadden gezeten, was nu een lege, donkere ruimte.

Ze zaten aan de tafel in de keuken, alle drie. Emerald stond bij het fornuis, met haar armen over haar royale boezem gevouwen, haar gezicht vertrokken tot een frons, haar grote tanden in het zicht alsof ze overwoog een hap uit iemand te nemen.

'Wat doet u hier, juffrouw Wyatt?'

Het was rechercheur Calder die sprak, maar Dodie keek niet op. Ze staarde naar de kop koffie voor zich, en overwoog die in zijn gezicht te gooien. Op de huid van haar armen was nog steeds de afdruk van zijn vingers te zien en haar geest streed nog steeds tegen de onderwerping die hij haar had opgedrongen.

'Ik wilde mevrouw Sanford spreken.'

'Verstopt onder een boom? Om zeven uur in de morgen? Zomaar binnensluipen? Haar bespieden? Met een mes in uw zak?'

Als je het zo stelde, klonk het niet goed.

'Waarover,' ging hij verder, 'wilde u mevrouw Sanford spreken?'

'Dat is iets tussen mevrouw Sanford en mij.'

Ze hoorde hem uitademen. Rook de koffie in zijn adem. Ze zat tot een bal ineengedoken en wist dat ze er schuldbewust uitzag.

'Waarom dat mes?' vroeg hij.

'Het is maar een oud pennemes. Het is van mijn vader geweest. Ik vond het in de as van mijn huis en ik heb het gewoon in mijn zak gestopt. Het was echt niet nodig...' Ze schudde haar lange haar naar voren om haar wangen te bedekken. '... om me aan te vallen.' Ze keek hem nog steeds niet aan.

'Dodie...' zei mevrouw Sanford zacht.

'Juffrouw Wyatt,' kwam de rechercheur ertussen, 'ik moet u erop wijzen dat u degene was die aanviel.'

'Nee.'

Weer de kalme stem van mevrouw Sanford. 'Het is waar, Dodie.'

'Nee.'

'Ja.' Calders toon was kalm en redelijk. 'Ik heb u enige tijd onder de bomen mevrouw Sanford zien bespioneren, en toen ik u van achteren naderde en uw arm beetpakte, ontplofte u als vuurwerk in mijn gezicht.'

Ze schudde haar hoofd.

'Het spijt me, juffrouw Wyatt, maar ik werd gedwongen u in bedwang te houden.'

'Gedwongen door wie?'

'Door u. U werd gevaarlijk.'

'U had mijn armen op mijn rug gedraaid, dus hoe kon ik gevaarlijk zijn?'

Er daalde een naar koffie geurende stilte over de tafel.

'Kijk eens naar rechercheur Calder,' zei mevrouw Sanford.

Dodie dwong zich te kijken. Zijn gezicht zat onder het bloed. Bij zijn elleboog stond een bak ijs. Op zijn linkerjukbeen breidde een blauwe plek zich razendsnel uit en aan de zijkant van zijn hals waren de duidelijke ovale contouren van een beet te zien. Elke tand had een afdruk achtergelaten.

Dodie kreeg een dieprode kleur. Ze vroeg zich af waarom hij nog beleefd tegen haar deed.

'Je hebt dat hoofd van jou als een soortement stormram gebruikt,' vertelde het dienstmeisje. 'Doet het geen pijn?'

'Het spijt me,' fluisterde Dodie door haar haar.

Het enige wat ze zich kon herinneren, was hoe zijn lichaam zich op haar stortte, en de smaak van gras en grond in haar mond. Er ontsnapte haar een kreun. Bij dit geluid stond mevrouw Sanford abrupt op van haar stoel en deed de achterdeur open.

'Juffrouw Wyatt,' zei ze op zakelijke toon, 'volgens mij hebt u behoefte aan wat frisse lucht.'

Dodie kwam overeind en was de deur uit voordat Calder haar aan de tafelpoot kon vastbinden.

'Was dát het misdrijf?' vroeg mevrouw Sanford.

'Welk misdrijf?'

Dodie had geen zin om te praten. Ze wilde het liefst gewoon de tuin bewonderen. Er was hier een weelderigheid en een schoonheid die haar langzaam wegtrok van de rand. Het gazon werd omringd door dichte bosschages van tropische heesters, en haar blik werd getrokken naar het felle groen van hun bladeren en de wisselende tinten jade, in plaats van naar de felle kleuren rood en donkeroranje van de paradijsvogelbloem en de hibiscus. Hun kleuren waren op dit moment bijna overweldigend.

'Het misdrijf waarvan je me vertelde dat je het ooit hebt aangege-ven, maar niemand die je geloofde.'

'Wat zou dat?' vroeg Dodie.

'Dat was verkrachting, hè?'

Dodies hand zweefde boven het blad van een vetplant die bijna paars was, zo intens was de kleur. Ze hield haar adem in. Dat was de manier waarop ze ermee omging. Wanneer dat moment met die man die aan haar kleren rukte, die haar op zijn bureau smeet en in haar vlees klauwde, weer in haar hoofd bovenkwam, hield ze haar adem in. Zuurstofgebrek was de enige manier die ze kende om de vlammen te doven. Dus hield ze haar adem in en voelde de pijn wegtrekken.

'Ja,' zei ze somber. 'Het was verkrachting.'

'Wat vreselijk. Maar rechercheur Calder wilde je niets doen.'

'Dat weet ik. Maar hij greep me bij mijn armen en…'

'Ik begrijp het. Je raakte in paniek.'

Dodie ging weer normaal ademhalen en keek mevrouw Sanford aan, maar haar ogen bevatten geen medelijden. Geen minachting. Geen angst om in aanwezigheid van een onrein iemand te verkeren. Alleen maar bezorgdheid en iets van verdriet.

'Wie was het?' vroeg ze.

'Mijn baas. In de textielfabriek waar ik werkte.' Het betekende opluchting deze woorden het daglicht te laten zien. 'Na afloop ver-spreidde hij het verhaal dat ik voor problemen zorgde, en hij maakte het me onmogelijk om nog ergens werk te vinden. Ik ben bijna van de honger omgekomen.'

'En nu?'

'Ik werk in het Arcadia.'

'Bij Olive Quinn.'

'Ja. Ze heeft me aangenomen toen niemand anders me nog met een vinger wilde aanraken.'

'Typisch Olive. Altijd tegen de stroom in.'

'Ik ben haar erg dankbaar.'

Mevrouw Sanford stond naast een perk met zuiver witte rozen. De broosheid en de frisheid van de rozen vormden zo'n tegenstelling met de weelderige groei en felle tropische kleuren van de rest van de tuin, dat Dodie zich afvroeg of ze soms van meneer Sanford waren in plaats van van zijn vrouw. Maar mevrouw Sanford keek niet naar de rozen, ze staarde naar het huis, en haar blik bleef steken op het keukenraam.

'Het was schokkend,' zei ze tegen Dodie, 'om te zien hoe in mijn eigen tuin een vrouw door een man tot niets werd gereduceerd. Om haar van alle respect te beroven zoals rechercheur Calder dat bij jou deed. Hij deed alleen maar zijn werk, hij deed het om mij te beschermen, dat weet ik. Maar het was heel akelig om te zien.'

Dodie was niet in staat over het akelige te praten. Het voelde als zand in haar mond. 'Moet u beschermd worden?'

Mevrouw Sanford glimlachte. 'Zie ik ernaar uit?'

'Nee.'

Mevrouw Sanford keek opnieuw naar het keukenraam waarachter ze allebei wisten dat de rechercheur zat, en ze vroeg abrupt: 'Waarom ben je hier?'

'Om te vragen of degene die Morrell aan u voorstelde soms sir Harry Oakes was.'

De vrouw zette grote ogen op en haar mond viel open. 'Nee. Natuurlijk niet. Hoe kom je daar zo bij?'

'Omdat hij me een baan heeft aangeboden.'

'Ik zie het verband niet.'

'Ik aanvankelijk ook niet.'

'Nee, je hebt het mis. Nee, nee, het was niet sir Harry.'

Te veel nee's, mevrouw Sanford. Maar Dodie mocht haar wel, ondanks haar leugens. Ze mocht haar om de manier waarop ze naar haar keek, alsof ze echt luisterde. En dat deden niet veel mensen.

'Kom je binnen voor het ontbijt, lieverd?'

Beide vrouwen schrokken op. Het onverwachte verzoek was afkomstig van een man die naast het rozenperk stond. Een stevige en zelfverzekerde gestalte in een schitterend maatkostuum in een lichte kleur, zijn haar perfect in model gekamd met slechts een heel klein beetje makassarolie om het in model te houden. Hij keek naar mevrouw Sanford op een manier die zijn gladde gezicht deed stralen. Dodie had dat nooit eerder bij een man gezien.

'Ha, Reggie, ik kom eraan. Laat me je even voorstellen, dit is juffrouw Wyatt.' Ze keek naar Dodie. 'Dit is mijn man.'

'Leuk u te ontmoeten, juffrouw Wyatt. Houdt u ons gezelschap bij het ontbijt?'

'Nee, dank u. Ik moet naar mijn werk.'

Ze zag hem even naar haar uniform van serveerster kijken, maar hij glimlachte vriendelijk en wees naar de kippenren. 'Neem dan op zijn minst een paar van die verhipte eieren mee.'

'Wat doet u met al die eieren?' vroeg Dodie.

'Ze geeft ze weg,' antwoordde haar man. 'Ze doet al die moeite, en dan geeft ze die stomme dingen zomaar weg.'

'Echt waar?'

'Ja.' Hij glimlachte toegeeflijk naar zijn vrouw. 'Echt waar.'

Mevrouw Sanford beantwoordde de glimlach, maar er was een blosje op haar wangen verschenen.

'Ik rammel,' verkondigde haar man opgewekt. 'Tijd om te ontbijten. Erg leuk u te hebben ontmoet, juffrouw Wyatt.' Hij lachte stralend naar haar voor hij in de richting van het huis liep.

Geen van beide vrouwen zei iets. Mevrouw Sanford keek de rechte rug van haar man na toen hij over het gazon verdween, met elke stap kleiner wordend. Er viel een zonnestraal door het bladerdak van de bomen die het keukenraam in een felle gloed zette.

'Je hebt gelijk, Dodie,' zei ze na een volle minuut. 'Het was sir Harry Oakes die Morrell aan me voorstelde.'

'Dank u.'

'En wat nu?'

'Ik moet uitzoeken wie meneer Morrell heeft vermoord en mijn huis in brand heeft gestoken. Voordat ze me weer te pakken krijgen.'

23

Ella

Ella zat stijfjes op de passagiersplaats van de auto. Ze voelde zich nu niet op haar gemak met die politieman om zich heen. Achter in de Rover zat Emerald luidruchtig te doen en met rechercheur Dan Calder te flirten. Hij werd in beslag genomen door het rijden, maar dat deerde haar niet. Ze was met haar brede achterwerk op het randje van de bank gaan zitten, zodat ze zich naar voren kon buigen om hem op de schouder te kloppen wanneer hij een opmerking maakte die haar amuseerde, en op dit moment amuseerden al zijn opmerkingen haar.

Er was iets aan de hand. Er was iets wat pijn deed. Maar Ella wist niet precies wat. Vanmorgen kreeg ze bij alles het gevoel alsof het bovenste laagje van haar huid er met een stomp mes was afgeschraapt. Dat was zo vanaf het moment dat ze met dat meisje had gesproken. Ella liet een arm uit het raampje hangen, alsof ze op haar eigen discrete manier probeerde te vluchten. Ze zei niet veel. Dat gaf niet, want de andere twee praatten genoeg voor hen allemaal en het was vandaag bovendien veel te warm.

De lucht hing slap en vochtig in de auto, de zon scheen verblindend op de voorruit en haar blouse plakte aan de rugleuning van haar zitplaats, zodat het lastig was om te bewegen. Ze lieten de weelderige pastelkleurige villa's, die achter felgroene massa's palmen en pijnbomen lagen te suffen, achter zich en de auto glipte over de bescheiden heuvel die blank Nassau van zwart Nassau scheidde. Hier in Bain Town waren de huizen niet veel meer dan hutjes die met hout of golfplaat in elkaar waren geflanst, maar ze zagen er erg vrolijk en kleurig uit. Ze waren fel geel en groen en blauw geschilderd, opzichtige kleuren die leken te dansen in de straat.

Er waren donkere straatschoffies die midden op de weg aan het hinkelen waren, maar zodra ze Ella's chique auto de hoek om hoorden ronken, zwermden ze er allemaal omheen en sprongen op de treeplanken om een eindje mee te rijden. Hun jonge gezichten vertoonden een grijns van oor tot oor en ze staken hun armen naar binnen om de gouden lokken van Ella's haar aan te raken.

'U kunt maar beter in de auto blijven,' zei Ella tegen Calder, 'als u het niet erg vindt.'

'Denkt u dat ze bang voor me zijn?'

Ze glimlachte half. 'De politie is hier niet erg welkom. Ik weet dat u niet in uniform bent, maar…'

'Ze zouden u bij wijze van avondeten verslinden, meneer de rechercheur,' zei Emerald grinnikend, 'en reken maar dat u zou smaken.'

'Nou, dank je wel, Emerald.'

Ella stapte uit en maakte de kofferruimte open. Al haar bewegingen werden door stralende gezichtjes gevolgd toen ze een zak snoepjes tevoorschijn haalde en die ronddeelde.

'U verwent die kinderen schandalig, mevrouw Ella,' mopperde Emerald terwijl ze een zak rijst uit de auto hees.

De vrouwen kwamen uit hun huizen naar haar toe gekuierd, en begroetten haar met een glimlach.

'Hoe maakt u het vandaag, mevrouw Ella?'

'Zorgt de Lieve-Heer goed voor u?'

Ze deelde eieren en rijst in hun kommen uit en ze bekeken Calder allemaal met onverholen belangstelling, zich bukkend om hem door de ramen van de auto te inspecteren.

'U hebt daar een mooie kerel, mevrouw Ella. Maar hij heeft wel gevochten, zo te zien.'

'Dames!' Ella lachte.

De vrouwen van de Bahama's droegen felle kleuren en bezaten een luide stem en een uitbundige lach waarmee ze de vogels uit de bomen konden laten vallen. Ze werkten hard, kweekten groenten om in de stad te verkopen en vlochten tassen, hoeden en poppen van stro om naar de markt bij de haven te brengen. Maar de tijden waren moeilijk. De oorlog had een eind gemaakt aan buitenlandse bezoekers die de klanten met het gemakkelijke geld vormden, maar in de stad was het druk met alle militairen op het eiland, dus hadden veel vrouwen de traditionele kunstnijverheid opgegeven om in plaats daarvan werk te zoeken in de hotels en bars.

'Leah, heb je een moment?' riep Ella tegen een vrouw in een vuurrode jurk.

'Tuurlijk, mevrouw Ella.'

Ze slenterde naar de plek waar Ella stond. Dat was ook zoiets bij de inheemse vrouwen: ze wilden zich nooit haasten.

'Hoe gaat het met die zoon van je?' vroeg Ella vriendelijk.

'Mijn Joshua? O, prima.'

'Werkt hij nog steeds voor sir Harry?'

'O ja, reken maar, met dank aan God in de hemel.'

'In het British Colonial Hotel?'

'Soms daar, of soms op het land achter Oakes Airfield, om op een tractor van sir Harry te rijden. Dat vindt hij leuk.'

Leah had tien kinderen en een achterwerk dat breed genoeg was om ze allemaal op te vervoeren. Haar man was een stille, beleefde man, die helaas te veel van marihuana hield.

'Wil Joshua nog steeds proberen bij de politie te worden aangenomen?' vroeg Ella.

Vanuit haar ooghoek zag Ella dat Calder zich in zijn stoel omdraaide en de vrouw aankeek.

'Jawel,' antwoordde Leah. 'Daar heeft-ie echt zijn zinnen op gezet.'

'Misschien is mijn vriend hier in staat hem daarbij te helpen.'

Leah bukte zich naar het open raampje en bekeek Calder eens goed. 'Ben jij een diender uit Engeland?'

Gehoorzaam stapte hij uit de auto en kwam in zijn volle lengte naast haar staan. 'Inderdaad.'

Leah bekeek zijn gespierde gestalte en gleed met een dikke, roze tong langs haar lippen. 'Oké, wat wilt u, mevrouw Ella?'

Ella koos haar woorden heel zorgvuldig. 'Ik vroeg me af of Joshua wel eens iets op zijn werk hoorde, verhalen opving. Dat soort dingen.'

Leahs ogen werden groot. 'Wat voor verhalen?'

'Over sir Harry Oakes.'

Leah schuifelde met haar voeten. 'Nou, eh...' Ze liet haar stem dalen. '... soms hoort-ie wel eens wat.' Ze aarzelde en liet haar ogen weer naar Calder glijden, alsof ze zich ervan wilde vergewissen dat hij erbij hoorde.

'Joshua zegt dat sir Harry de laatste tijd veel problemen heeft gehad.'

'Wat voor problemen?'

'Ruzies en heibel.' Leah boog zich naar voren, waarbij haar boezem vervaarlijk heen en weer zwiepte. 'In het hotel. Achter gesloten deuren.' Ze fronste haar wenkbrauwen. 'Joshua bracht sir Harry een keer koffie in zijn kantoor, en toen hoorde hij hem door de telefoon schreeuwen. Echt heel erg, zegt-ie.'

'Sir Harry kan wel eens boos worden, dat weet ik,' moedigde Ella haar aan. 'Heeft Joshua ook gehoord waar die ruzies over gingen, of wie er aan de lijn was?'

Leah wees met een vinger naar Calder, prikte hem er bijna mee in zijn borst. 'Herinner je je dit goed, meneer de politieman, wanneer mijn jongen langskomt. Hij heeft gewoon een beetje hulp nodig. Joshua Tuttle is zijn naam. Hij is een verstandige knul.'

Calder knikte plechtig. 'Als uw zoon een geschikte kandidaat is, zal ik mijn uiterste best doen om hem bij zijn sollicitatie te helpen, dat beloof ik.'

'U zorgt ervoor dat mijn Joshua niet in de problemen komt, hè mevrouw Ella?'

'Ja, natuurlijk.'

'Die ruzies gingen over een contract. En de andere man was meneer Christie.'

'Harold Christie? De makelaar? Maar sir Harry en hij zijn goede vrienden. Ze spelen samen golf.'

'Nu niet meer, zo te horen.'

'Heeft hij ooit de naam van een zekere Morrell genoemd?'

'Niet dat ik weet.'

'Dank je wel voor je hulp, Leah, ik stel dit erg op prijs.'

'Ik vertrouw u, mevrouw Ella.'

Leah hees haar bak rijst op haar heup en met een knik in de richting van Calder begon ze de straat in te lopen, schitterend in het felle zonlicht. Na twintig stappen draaide ze zich om en riep met een stem als een galmende kerkklok: 'Hé, mevrouw Ella. U weet toch van die kamer die hij daar voor eigen gebruik houdt? Als u begrijpt wat ik bedoel?' Ze schudde suggestief met haar boezem en kuierde toen weg, luid grinnikend.

Ella keek behoedzaam naar Dan Calder, en tot haar verbazing zag ze dat hij stond te lachen. Ze glimlachte zuur.

'En, mevrouw Sanford, wat heeft dat verdorie allemaal te betekenen?'

Ze zaten samen in de auto, het was snikheet. Er wankelden vliegen, dronken van de hitte, door de open raampjes naar binnen. Het metaal van de auto was te heet geworden om aan te raken. Ella legde haar hoofd achterover en voelde het zweet langs haar hals lopen, waar het een plasje vormde in de holte tussen haar sleutelbeenderen.

Ze wachtten op Emerald. Net als altijd wanneer ze haar eieren in Bain Town had afgehandeld, waggelde Emerald weg om een oude, bedlegerige tante ergens in een van de achterafstraatjes te bezoeken. Ze was dolgelukkig geweest toen Reggie had aangekondigd dat hij iets van werk voor een aangetrouwd nichtje van haar tante had gevonden. Ze had een warme, zoete *roly-poly* voor hem gebakken en Ella had geamuseerd toegekeken hoe hij dit Engelse gebak met smaak had verslonden.

'Mevrouw Sanford?' De stem van Dan Calder deed haar uit haar verdoving opschrikken.

'Mmm?'

'Gelooft u eigenlijk dat u gevaar loopt?'

Het was te warm om haar hoofd te bewegen. 'Nee.'

Ze hoorde het ritme van zijn ademhaling veranderen.

'Hoe dat zo?' vroeg ze. 'Denkt ú dat ik gevaar loop?'

'Ik ben hier om u te beschermen. Dus nee, ik denk dat u veilig bent.'

'Zoals u me vanmorgen ook in de tuin hebt beschermd, bedoelt u?'

Ze hoorde een klik, het geluid van tanden die op elkaar klakten. Ze rolde haar hoofd opzij om naar hem te kijken.

'Het spijt me,' zei ze. 'Het was niet mijn bedoeling het zo grof te laten klinken. U deed wat u moest doen.'

Onder zijn oor bewoog een spier. 'Ik hoop,' zei hij, 'dat u het probleem ten aanzien van juffrouw Wyatt hebt opgelost.'

'U denkt dat zij een probleem is?'

'U niet?'

'Ik denk,' zei ze, 'dat u zo goed voor me zorgt dat ik geen problemen heb.'

Met een korte beweging van zijn hoofd keek hij naar haar. Maar toen hij zag dat ze hem plaagde, ontspanden zijn grijze ogen zich.

'Hebt u een revolver bij u?' vroeg ze.

'Dat is helaas topgeheime informatie. Als ik u dat zou vertellen, zou ik u misschien moeten doden.'

Ella schoot in de lach, juist op het moment dat Emerald door de straat naar hen toe kwam sjokken.

Zodra Ella thuis was, trok ze haar kleren uit, nam een douche en droogde zich af.

Hoe voelde zoiets?

Ze ging languit op de vloer van de slaapkamer liggen, na zich ervan te hebben vergewist dat de jaloezieën stevig dicht waren getrokken. Ze ging plat op haar buik liggen, met een ademhaling die min of meer tot bedaren was gekomen.

Hoe voelde zoiets? Om met je gezicht omlaag in het gras te liggen. Om een man te hebben die je zo ruw behandelde. Ze sloeg haar handen op haar rug in elkaar, zoals ze dat had gezien, met haar wang tegen de vloer gedrukt. De zenuwuiteinden prikkelden in haar huid. Ze probeerde het zich voor te stellen. Ze probeerde zich Calders knie op haar rug voor te stellen, met zijn sterke handen die haar polsen vasthielden. Ze deed haar ogen dicht en voelde een hitte door haar bloed stromen.

De deur van de slaapkamer ging open.

'Grote god, Ella!' Reggie rende de kamer in. 'Ben je ziek?'

Ella sprong overeind. 'Nee, ik... Ik lag te suffen.' Ze bloosde hevig.

'Zonder kleren aan?'

'Ik had het zo warm. En de vloer was lekker koel.'

Zijn blik gleed over haar borsten, zonk naar de gloed van de gouden driehoek met krulletjes tussen haar benen, en zonder iets te zeggen deed hij snel de deur achter zich dicht.

'Het was te warm op kantoor. Ik had vandaag niet veel op mijn programma, dus ben ik vroeg thuisgekomen,' verklaarde hij.

Hij liep naar haar toe met de aarzelende glimlach en de beschroomde stappen van iemand die liever dood zou gaan dan het gezicht van een vrouw in het gras te duwen.

24

Dodie

De winkel zag er vanbuiten heel beschaafd uit. Dodie inspecteerde hem vanaf de overkant. Het was Minnie die haar erover had verteld. Het kleine keukenmeisje dat in het Arcadia werkte bleek alle winkels van Nassau op haar duimpje te kennen. Het was in een gebied dat er een beetje vergaan uitzag, zonder echt armoedig te zijn. Het beeld werd opgefleurd door een chique winkel met jurken, die buiten bloembakken had staan, en een duur uithangbord had van koper dat in de zon blonk als massief goud.

Maar Dodie keek niet naar jurken. Haar blik was gericht op een juwelierswinkel met een fraaie uitstalling van horloges en parelkettingen in de etalage. Ze wachtte net lang genoeg om een van de mooie *surrey's* – kleine rijtuigjes die met belletjes en franje waren versierd – voorbij te laten rinkelen, en schoot toen de weg over en de winkel in.

Binnen was het een paar graden warmer. De grote koperen ventilator draaide plichtsgetrouw aan het plafond rond, maar was niet opgewassen tegen de warmteafgifte van alle lampen die op de vitrinekasten waren gericht. De winkel schitterde van de blinkende zilveren en gouden voorwerpen en de vloer was zo glimmend gewreven dat Dodie haar ogen een eindje moest dichtknijpen tegen de glans. Achter een kralengordijn achter in de winkel stonden twee mensen, een man en een vrouw. De man had zijn arm rond het middel van de vrouw geslagen, maar ze maakte zich los en liep door het gordijn toen Dodie binnenkwam. Haar hakken tikten over de vloer toen ze haar positie achter de toonbank ging innemen.

'Kan ik u helpen?'

De vrouw had rossig haar, kortgeknipt als van een jongen. Haar nagels waren vuurrood gelakt en ze vormde een wandelende reclame voor haar handelswaar. Een ring aan elke vinger vol sproeten. Ze droeg een drievoudig parelsnoer rond haar hals, met melkwitte, bijpassende oorbellen. Aan elke blanke pols rinkelden drie gouden armbanden. Dodie vroeg zich af of deze vrouw zelfs bij klaarlichte dag wel over straat zou durven lopen. De glimlach waarmee ze haar klant begroette was vriendelijk.

'Ik heb me laten vertellen dat u veel van oude munten weet,' begon Dodie voorzichtig.

De glimlach van de vrouw verdween. Ze draaide haar hoofd naar het gordijn. 'Marcus,' riep ze.

De man kwam tevoorschijn. Hij had een glanzende ebbenhouten huid en de langzame, ontspannen manier van bewegen van iemand die was geboren en getogen in het ritme van het eiland, een plaats waar de vrouwen de leiding hadden en de mannen zich dit gemakzuchtig lieten aanleunen. Hij gedroeg zich rustig en waardig en stelde zich naast de rossige vrouw op, waarbij zijn heup even langs de hare streek.

'Wat kan ik voor u doen, mevrouw?'

'Ik heb een munt. Wilt u daar alstublieft eens naar kijken?'

'Zeker. Ik ben altijd geïnteresseerd in oude munten. Ze hebben een eigen leven geleid en ze vertellen een verhaal.' Hij legde een rechthoek van zwart vilt neer, als uitnodiging voor haar om te onthullen wat ze bij zich had.

Dodie was nerveus. Ze wist niet wat er ging komen. Ze legde de munt op het vilt en stapte achteruit. Ze zag de ogen van de juwelier oplichten in het licht dat van het gouden oppervlak weerkaatste, en ze zag het plotselinge trillen van zijn brede neusvleugels.

'Ik denk dat hij Frans is,' opperde ze.

Hij knikte, en haalde een vergrootglas uit zijn zak.

'U hebt gelijk. Het is een Franse munt.' Hij glimlachte er vertederd naar en pakte hem heel voorzichtig op. 'Een stuk van veertig frank. Een Napoleon. Kijk, dat is de datum. *An IZ*. Dat is Frans voor jaar twaalf. Dit betekent dat hij twaalf jaar na de Revolutie is geslagen, toen de nieuwe Franse regering een volslagen nieuw kalendersysteem opzette.' Hij keek even naar de vrouw naast hem. 'Dat was in 1803, hè?'

'Is hij van goud?' vroeg Dodie.

Hij draaide hem rond onder de lampen. 'O ja, mevrouw. Hij is voor negentig procent van zuiver goud en hij is gesigneerd door de graveur. Ziet u wel? Tiolier. Hij was tot 1816 de hoofdgraveur van de Parijse Munt, een groot kunstenaar.'

'Is hij zeldzaam?'

'Zeldzaam genoeg.' Hij draaide hem om in zijn hand. 'Kijk eens naar het hoofd van Bonaparte als eerste consul, hoe fraai Tiolier dat heeft gemaakt. Daarom wordt hij een Napoleon genoemd.'

'Zijn er veel van gemaakt?'

'Ja, er zijn er meer dan een miljoen gemunt.'

'O.'

'Maar er zijn er nu niet veel meer van over. De meeste zijn omgesmolten.'

'Is er iemand in Nassau die veel van oude munten houdt, weet u dat?' Dodie hield het terloops.

De atmosfeer in de winkel veranderde. Er drupte ijswater naar binnen en de temperatuur daalde. Dodie zag hoe de winkeliers elkaar even aankeken. De man legde de munt weer op het vilt en leunde aan weerszijden ervan met zijn ellebogen op de toonbank, terwijl hij haar rustig opnam. Hij verkeerde in een wereld waarin handelsgeheimen graag onder de toonbank werden gehouden.

'Hebt u iemand in gedachten?' vroeg hij minzaam.

De naam van sir Harry Oakes lag op het puntje van haar tong, maar ze wist hem binnen te houden. 'Misschien heeft een van de grote zakenmensen op het eiland belangstelling voor het verzamelen van munten.' Verder dan dit durfde ze niet te gaan.

De vrouw pakte de Napoleon op, wierp hem in de lucht en ving hem weer op alsof ze met Dodie erom wilde tossen. 'Waar hebt u deze vandaan?' vroeg ze bot.

Een dief. Dat denkt ze. Ze denkt dat ik een dief ben die besmet geld wil verkopen.

'Ik heb hem van iemand gekregen. Een cadeau. Ik ken de geschiedenis ervan niet. Hebt u er eventueel belangstelling voor?'

'We kopen alleen voorwerpen,' verklaarde de vrouw, 'wanneer we weten wat de herkomst ervan is.' Ze liet de munt op de toonbank vallen en sloeg haar armen over elkaar. 'Dus nee, we...'

'Maar misschien,' zei de man met de vriendelijke ogen die goedmoedig naar de Napoleon keken, als naar een geliefde zoon, 'kunnen we in dit geval een uitzondering maken.'

'Marcus!'

'Het is een prachtige munt en in een uitstekende staat.'

De vrouw zuchtte. 'Jij laat je te gemakkelijk verleiden door mooie dingen.'

Ze keken elkaar aan en glimlachten even. Maar toen de vrouw Dodie weer aankeek was de glimlach verdwenen, en vervangen door achterdocht.

'Hoe heet je?' vroeg ze.

Maar Dodie liet zich niet zo gemakkelijk vangen. Ze zei: 'O, ik bedenk juist iemand. Hoe zit het met sir Harry Oakes?' Een onschuldige inval, meer niet. 'Verzamelt hij toevallig munten? Ik heb gehoord dat hij een man is die van goud houdt.'

De vrouw bewoog haar ringen in de lichtbundel van de dichtstbijzijnde lamp, waardoor ze vonken en schitteringen als vallende sterren langs het plafond liet schieten. 'Mijn lieve kind,' zei ze, met een blik vol minachting, 'iedereen houdt van goud.'

'Is rechercheur Calder misschien aanwezig?'

'Nee, hij is er niet.'

Er hing een weeïg-zoete geur in het politiebureau. Dodie keek achterom naar een bank waar een man en zijn vrouw zich koelte zaten toe te wuiven terwijl ze in overrijpe perziken hapten, waarvan het sap tussen hun donkere vingers op de linoleumvloer liep. Ze wachtten op hun beurt bij de balie. Er zoemden glanzende, dikke vliegen rond hun hoofd, om aanvallen te doen op hun lippen, en ze bleven als opgedroogde korstjes op hun handen zitten.

De agent achter de balie bekeek Dodie met ongepaste belangstelling. 'Wie mag het wezen?' vroeg hij.

'Mijn naam is Dodie Wyatt.'

'O ja, ik dacht al dat ik je herkende. Jij bent de jongedame die een moord kwam melden.'

Ze kon voelen dat de twee mensen op de bank tegen de muur hun belangstelling van hun perziken naar haar verplaatsten.

'Komt hij later nog?' vroeg ze.

'Nee, rechercheur Calder heeft vandaag helaas geen dienst. Wat kan ik voor je doen?'

'Ik vroeg me af...' Ze begon zachter te praten. '... of uw onderzoek nog iets over meneer Morrell heeft opgeleverd.'

'Nee, juffrouw Wyatt, uit wat ik heb gehoord schijnt hij min of meer een raadsel te zijn, dat kan ik u wel vertellen. Het is niet bekend wanneer hij op het eiland is gearriveerd. Het is niet eenvoudig te achterhalen waar hij vandaan kwam, maar het wordt onderzocht, dat is zeker.'

'Dus u hebt geen familie van hem ontdekt?'

'Nog niet.'

'Er moet toch een begrafenis voor hem komen.'

'Dat is waar.'

Dodie was zich scherp bewust van de blikken van de fruiteters achter zich, maar ze legde toch een aantal briefjes van een pond op de balie.

'Waar is dat voor?' vroeg de agent ongemakkelijk.

'Voor de begrafenis van meneer Morrell. Ik wil niet dat hij naamloos in een graf voor de armen terechtkomt.'

Hij pakte een potlood van de balie en beet op het uiteinde. 'Voor zover ik heb begrepen kende je deze man niet.'

'Nee.'

'Waarom wil je dan voor zijn begrafenis betalen?'

'Ik wil dat hij een echt graf met een steen krijgt. Een fatsoenlijke, christelijke begrafenis.'

'Waarom? Wat is hij voor u?'

'Niets. Behalve dat ik bij hem was toen hij stierf.'

'Dat betekent nog niet dat u voor zijn begrafenis hoeft te betalen.'

'Dat weet ik.' Maar het was haar manier om te zeggen dat het haar speet dat ze hem had laten sterven.

De agent achter de balie was een knappe man met een betrouwbare uitstraling, maar zijn gelaatstrekken werden nu ontsierd door een smalende uitdrukking. 'Hij heeft je zeker goed betaald, hè?'

Hij dacht vast dat ze seks had gehad met Morrell. Voor geld. Dodie voelde een blos van schaamte in haar hals omhoog kruipen.

146

'Ik denk dat u eens een praatje moet maken met een van onze andere rechercheurs, juffrouw Wyatt,' voegde hij er streng aan toe.

Dodie ontvluchtte de vliegen en het perziksap en het geld dat op de balie lag, en schoot de straat op.

Geld voor seks.

Nee, meneer de balieagent, daar ging het niet over. Maar hoe ze het ook wendde of keerde, het volgen van het spoor van meneer Morrell bleek haar steeds te leiden naar plaatsen waar ze eindigde met vuil in haar gezicht.

Onder de felblauwe hemel baande Dodie zich een weg over trottoirs vol RAF-uniformen en vrouwen in kleurige jurken met een kind op de heup en een mand op hun hoofd, tot ze het Arcadia Hotel bereikte. Haar sombere stemming werd weggevaagd bij de aanblik van de gestalte die op de stoep bij de achteringang stond. Het was Flynn Hudson. Hij had een sigaret in zijn hand en toonde een lome glimlach toen hij haar zag. Hij stapte naar voren, en ze zag een strook roodverbrande huid boven zijn kraag.

'Goedemorgen, juffrouw Wyatt. Ik heb vanmorgen naar u uitgekeken,' zei hij. 'In Bain Town. Maar u was al vertrokken.'

'O.'

Ze had hem gemist. Ze zou zijn gebleven. Tot hij kwam. Waarom had hij niets gezegd? Waarom had ze niet beseft dat hij misschien zou komen?

'Ik had wat dingen te regelen,' verklaarde ze, 'voor ik naar mijn werk ging.'

'En nu nog meer te regelen in uw pauze?'

'Ja.'

'U hebt het druk vandaag.'

'Ja, ik heb het druk.'

Zijn glimlach werd breder. 'Ik had ontbijt voor u meegebracht.'

'Ontbijt?'

'Ja. Vanmorgen, in Bain Town.'

'Niemand heeft me ooit eerder ontbijt gebracht.'

'Ik was te laat,' zei hij. 'Het spijt me.'

'Of ik was te vroeg vertrokken.'

Hij lachte, een hartelijk geluid.

'Wat zat erbij?' vroeg ze. 'Bij dat ontbijt?'

Er ging één donkere wenkbrauw verbaasd omhoog. Maar hij stak zijn vingers op en begon ze af te tellen met zijn sigaret. 'Verse broodjes van de bakker, gekookte eieren, papaja, banaan…' Hij zweeg even om na te denken, en Dodie zag zijn ontspannen mond, alsof hij terugdacht aan het plezier dat hij had beleefd aan het uitkiezen van het eten voor haar. 'En een pannetje krab, en…'

'Krab?'

'Ja. Versgekookt aan de haven. Ik dacht dat u dat misschien wel lekker zou vinden.'

'Inderdaad.'

'En melk voor in de thee,' eindigde hij zwierig. 'Dat is alles.'

Hij inhaleerde de rook van zijn sigaret terwijl zijn ogen haar geamuseerd observeerden, wachtend op commentaar. Maar hoe kon ze hem vertellen dat als ze de klok terug kon draaien – vóór de smalende opmerkingen op het politiebureau, vóór de achterdocht van de rossige vrouw en vóór haar gezicht vol zand in de tuin van mevrouw Sanford – ze dit meteen zou doen? Elke minuut van deze dag uitwissen en opnieuw beginnen, met hem en zijn ontbijt. Ze zou het meteen doen.

'Wat is er gebeurd,' zei ze, 'met dit ontbijt dat een waar koningsmaal was?'

'Ik heb het in mijn eentje moeten opeten.'

'O. Dat was een meevaller voor u.'

Flynn glimlachte naar haar, het soort glimlach dat afkomstig was van een plek die diep genoeg was om de schaduwen die meestal op zijn gezicht lagen te verjagen, maar Dodie wendde haar blik af. Er ratelde een wagen met kratten voorbij en er rinkelde een fietsbel naar een onvoorzichtige voetganger, maar ze zag dit alles slechts vaag. Ze moest haar blik afwenden omdat ze anders ging huilen.

Maar hij begreep haar bedoeling verkeerd. Hij dacht dat ze het hotel in wilde gaan, en hij greep haar pols vast. 'Ga niet weg,' zei hij. 'Nog niet, juffrouw Wyatt.'

'Zeg alsjeblieft Dodie. Iemand die me ontbijt komt brengen, mag Dodie tegen me zeggen.'

Ze staarde naar zijn vingers. Het waren niet de grote, sterke knokkels van de andere man die haar vandaag had beetgepakt. Deze vingers waren fijngebouwd, met dunne blauwe aderen onder de huid, even bleek als de rest van zijn huid, met goedgevormde nagels en een zekere vastberadenheid in hun greep. Het kon zoveel verschillende dingen betekenen wanneer de hand van een man je pols zo vasthield. Het beeld van meneer Morrell, die zich uit alle macht aan haar vastklampte, kwam opeens bij haar boven, en ze schudde haar hoofd om dit beeld te verjagen. Flynn liet haar onmiddellijk los.

'Nee,' zei ze. 'Ik bedoelde niet...'

Ergens sloeg een klok vier uur. Dodies pauze van een uur was voorbij. Vandaag was haar dienst van elf tot drie uur en daarna van vier tot elf uur 's avonds, en ze had zich de laatste tijd al genoeg vrijheden tegenover juffrouw Olive veroorloofd. Het was tijd om naar binnen te gaan. Maar haar voeten wilden niet bewegen.

'Flynn,' begon ze.

Ze wilde eigenlijk zeggen: *Breng me morgen een ontbijt en dan zal ik graag krab en papaja met je eten. Breng me je glimlach om de dromen die me elke nacht achtervolgen te verjagen. Breng me de zekerheid die ligt in alles wat je doet, in de manier waarop je je hoofd houdt wanneer je naar me luistert of in je lange, bleke vingers wanneer je een sigaret draait. Breng me al die dingen morgen, Flynn Hudson, wanneer de zon opkomt.*

In plaats daarvan glipten de verkeerde woorden eruit.

'Flynn, toen jij eergisteravond op het strand was, heb je toen nog iemand anders gezien? Iemand die de brand in mijn huis kan hebben gesticht?'

De herinnering aan de vrolijkheid die nog rond zijn mondhoeken hing, verdween volledig. Dodie was het liefst op haar knieën gevallen om haar woorden van de grond te grissen en ze terug te proppen in haar keel.

'Nee,' zei hij kalm. 'Als dat zo was, had ik het je verteld. Ik werd door de vlammen aangetrokken, net als iedereen. Ik heb je huis niet in brand gestoken.'

'Natuurlijk niet.'

Maar de vrolijkheid was verdwenen. De schade was aangericht.

'Dank je wel,' zei ze. Ze raakte zijn hand even aan. 'Voor het ontbijt.'

Hij knikte, en zijn donkere ogen volgden elke stap toen ze het hotel binnen ging.

'Dodie, doe jij tafel twintig even?'

Dodie keek verbaasd op van het dienblad met theekopjes dat ze bezig was klaar te maken. 'Maar dat is een tafel van Angela.'

Olive Quinn gebaarde met haar hand. 'Hij heeft gevraagd of jij hem wilt bedienen. Laat hem niet wachten. Het is Harold Christie.'

Dodie keek even in zijn richting. Ze kende de naam. Iedereen op het eiland kende de naam. Ze stond op het overdekte terras van het hotel met uitzicht op de geurende tuin en het kortgemaaide gazon. Harold Christie zat aan een van de bamboetafels en Dodie zag een kleine maar gespierde man van ongeveer vijftig jaar. Zo kaal als een biljartbal en met de houding van iemand die het goed heeft getroffen met zijn leven. Hij zat iets in een notitieboekje te schrijven terwijl hij bedachtzaam aan een sigaret trok. Zijn vingers vertoonden de geel-bruine vlek van een verstokte roker. Toen ze zijn tafeltje naderde, keek hij op en glimlachte, met een beminnelijk rimpelig gezicht met een lelijke knobbelige neus.

'Kan ik u helpen, meneer?' vroeg Dodie beleefd.

'Ach, uitstekend, mijn lieve kind.' Hij stopte zijn notitieboekje en vulpen weg en zijn opmerkzame groene ogen namen haar uitvoerig op. 'Ja,' zei hij glimlachend, 'ik denk dat dat kan. Een pot Assam-thee graag.' Hij klopte op zijn middel en grinnikte. 'En ook een bord van die onweerstaanbaar lekkere taartjes van juffrouw Quinn, graag.'

'Zeker, meneer.'

Dodie deed wat hij vroeg. Ze bracht het snel. Er waren vanmiddag weinig gasten. Ze wist niet goed waarom. Misschien was het de warmte, of misschien kwam het door de stemming die in de stad hing. De atmosfeer hing sterk af van het oorlogsnieuws in Engeland. Wanneer dit goed was – zoals de recente succesvolle luchtaanvallen op Duitse fabrieken in het Ruhrgebied – waren de inwoners van Nassau vrolijk en vierden ze graag feest. Maar sommige dagen, wanneer de radio zware verliezen meldde, vooral bij de zware bommenwerpers, werd de stemming somber en waren minder mensen bereid hun tijd te verlummelen. Desondanks was het Dodie opgevallen dat deze zomer steeds meer Amerikaanse militairen op het terras van juffrouw Quinn verschenen, om het Britse ritueel van de middagthee over te nemen.

Ze kon hen nu aan de andere kant van het terras horen, terwijl ze Harold Christie zijn thee en taartjes bracht en alles voor hem uitstalde. Terwijl ze de thee inschonk, had ze het liefst gevraagd: *Waarom wilde u dat ik u zou bedienen?* Ze zag het genot waarmee hij in zijn eclair hapte. Dit was een man die wist wat hij lekker vond.

'Ga eens even zitten, lief kind.' Zijn manier van doen was vaderlijk toen hij naar de stoel tegenover hem gebaarde.

Dodie schrok. 'Nee, dank u. Dat is niet toegestaan. Ik ga niet zitten, als u dat niet erg vindt.'

'Juffrouw Quinn zal in dit geval een uitzondering maken, dat weet ik zeker. Ga alsjeblieft zitten. Ik krijg anders nog een stijve nek.' Hij grinnikte, om te laten zien dat hij het vriendelijk bedoelde.

Dodie keek bedremmeld om zich heen en ging toen op de stoel tegenover hem zitten.

'Goed,' zei hij, en hij stak nog een sigaret op. 'Jij bent juffrouw Dodie Wyatt, geloof ik.'

'Dat is juist.'

'Uitstekend. Dat is een goed begin.' Hij nam nog een hap van zijn eclair. De room liep over zijn lippen.

'Een begin waarvan?' vroeg Dodie kalm. Ze voelde zich ongemakkelijk en was op haar hoede voor wat deze man van haar wilde.

'Van elkaar te leren kennen.'

'Zijn we daar dan mee bezig? Volgens mij wilt u mij gewoon iets vragen.'

Er viel een stilte tussen hen, het soort stilte dat maakte dat ze haar hart in haar oren hoorde bonzen. Ze zag dat zijn jasje verkreukeld was, alsof hij erin had geslapen, en ze had hem het liefst gevraagd hoe zo'n verkreukeld persoon een van de belangrijkste mensen op New Providence Island kon worden. Want dat was hij. Zijn naam stond op TE KOOP-borden over het hele eiland, hij was de belangrijkste makelaar in Nassau en de baas van de Bay Street Boys, de rijke handelaren die het reilen en zeilen van de stad bepaalden.

'Ik mag dat wel, juffrouw Wyatt,' zei hij. 'Een jonge vrouw die meteen ter zake komt.'

Ze dacht niet dat het hem beviel. Niet echt.

'Wat wilt u weten, meneer Christie?'

'Ik wil weten of het je bevalt om in dit eilandparadijs te wonen.'

'Natuurlijk bevalt me dat. Het is hier prachtig.'

'Dat vind ik ook. En daar gaat het me om. Ik ben hier geboren en getogen.' Hij spreidde zijn armen theatraal om heel New Providence Island te omvatten. 'Het is mijn thuis.'

'Het is nu ook mijn thuis,' verklaarde ze.

'Hoe lang woon je hier al?'

'Zes jaar.'

'Nou, juffrouw Wyatt, dan lig ik ruim veertig jaar op u voor.'

'Dan bent u me de baas, meneer Christie. Waar brengt ons dat?'

'Aha, weer terug naar het punt. Ja, dat bevalt me wel.' Maar hij kneep zijn ogen een beetje dicht en werd voorzichtig. 'Het grootste deel van New Providence Island is bedekt met slechts wild struikgewas en pijnbomen. De stad Nassau is alles wat we op dit eiland hebben. En onze stranden, uiteraard.'

Dodie wendde haar blik af, onzeker over de kant die dit gesprek op zou gaan. Er waren vijf andere paren die thee zaten te drinken op het terras, maar die zaten allemaal aan de andere kant, waar het geklater van een fontein de illusie van koelte gaf. Harold Christie had zijn tafeltje goed gekozen, weggestopt tegen een muur en omringd door potten met palmen voor wat beslotenheid. Ze wapperde zich koelte toe met haar bestelboekje.

'Waarom vertelt u me dit allemaal, meneer Christie?'

'Wanneer deze ellendige oorlog voorbij is, zal de wereld veranderen. De gewone man heeft de smaak van het reizen te pakken gekregen en hij zal meer willen. Dus wat denk je dat een goede plek voor hem zal zijn om naartoe te gaan?'

'De Bahama's?'

'Precies.'

De opwinding op zijn gezicht maakte haar ongerust. Ze wilde weten wat erachter school.

'Dan vermoed ik dat uw onroerendgoedhandel na de oorlog zal floreren, meneer Christie. Dat is heel fijn voor u, maar waarom vertelt u míj dit?'

Hij drukte zijn sigaret uit, leunde achterover in zijn stoel, stak een nieuwe sigaret op en nam een slok thee. Hij nam de tijd om het juiste gezicht te trekken.

'Omdat, juffrouw Wyatt, ik wil dat u begrijpt hoe belangrijk het is dat dit eiland een paradijs in de volle warmte van de zon blijft. Zonder donkere kanten.'

'Is dat de manier waarop u naar meneer Morrell verwijst? Als naar een donkere kant?'

Hij wist zijn glimlach te bewaren, nog maar net. Hij streek een hand over het gebruinde oppervlak van zijn kale hoofd en masseerde de vlekkerige huid voordat hij nog een taartje nam.

'Nu,' verklaarde hij, 'komen we bij het punt waar het om gaat. De hertog van Windsor is onze gouverneur.'

Dodie knikte.

'Dus,' ging hij verder, 'houden de media overal ter wereld een waakzaam oog op alles wat wij doen, ondanks het feit dat wij een klein, onbetekenend eiland zijn.'

Aha, dus dat was het punt. Ze voelde een dof gevoel van woede in zich opkomen.

'De dood van meneer Morrell wordt door de politie onderzocht,' zei hij op gedempte toon. 'Maar waar ze absoluut geen behoefte aan hebben is dat ú hen voor de voeten loopt.'

'Wie was meneer Morrell?' vroeg ze plompverloren.

'Ik dacht dat u degene was die daar antwoord op had. Niemand anders schijnt het te weten.'

Hij drukte zijn sigaret in de asbak uit en leek op het punt te staan nog iets te zeggen, maar hij bedwong zich door een hap uit een meringue met slagroom te nemen. Toen Dodie opstond, zat hij ongeduldig met zijn vinger op zijn zilveren sigarettencassette te tikken, zodat deze op de tafel rammelde. Het gesprek was duidelijk niet zo verlopen als hij had verwacht.

'Meneer Christie, u bent bevriend met sir Harry Oakes, nietwaar?'

De glimlach keerde op volle kracht terug. 'Inderdaad.'

Dodie kon de zelfverzekerdheid bespeuren die deel gaat uitmaken van een man die zelf zijn fortuin bijeengegaard heeft, en ze nam de arrogantie waar die niet kan zien waar de grenzen liggen.

'Dat dacht ik al,' mompelde ze.

Er gleed iets van een frons over zijn voorhoofd zonder de glimlach te vervolgen. 'Zorg dat u er niet bij betrokken raakt, dat is mijn dringende advies aan u.'

'Meneer Christie, waarom bekommert u zich in hemelsnaam dusdanig om mij dat u vandaag hierheen komt en mij aan uw tafeltje wil hebben zitten?'

De glimlach werd breder en bereikte deze keer bijna zijn ogen. 'Ik bekommer me om iedereen op de Bahama's,' zei hij vriendelijk. 'Ook om u, juffrouw Wyatt.'

Dodie liep zonder verder iets te zeggen weg en ging weer aan het werk. Terwijl ze bezig was bestellingen in haar boekje te noteren, dienbladen te dragen en haar klanten haar beste serveerstersglimlach te tonen, was er één gedachte die voortdurend door haar hoofd ging. Waarom deden deze machtige mannen zo nerveus over wat meneer Morrell wist? Waarom waren ze zo bang voor wat hij in haar hut tegen haar kon hebben gezegd?

25

Ella

'Ik wil je iets geven, Ella. Iets bijzonders.'

'Reggie, wat lief van je.'

'Het is volgende week onze trouwdag.'

'Wat goed van je dat je je dat herinnert, liever.'

'Natuurlijk herinner ik me dat. Ik denk er altijd aan.'

Dat was waar. Hij was beter in het zich herinneren dan zij, maar deze keer had ze al een tafeltje voor twee gereserveerd in het Greycliff en had ze tegen Reggies secretaresse gezegd dat ze die avond vrij moest laten in zijn agenda.

'Twintig jaar,' zei hij.

'Twintig goede jaren, Reggie.'

Zijn ronde wangen bloosden van blijdschap, en Ella wenste dat ze het vaker kon zeggen. Ze maakten een wandeling door de tuin, een moment van rust waarvan ze wist dat Reggie het nodig had. Zijn werk vergde veel van hem, en sommige dagen zag ze kleine gesprongen adertjes in het wit van zijn ogen die haar zorgen baarden.

'Wat zou je leuk vinden? Als cadeau voor onze trouwdag, bedoel ik,' zei hij.

Ze werd zoals altijd aangetrokken door de levendige kleuren van de weelderige paradijsvogelbloemen en ze stak een hand uit om over een groot, glanzend blad ervan te strijken. Ze hield van het sensuele gevoel ervan. De felrode bloemen waren brutaal en opzichtig, trokken altijd de aandacht.

'Ik denk, Reggie, dat een taart met twintig kaarsjes heel leuk zou zijn.'

Hij snoof smalend. 'Het is porselein, weet je.'

'Wat is porselein?'

'Een twintigjarige trouwdag. Het cadeau moet iets van porselein zijn, zoals een eetservies of zo.'

'Echt waar? Reggie, wat weet jij toch veel.'

Hij lachte en loodste haar bij de opdringerige rode bloemen vandaan naar een delicater witte oleander. Het feit dat elk deel van de plant giftig was had haar er altijd een beetje voorzichtig mee gemaakt en ze liep verder om een zwart-witte vogel in de plataan te bekijken.

'Ik geloof echt dat we niet nog meer porselein nodig hebben,' zei ze, maar ze draaide zich om en glimlachte naar hem om te laten zien hoezeer ze dit aanbod waardeerde. 'We hebben al zoveel.'

'Iets speciaals, Ella. Ter herinnering aan deze dag. Wat dacht je anders van iets van goud? Want dat ben jij voor mij, liefste, je bent zuiver goud.'

Ella moest naar de mangrovekoekoek blijven kijken, anders was ze in tranen uitgebarsten.

In de auto was Ella zwijgzaam. Dan Calder deed geen pogingen haar af te leiden maar liet haar met respect over aan haar eigen gedachten terwijl hij haar naar het Belmont Hotel reed. Er was daar een aantal Amerikaanse militairen ingekwartierd en boven de ingang wapperden beide geallieerde vlaggen. Het gebouw was in een lelijke kleur groen geschilderd en het bezat een brede veranda aan de voorzijde, waar piloten en bemanningsleden in kaki lui in bamboestoelen in de schaduw hingen, met hun zware, bruine schoenen op het houten hek erlangs, alsof ze zich nergens iets van aantrokken.

Ella ging het hotel binnen en liep rechtstreeks naar wat vroeger de biljartzaal was maar waar nu het kantoor van majoor Leigh was gevestigd.

'Mevrouw Sanford, een goede dag.'

Hij schonk haar een brede Texaanse glimlach en bracht haar naar een rechte stoel tegenover zijn bureau. Hij was een man met vriendelijke ogen en een luide stem. Hij had last van niesbuien op het verkeerde moment. Aan de muren om hen heen hing een bonte verzameling kaarten van de Atlantische Oceaan en er stonden twee grote metalen dossierkasten waar voor de oorlog rookfauteuils hadden gestaan.

'Dank u wel dat u tijd hebt gevonden in uw drukke schema, majoor.'

'Het genoegen is geheel aan mijn kant, mevrouw. Hoewel ik moet zeggen dat ik niet had verwacht u zo snel terug te zien.'

Ella glimlachte lieftallig en sloeg haar benen over elkaar, zonder acht te slaan op de drukkende warmte in de kamer en het feit dat er een grote, sterk riekende zwarte retriever zojuist op haar voet was gaan liggen.

'Hallo Ike,' zei ze tegen de hond, waarna zijn staart meteen in beweging kwam. 'Ik hoop dat de jongens van het feest hebben genoten, majoor.'

'Zegt u dat wel. Een echte knalfuif, en de hertog was er ook nog, om het helemaal perfect te maken. Ik mag hangen als er een betere standplaats bestaat dan deze.' Hij nestelde zich in zijn stoel en Ella zag zijn blik even naar de hoge stapel geelbruine dossiers op zijn bureau gaan.

'Ik zal u niet lang ophouden, majoor. Ik weet hoeveel er van uw tijd wordt gevraagd.' Ze aaide de hond over zijn kop. 'Ik wil u om een gunst vragen.'

Majoor Leigh lachte laag en hartelijk. 'Alle donders, mevrouw Sanford, geeft u ooit op?'

Ella schudde haar hoofd, en haar blonde haar zwaaide losjes rond zodat er een welkome hoeveelheid lucht doorheen streek. 'Nee, majoor, ik geef helaas niet snel op. Maar maakt u zich geen zorgen, ik weet dat u volledig zult instemmen met deze zaak.' Ze glimlachte naar de foto van zijn twee zonen op zijn bureau. 'Het is voor een schooltje in de bush. Ze hebben heel hard nieuwe spullen nodig. Banken en pennen.'

'Zwarte kinderen?'

'Dat klopt. Ze hebben de hulp van uw squadron hard nodig, majoor.'

'Mevrouw Sanford, met die mooie blauwe ogen van u bent u heel bedreven in het overreden van anderen.' Hij lachte nogmaals, blij een knappe vrouw in zijn kantoor te hebben, en hij schoof een lade open van zijn bureau.

'Hoeveel deze keer?'

'Dank u wel, mevrouw Sanford.'

Het koor van jonge stemmen deed Ella glimlachen toen de rij leerlingen, die met een brede grijns op hun gezicht voor het schoolgebouwtje stonden, haar uitzwaaide.

'Ze willen allemaal graag naar majoor Leigh schrijven om hem te bedanken voor zijn goedheid,' zei de onderwijzeres terwijl ze met Ella naar haar auto liep. 'We kunnen nu pennen en papier voor hen allemaal kopen en ook boeken en banken.' Ze keek vol trots naar de stralende gezichten van haar schare. 'Ze willen dolgraag leren.'

'Het is dé manier om vooruit te komen,' zei Ella. 'Mensen als u vormen de toekomst van de Bahama's.' Ze zwaaide weer naar de kinderen. 'Dank jullie wel voor mijn schilderij.'

De twaalf leerlingen hadden een tekening gemaakt van hun schoolhuis onder de wijde takken van een plataan en ze hadden zichzelf met een brede grijns afgebeeld, zwaaiend naar Ella. Ze legde het kunstwerk voorzichtig op de achterbank van de auto en ging toen naast Dan Calder zitten. Ze wapperde zich koelte toe met haar hoed terwijl hij door het ruige terrein reed, zonder zich ervan bewust te zijn dat ze nog steeds breed glimlachte bij de gedachte aan de kinderen. Toen Calder sprak, was ze er niet op voorbereid.

'Zeg eens, mevrouw Sanford, al dit gedoe van eieren uitdelen aan dorpsbewoners en cheques aan onderwijzers en het organiseren van gezelligheid voor leden van de luchtmacht voordat ze ten strijde trekken, geeft u dat een goed gevoel wanneer u 's avonds thuiskomt? Of is het gewoon werk?'

Ella voelde zich gepikeerd over deze vraag. Ze staarde naar buiten, naar de stekelige vegetatie, in plaats van naar de man naast haar en ze kaatste terug: 'Zeg eens, rechercheur Calder, aan het eind van weer een dag van het beschermen van het leven van mevrouw Sanford of het redden van Nassau van het losbarsten in wetteloosheid, maakt dat dat u een goed gevoel over uzelf hebt of is het gewoon werk?'

Hij draaide zijn hoofd scherp opzij om haar aan te kijken en hij remde hard, waarbij hij de auto abrupt tot stilstand bracht in een wolk van beige stof dat door de open raampjes naar binnen dwarrelde.

'Mijn excuses, mevrouw Sanford. Dat was heel onnadenkend van mij om te zeggen.'

'Inderdaad.' Ze klopte het stof uit haar haar. 'Maar uw excuses zijn aanvaard.'

Ze verwachtte dat hij de auto weer zou starten, maar hij liet hem daar staan, kokend in de hitte, met de zon die op het dak brandde.

'Ik vroeg het alleen maar omdat ik u beter wilde leren kennen. Om te begrijpen wat u ertoe drijft om zo hard voor anderen te werken. Het was niet mijn bedoeling om grof te zijn.'

Hij keek haar niet meer aan. Zijn ogen bleven gericht op de onverharde weg voor hen, en op het stukje schaduw waar een geit aan de lijn stond. Ella wilde hem bedanken. Zeggen dat niemand anders haar die vraag ooit had gesteld, zelfs Reggie niet, en dat ze diep geroerd was dat hij de moeite nam er wel naar te vragen. Maar de zware, zondoorstoofde aarde leek onder de auto te bewegen en ze kreeg het vreemde gevoel onveilig te zijn. Niet onveilig vanwege Dan Calder. Maar onveilig vanwege haarzelf.

Dus zei ze luchtig: 'Maakt u zich daar geen zorgen over. Laten we de stad in gaan. Ik moet een cadeau kopen.'

De winkel was niet helemaal wat Ella had verwacht. Hij bevond zich in een straat die rechercheur Calder opperde.

'We zijn volgende week twintig jaar getrouwd,' had ze hem verteld toen ze de stad in reden. 'Mijn man wil dat ik iets voor mezelf koop. Iets van goud.'

Hij had geen commentaar op de twintig jaar of op de goedgeefsheid van haar echtgenoot, maar vroeg slechts met een scheve glimlach: 'Waarom zoekt hij het niet zelf uit?'

Daar had Ella geen antwoord op. Dus zei ze kortaf: 'Hij heeft het erg druk.'

In plaats van koers te zetten naar de chique maar dure juweliers in Bay Street, waar zij anders zou zijn gaan kijken, bracht hij haar naar een zaak waarvan ze nog nooit had gehoord in een straat die ze niet kende. Op het eerste gezicht zag het er niet zo veelbelovend uit als ze had gehoopt. De straat was een beetje aan lager wal geraakt, geen plek waar je naartoe zou gaan om een speciaal verjaardagscadeau te kopen, maar toen hij haar de juwelierszaak wees, kon ze zelfs aan de buitenkant zien dat het interieur als een kerstboom was verlicht.

'Wat spannend,' zei ze lachend, en ze keek Calder plagerig aan. 'Is dit het adres waar u altijd voor sieraden komt?'

Hij maakte weinig aanstalten om mee te lachen. 'Nee, maar ik ben er een paar keer binnen geweest om te proberen gestolen goederen op te sporen, en ik was onder de indruk. Ik vond de eigenaren ook uitermate hulpvaardig. En dat zult u ongetwijfeld ook vinden.' Zijn toon was uiterst beleefd. 'Ik zal in de auto wachten.'

Heel even had ze gehoopt dat hij met haar mee naar binnen zou gaan, maar ze besefte direct dat dat dwaas zou zijn. Ze stapte uit de auto en ging in haar eentje de winkel in. Het was er klein maar het leek groter door alle spiegels en de hoeveelheid fel licht dat erin werd weerkaatst. De hitte sloeg haar tegemoet, net als de geur van koffie, en ze zag op een hoek van de toonbank een fraai kopje van Royal Crown Derby staan, waar damp uit opsteeg.

'Kan ik u helpen, mevrouw?'

Op het eerste gezicht dacht Ella dat het een man was, zo kort was het rossige haar en zo laag was de stem, maar ze realiseerde zich haar vergissing toen ze de nagellak en de parels zag. De vrouw dook op uit een lage stoel achter de toonbank, waarbij ze een exemplaar van *Moby Dick* naast haar koffie neerlegde.

'Ik hoop het,' zei Ella. 'Ik ben op zoek naar iets speciaals, mijn man wil me een cadeau voor onze trouwdag geven. Ik dacht aan een gouden ring.'

De vrouw glimlachte. 'Zeker, mevrouw. We hebben een goede sortering.' Binnen enkele seconden had ze een aantal zeer fraaie gouden ringen op de toonbank uitgestald en keek hoe haar klant ze paste. 'Dat is een prachtige smaragd die u daar draagt, als ik zo vrij mag zijn het op te merken,' zei ze op zoetvleiende toon.

Ella keek naar de verlovingsring aan haar vinger, een grote, vierkante smaragd in een bed van diamanten, een opzichtige ring die Reggie speciaal door een goudsmid voor haar had laten ontwerpen. Ze had hem niet zelf uitgezocht.

'Dank u,' zei ze.

De vrouw nam Ella aandachtig op. Ze nam er alle tijd voor en bewoog onbewust met haar vingers, zodat haar talrijke ringen langs elkaar streken en een zacht metalig koor vormden waarvan ze kennelijk genoot.

'Ik denk,' zei ze zonder verdere inleiding, 'dat ik precies heb wat u zoekt.'

Ze verdween, en Ella dacht aan rechercheur Calder die in de auto op haar zat te wachten. Dit maakte haar gespannen, al wist ze niet goed waarom, en ze schoof de ringen ongeduldig weg. Hij had gelijk wat de winkel betrof en hij had gelijk wat Reggie betrof. Waarom ging haar man in hemelsnaam niet zelf een cadeau voor haar uitzoeken? Dat hij er een hekel aan had een winkel binnen te gaan, was geen excuus. Ze was er te zeer aan gewend geraakt dat ze zijn boodschappen voor hem deed.

Met een kleine zucht van ergernis wilde ze zich omdraaien om weg te gaan, toen de vrouw terugkwam met een voorwerp op een zwartfluwelen kussen. Het was een armband.

'Alstublieft, mevrouw. Deze is perfect voor u.'

'Hij is prachtig.'

'Het is achttien karaats rood goud, een armband met vierkante schakels uit het eind van de vorige eeuw.' Ze glimlachte ernaar, bijna als een poes die ging spinnen. 'Hij is Russisch.'

In het midden blonken een schitterende saffier en twee diamanten. Ella wist meteen dat dit de goede keuze was. Reggie zou hem haar prachtig vinden staan.

'Ik neem hem.'

'Wilt u hem niet even passen?'

'Niet nodig.'

'Dan zal ik hem voor u inpakken.'

'Dank u.'

Zie je wel, Reggie. Het is echt niet moeilijk.

De vrouw verdween achter een kralengordijn achter in de winkel. Er klonk een gemompel van stemmen, en toen kwam er een zwarte man tevoorschijn. Hij glimlachte hartelijk.

'Goedendag, mevrouw.'

'Goedendag. U hebt hier een mooie winkel.'

'Dank u. Het bevalt ons hier.'

Hij slenterde naar haar toe terwijl hij iets in zijn hand hield, en toen hij dichterbij kwam zag Ella dat het een munt was.

'Mag ik die zien?'

Hij deed zijn hand onmiddellijk dicht, niet bereid hem af te staan. 'Het is maar een munt.'

'Mag ik hem zien? Hij lijkt veel op een munt die ik heb.'

Met tegenzin gingen zijn vingers open en gaf hij hem aan haar. 'Hij is van goud,' vertelde hij. 'Frans.'

'Wat voor munt is het?'

'Een Napoleon.'

'Is hij te koop?'

Hij begon zijn hoofd te schudden, maar de rossige vrouw kwam snel door het kralengordijn en zei: 'Natuurlijk is hij te koop.'

'Ik neem hem.' Ella vouwde haar hand snel dicht voordat de man de munt terug kon grissen.

'Tevreden?'

Ella schoof weer op haar plaats in de auto, verbaasd over deze vraag. 'Ja.'

'Hebt u gevonden wat u zocht?'

'Ja, dat is gelukt.'

'Daar ben ik blij om.'

'Mijn dank, dat u me deze winkel hebt gewezen.'

'Het was me een genoegen.'

Iets in de manier waarop hij het zei maakte dat ze zich opzij draaide om hem aan te kijken. Hij glimlachte naar haar, een glimlach met oprechte warmte, niet zijn beleefde lijfwachtglimlach.

'Waarom was het u een genoegen?' vroeg ze.

'Ik had eerder grof gedaan en dat spijt me omdat ik u ermee heb gekwetst. Dat was absoluut niet mijn bedoeling. Dus ben ik blij dat ik mijn fout nu goed heb kunnen maken door deze winkel voor u te vinden.'

'Dank u.'

'Tevreden?'

'Ja.'

26

Dodie

Tien uur. De duisternis had de stad verslonden toen Dodie uit het Arcadia naar buiten kwam. Haar dienst duurde officieel tot elf uur, maar er waren nog steeds heel weinig gasten en Olive Quinn had haar vroeg naar huis gestuurd. Ze ademde de avondlucht in, vol rijke en exotische geuren, en besloot dat ze een omweg naar de zee wilde maken.

Ze was moe. Harold Christie had te veel onrust in haar hoofd veroorzaakt. Maar ze liep snel, met galmende voetstappen, door de verlaten straten, waarbij ze steeds de goedverlichte doorgaande wegen aanhield, en ging in de richting van het strand. Ze had behoefte de zee te zien, de stem ervan te horen, de koele bries op haar huid te voelen, en toen ze ten slotte op het zand stapte, hielden de geluiden in haar hoofd eindelijk op.

Ze staarde uit over de zee die als een glanzende plaat staal voor haar lag. De maan hing gezwollen en felverlicht in de zwarte lucht en verspreidde een dun schijnsel op het oppervlak van de golven. Dodie voelde hoe de bleke vingers ervan haar vastgrepen, haar voorwaarts trokken als een getij.

Dodie schopte haar schoenen uit, hees haar jurk op en waadde het water in. Zelfs op dit uur was het warm en verkwikkend. De inktzwarte golven deinden om haar heen en streken haar randen even glad als het zand. Ergens dichtbij kon ze de roep van een nachtzwaluw horen, en het geritsel van een zoele wind in de bomen, en langzaam maar zeker begonnen de spanningen van de dag te vervagen, zodat toen ze ten slotte het water uit kwam, haar gedachten weer schoon en fris voelden. Ze had een helderder besef van wat er moest gebeuren. Ze wist dat er vragen waren die ze moest stellen, en de eerste persoon die ze moest ondervragen, was Flynn.

Zou hij haar morgen een ontbijt komen brengen? Ze hoopte het. Met opgerolde hemdsmouwen zou hij met zijn lange benen over de stoffige straat komen stappen, met een boodschappentas vol krab en bananen, en met in zijn ogen een blik die haar zei dat hij deze keer niet van plan was haar mis te lopen. Dodie glimlachte toen ze in het maanlicht het strand weer op liep, en pas toen ze de plek bereikte waar ze haar schoenen had achtergelaten, voelde ze de eerste steek van onrust. Haar zwarte schoenen waren weg.

Haar ogen zochten de donkere kuilen en holten van het strand af. Ze waren nergens te bekennen. Haar onrust ging over in angst. Vijf meter verderop verrees de zwarte rij van palmbomen en ervoor stonden twee mannen, onscherp in de duisternis. Een hield zijn arm naar haar uitgestrekt, met iets wat aan zijn hand bungelde voordat hij het liet vallen, waarna het een zwarte vlek op het zand vormde. Ze twijfelde er niet aan wat het was. Haar schoenen.

De angst prikte, scherp als een ijspriem, in haar keel. Ze hoorde een lage lach die onder dekking van de duisternis naar haar toe rolde.

Met het laatste beetje vocht in haar mond spuugde ze in het zand. Niet dit. Niet weer. Ze bedwong haar paniek en probeerde helder na te denken. Ze kon wegrennen. Haar longen begonnen zich bij voorbaat al vol te pompen. De mannen zouden haar in het donker achtervolgen, maar er was een kans dat ze sneller was.

'Blijf van mijn schoenen af en ga weg!'

Haar woorden klonken kwaad in de stilte van de verlaten nacht. Alleen de zee fluisterde bemoedigend en kwam omhoog. De mannen liepen een paar stappen bij de schoenen vandaan en de maan wierp een lichtstraal op de bril van de kleinere, forse man. Ze kon voelen hoe hun blik over haar heen gleed.

'Kom ze maar halen,' schreeuwde de ene, en beide mannen lachten.

Ze deden een paar stappen achteruit om haar te lokken.

'We zullen je niets doen,' riep de andere.

Als een kat die de vleugels van een vogel uitrukt.

'We kijken alleen maar. Dat kan toch zeker geen kwaad? Je bent een mooie vrouw in het maanlicht.'

Hij had het accent van de Bahama's.

De kleinste lachte. 'Doe eens aardig, dame.'

'Doen jullie maar aardig,' antwoordde ze. 'Gooi mijn schoenen naar me toe en maak dat je wegkomt.'

'Dat is toch geen manier van praten!'

De man bukte zich, met een opzettelijk langzame beweging, om de schoenen op te rapen. Hij wierp ze met een boog in haar richting en ze ploften in het zand als twee zwarte vogels. Ze lagen nu tussen haar en hen in. Dodies enige gedachte was vluchten. Ze keek opzij. Het zand van de helling omhoog was zacht en glad en zou als nat cement aan haar voeten zuigen. Ze zouden haar daar gemakkelijk kunnen inhalen. Achter haar lag de donkere massa van de zee.

Ze draaide zich met een ruk om en begon naar het water te rennen, haar knieën zo slap als rubber. Beide mannen kwamen in volle vaart achter haar aan, schreeuwend en scheldend, bang haar kwijt te raken, en de lange Bahamaan was snel. Te snel. Zijn kreten klonken steeds dichterbij en het maanlicht gleed onder haar voeten door toen ze tot aan haar knieën de zee in ploegde. Ze dwong zich te blijven staan. Na te denken. Om te kijken. Beide mannen stonden aan de waterkant, stapten terug van de branding, aarzelden. Schreeuwden tegen elkaar.

'Kom maar op,' hoonde ze, terwijl ze in de golven schopte en naar de mannen spetterde. Ze daagde hen uit, zichzelf als lokaas aanbiedend. 'Doe niet zo bang. Is het water soms te koud voor jullie?'

Met een vloek rukte de Bahamaan zijn schoenen uit en rende de zee in. Ze bleef staan. Wachtte met luid bonzend hart tot beide mannen met hun benen in het water stonden, en toen ze aarzelden, ongemakkelijk en nat, lachte ze hen uit.

'Durven jullie niet?' joelde ze.

Dat deed het. Ze stortten zich naar voren, recht op haar af, maar ze wachtte niet. Ze ging ervandoor, snelde naar links, met haar knieën hoog boven het water, als een hordenloper. Ze scheerde over de golven en rende met een boog om de mannen heen naar de kust. Te laat beseften ze hun vergissing. Maar tegen die tijd snelde Dodie al over het strand naar de bomen. Koortsachtig griste ze haar schoenen mee en verdween in de zwarte schaduwen waar zelfs het maanlicht haar niet kon vinden.

Ze kon hen nog steeds horen. Hun geschreeuw. Hun gevloek. Hun dreigementen. Ze bleef geruisloos tussen de bomen door glippen, voor hen uit, maar het was kantje boord. Ze doorzochten het gebied, porden in de schaduwen, riepen en stampten door het struikgewas. Pas toen ze stil werden, dreigden Dodies benen het te begeven.

Dodie had haar schoenen aangetrokken en rende omhoog, in de richting van Bain Town. *Het is nu niet ver meer*, zei ze tegen zichzelf. Dat moest ze gemakkelijk kunnen halen. *Geen paniek nu. Ze zitten ver achter je.* Maar ze beefde nog steeds.

Dit was haar nooit eerder op het strand overkomen. Dus waarom nu? Wat was er toch aan de hand? Haar leven was volledig overhoopgehaald sinds de nacht waarop ze Morrell had geholpen. Wat voerde u toch in uw schild, meneer Morrell? Geef me in hemelsnaam een aanwijzing, maak het me niet zo moeilijk. Haar longen barstten bijna, haar jurk was doorweekt. Ze rende voorbij een rijtje vervallen huizen en een enorme tamarinde die hoog afstak tegen de nachthemel. Geen straatlantaarns hier. Alleen maar maanlicht en ratten.

Toch hoorde ze hen niet. Ze grepen haar van achteren vast, dezelfde twee mannen. Hoe hadden ze haar gevonden? De ene greep haar bij haar haar en rukte haar hoofd achterover, de andere greep haar bij de ceintuur van haar jurk en trok haar omver.

'Kreng.'

Ze viel op haar knieën en deed haar mond open om te schreeuwen, maar een klap op haar hoofd deed hem voor haar dicht, en haar tanden beten hard op haar tong. Ze proefde bloed en zag lichtflitsen door de tamarindeboom schieten.

'Dacht je soms dat je ons kon afschudden?' Een greep als van een klem draaide haar haar rond. 'Dacht je dat?' Rukte aan haar haar. 'Dacht je dat, juffrouw Wyatt? Dacht je nou echt dat je ons had afgeschud?'

Dodie haalde uit. Met haar voeten en vuisten vocht ze tegen hen, en haar ontzetting gaf haar kracht. Het was de kleine, de blanke, de rotzak die haar hoofd van haar romp probeerde te trekken. Ze had geen idee hoe ze haar vanaf het strand waren gevolgd, ze was zo voorzichtig geweest. Ze probeerde te schreeuwen, om hulp te roepen, maar er werd een hand voor haar mond geslagen. Ze beet er hard in, tot op het bot.

Een doordringende gil. Toen landde er een vuist hard in haar hals en kon ze geen lucht krijgen. Ze schopte, stak met vingers naar ogen en haalde nagels over een wang, maar de grootste kerel draaide haar om als een stuk speelgoed en smeet haar plat op haar buik op de weg.

'Nee!'

Zijn harde handen drukten haar omlaag. Duwde haar mond in het grind.

'Nee!'

Ze begonnen haar met hun vuisten te slaan, te stompen, te beuken, en de pijn sneed wild door haar lichaam totdat, zonder enige waarschuwing, haar geest haar in de steek liet. Opzij stapte. Haar aan de mishandeling overliet. Haar geest keek naar haar vanaf een plek hoog in de tamarindeboom, en zag hoe twee criminelen haar mishandelden en steeds opnieuw zeiden dat ze een dwaas was.

Dwaas.

Dacht je nou echt dat je zomaar je gang kon gaan? Kijk maar naar wat Morrell is overkomen.

Opeens explodeerde er een schreeuw van woede in haar oren, afkomstig van een stem die ze kende.

'Blijf verdomme met je poten van haar af!'

Er klonk gekraak, gevolgd door een kreet, en de handen lieten haar los. Zomaar. Zonder iets te zeggen. Ze was vrij.

Haar hoofd rolde meteen opzij, zoog lucht in haar longen, en ze ontwaarde de kleine man, de gemene blanke, die in de goot rolde. Hij greep naar zijn been, dat van een ander leek te zijn omdat het in een vreemde hoek stond. En de grote man, bij wie het bloed uit de neus stroomde, verrees als een enorme beer om een kleine, tengere gestalte tegenover hem aan te vallen.

Maar de nieuwkomer wachtte de aanval niet af. Er was een flits van een beweging, een harde leren schoen die de grote man in het kruis raakte. Hij sloeg dubbel met een kreun die hem naar lucht deed happen, en de slanke gestalte bewoog zich achter hem en verkocht hem de ene stomp na de andere in zijn nieren. Vervolgens deed een elleboog tegen zijn slaap de Bahamaan op de grond tuimelen.

De tamarindeboom leek te schudden, en Dodie kon het trillen ervan onder zich voelen toen ze probeerde te gaan zitten. Er blafte een hond en in een huis vlakbij ging een licht aan. Er klonken stemmen in de straat. De gestalte die haar had gered, stond over haar heen gebogen, zei iets, raakte haar gezicht aan en hielp haar overeind. Maar het enige wat ze kon zien was de bezorgdheid in zijn ogen en het enige wat ze kon horen was de woede die in haar oren bonsde.

27

Flynn

'Vertel het me.'

'Wat moet ik je vertellen?' vroeg Flynn. Alsof hij het niet wist. Alsof hij het niet kon zien.

'Vertel me wat er gaande is.'

'Je moet eigenlijk rust hebben.'

Ze zaten op het matras in de hut in Bain Town. Het matras lag dun en hobbelig op de vloer en rook naar de lichamen van anderen. Hij had haar hiernaartoe gedragen vanaf de plek waar ze was aangevallen, en waste voorzichtig het opgedroogde bloed van haar kin. Hij wenste dat hij de herinnering aan de mishandeling uit haar geest kon wassen, en hij was ongerust omdat haar huid koud aanvoelde, ondanks de drukkende hitte in de hut. Ze beefde nu niet meer, maar de fijne beenderen van haar gezicht zagen er dun uit, broos als een eierschaal, alsof ze zouden breken wanneer hij ze aanraakte. Bij het aarzelende licht van de kaars hadden haar ogen de kleur aangenomen van tijgeroog, met kleine vuren die er woest in brandden. Ze waren op zijn gezicht gericht, lieten hem niet los.

'Het is niet mijn bloed,' vertelde ze hem. 'Het is van de beet.'

'Beet? Heb je hem gebeten?'

'Ja. In zijn hand.'

Hij keek naar haar kaak. Naar de hoeveelheid bloed. 'Dat moet een flinke beet geweest zijn.'

Ze vouwde haar vingers zacht rond zijn hand die de doek vasthield, en ze trok die in haar schoot. 'Met een beetje geluk heeft hij rabiës opgelopen.'

Hij schoot in de lach. Hij had het op dat moment niet voor mogelijk gehouden, maar de lach welde ergens vandaan op en liet hen allebei schrikken.

'Vertel me wat er gaande is,' zei ze.

Flynn besefte maar al te goed waar hij naar zat te kijken. Het was bedwongen kalmte. Het soort dat acute angst verbergt. Ze had alle reden om bang te zijn. Ze had het volste recht om de waarheid te willen weten. Maar de waarheid lag zo diep in hem begraven dat de woorden moeilijk te bereiken waren, zelfs wanneer hij ze aan haar wílde geven. Dus begreep hij haar vraag opzettelijk verkeerd.

'Ik ging je zoeken,' zei hij. 'Ik kwam vanavond om elf uur naar het Arcadia om je na je werk naar huis te brengen.'

'Waarom?'

'Het bevalt me niet zoals jij 's nachts in je eentje over straat zwerft.'

Ze maakte een geluid. Toen tilde ze zijn hand op en plaatste een kus op de rug ervan. Het was een dank je wel, open en eerlijk, en hij was er hevig door geschokt. Hij had het niet verwacht. Dat soort vertrouwen. Hij was te zeer gewend aan een leven van leugens en bedrog. Hij wilde haar aanraken, hij wilde haar haar, dat wild en verward was, gladstrijken, alsof hij door dat te doen het wezen met de wilde ogen in haar tot bedaren kon brengen.

'Dank je,' zei hij zacht.

Er was iets in haar veranderd sinds de mishandeling. Alsof de klappen die ze had gekregen het pantser hadden opengebroken waarachter ze zich zo lang had verscholen, en nu lag er in haar ogen een openhartigheid die er eerder niet was geweest. Dit maakte dat de woorden, die zich bij hem zo lang op donkere plaatsen hadden opgehouden, nu aan hun lange reis naar boven begonnen.

'In het hotel zeiden ze dat je vroeg naar huis was gegaan, dus ben ik hier naar Bain Town gekomen. Maar...' Hij haalde zijn schouders op alsof het niets betekende. '... je was ook niet hier.'

Hij vertelde het haar niet. Over de angst toen hij op dat uur zag dat de hut donker en leeg was. Hoe hij een metalen pen in het slot had gestoken en het open had gemaakt en had gecontroleerd of haar lichaam daar niet lag, als een lappenpop op de vloer. Dat vertelde hij haar niet.

'Ik ben naar het strand gegaan.'

Hij had het liefst tegen haar geschreeuwd. Maar hij zei slechts: 'Je zou eigenlijk voorzichtiger moeten zijn.'

Ze knikte.

'Ik liep net weer omlaag naar de stad,' ging hij verder, 'toen ik jou zag...'

'Robbedoezen met mijn twee vrienden?'

Haar woorden klonken vlijmscherp en ze wreef met haar hand over de zijne, drukte beide handen tegen elkaar. 'Dank je wel, Flynn. Voor je hulp.' Haar ogen waren groot toen ze hem aankeek. 'Je vecht hard.'

'Ik heb enige ervaring.'

'Dat dacht ik al.'

'Hoe erg is het met je rug?'

'Ik overleef het wel.'

Hij streek met zijn vingertoppen over haar hals, waarop zelfs bij het flauwe kaarslicht een grote kneuzing te zien was. 'Ja,' zei hij, 'je overleeft het wel.'

Ik zal ervoor zorgen dat je het overleeft.

'Ik had dood kunnen zijn – of nog erger – als jij niet was gekomen, Flynn.'

'Dat denk ik niet.'

Hij zag haar ogen knipperen.

'Wat bedoel je daarmee?'

'Ik bedoel...'

'Zeg eens.' Haar hand schoof over zijn onderarm zijn mouw in, alsof hij de antwoorden onder zijn overhemd voor haar verborgen wilde houden.

'Ik bedoel...' Hij bespaarde haar niets. '... kijk maar naar Morrell. Als ze je dood wilden hebben, was je nu dood geweest. Het was hun bedoeling je pijn te doen.'

Hij zette thee voor haar op een oud oliefornuisje dat hij voor haar had meegebracht. Hij legde haar op haar zij op het matras, en zorgde ervoor dat hij haar rug niet aanraakte. Haar jurk van het Arcadia was vies en besmeurd en haar huid werd van koud heel warm, alsof iemand er een vuur onder had gestookt. Hij ging naast haar zitten op het matras en wapperde met een palmblad om haar wat koelte toe te wuiven en de inhalige muskieten op een afstand te houden. Ze lag met haar ogen dicht maar hij wist dat ze niet sliep, en hij luisterde naar haar adem die haar longen in en uit fluisterde, een oppervlakkige versie van ademhaling om haar gekneusde ribben te sparen.

Terwijl buiten de uren van de nacht verstreken, stak er een wind op van zee, die het golfplaten dak liet rammelen, als een insluiper die binnen probeerde te komen. Flynn begon gewend te raken aan de manier waarop dit eiland zich 's nachts losschudde en tot leven kwam, vol geluiden en geuren waarvan de lucht doordrenkt raakte. Hier was het zwart nog zwarter, zo zwart dat je erin kon duiken, en de sterren waren nog helderder. Heel anders dan de harde, grijze straten van Chicago. Het had hem aanvankelijk onzeker gemaakt, zijn kiezen op elkaar doen zetten, het vreemde van dit eiland, maar hij begon er nu aan gewend te raken. Hij constateerde dat hij zelfs minder rookte, zodat hij de geuren beter kon ruiken.

Hij zat in de vochtige duisternis, met één hand stevig tussen die van Dodie geklemd. Daardoor wist hij dat ze wakker was. Hij voelde haar greep hardnekkiger worden toen de maan door het raam klom en naast haar op het bed ging liggen. Het was niet alleen de greep op zijn hand. Het was haar greep op zijn hart, die steeds steviger werd.

28

Dodie

*D*odie werd wakker. Ze luisterde naar de vreemde geluiden in haar hoofd. Ze verroerde zich niet. Als ze bewoog, zou alles pijn doen. Maar ze durfde haar ogen open te doen en vond Flynn daar, zittend met zijn rug tegen de deur, om de ingang te barricaderen. Hij keek naar haar. Glimlachte naar haar. Ze glimlachte terug en gedurende enige tijd was dat alles waar de snikhete hut van vervuld was. De lucht voelde groezelig aan en het stonk naar talg van de uitgebrande kaars. Het vroege ochtendlicht filterde naar binnen, grauw als spinrag, maar het voerde ook de heftige herinnering aan de afgelopen nacht met zich mee, met de vernedering op het strand en de mishandeling op straat.

'Voel je je al wat beter?' vroeg Flynn zacht.

'Een stuk.'

Er ontsnapte hem een geluidje waarvan ze besefte dat het een gesmoorde lach was.

'Mooi zo,' zei hij. 'Klaar voor het ontbijt?'

Ze knikte, en had daar meteen spijt van.

'Flynn, wie waren die mannen? Ze kenden mijn naam.'

Zijn ledematen verstrakten en hij schoof naar voren. 'Ze zijn 'm gesmeerd. Die grote rotzak moet een schedel van graniet hebben. Ik was er zeker van dat hij buiten westen was. Toen ik hier klaar was met jou, ben ik teruggegaan, maar ze waren allebei verdwenen. Die blanke vent had een gebroken been, dus moet die grote hem hebben gedragen.'

'Heeft iemand gezien waar ze naartoe gingen?' Ze hoorde hoe de angst in haar stem kroop.

'Nee, niet dat ze zeiden. Wil je dat ik de politie erbij haal?'

'Politie? Nee, dank je. Die mag je van me houden.'

Het kwam er heftiger uit dan ze had bedoeld en ze zag dat hij zich afvroeg wat de politie van Nassau had misdaan om haar zo te laten reageren.

'De bewoners van Bain Town zijn heel gesloten,' legde ze uit. 'Ze hebben niet de minste behoefte de politie hier over de vloer te krijgen. Bovendien, wat zou het voor zin hebben? De politie zou niets bereiken en alleen maar zeggen dat het mijn eigen schuld is omdat ik 's avonds laat over het strand wandelde en die mannen...' Ze huiverde.

'Niet doen, Dodie.'

'Wie waren die mannen?' vroeg ze kwaad. 'Wat is er toch allemaal gaande? Wat doe jij hier in Nassau? Of hier in deze hut? Vertel me dat eens.'

Maar hij gaf geen antwoord op haar vragen. Wel schoof hij een beetje dichter naar het matras waarop ze lag.

'Het is allemaal vanwege de gewonde man die jij hebt geholpen. Dat besef je toch wel?'

'Morrell?'

'Ja.'

'Ik heb een theorie over hem.'

Flynn ging wat meer rechtop zitten. 'En die luidt?'

'Ik denk dat hij bezig was sir Harry Oakes te chanteren.'

'Wat?'

'Dat klopt.' Onder aan haar schedel begon het te bonzen.

'Waarmee klopt dat?'

'Het klopt met het feit dat Morrell geheimzinnig deed over waarom hij hier was, en dat hij zo bang was dat iemand hem iets wilde aandoen. En het klopt met de gouden munten die hij in zijn bezit had.'

'Had hij gouden munten?'

'Ja.'

'Heb je die gezien?'

'Ja.'

'Hoeveel?'

'Twee. Kennelijk verzamelt sir Harry Oakes gouden munten. Ik vermoed dat hij Morrell daarmee heeft afgekocht.'

'Godsamme, Dodie, hoe kom je hier in vredesnaam bij?'

Maar ze had het allemaal zorgvuldig overdacht.

'Er woont hier op het eiland een vrouw, een zekere Ella Sanford. Ze was die avond samen met Morrell en met sir Harry.'

'Hoe weet je dat?'

'Dat heeft ze toegegeven toen ik haar sprak. Maar ik weet zeker dat ze liegt over wat er is gebeurd.'

'O Dodie, kom op, zeg! Zelfs als je gelijk hebt wat haar betreft – en dat is misschien niet het geval – dan is het nog steeds een enorme stap om op chantage te komen.'

'Maar stel nou eens dat ze een verhouding hadden?'

'Morrell? En die vrouw?'

Dodie schudde haar hoofd. 'Nee, natuurlijk niet.' Het was net of haar hoofd door de kamer zweefde. 'Sir Harry en Ella Sanford. Dat is mogelijk.' Flynns gezicht zweefde weer in haar beeld. 'Misschien is Morrell er op de een of andere manier achter gekomen en chanteerde hij hen. Toen hij uiteindelijk besefte dat hij het niet zou halen, vroeg hij mij een gouden Napoleon aan haar te geven. Als waarschuwing, denk ik. Hij wist dat Oakes huurmoordenaars had ingehuurd om hem te doden, en hij wilde haar waarschuwen bij zo'n man vandaan te blijven.'

Flynn staarde haar aan, met grote ogen vol ongeloof. 'Dat is wel een heel wild verhaal dat je daar hebt bedacht.'

'Maar het klopt wel.'

Ze schrokken allebei toen er een hond in de straat blafte. Ze waren de buitenwereld vergeten.

'Zodra sir Harry wist,' ging ze verder, 'dat ik Morrell had verzorgd, bood hij me een baan aan. Om mij m'n mond te laten houden. Hij is een gevaarlijke man, Flynn, deze achtenswaardige heer.'

'Dus jij denkt dat hij degene is die die kerels opdracht heeft gegeven om jou gisteravond in elkaar te slaan?'

'Ja.' Ze zweeg, zich ervan bewust dat er in de kamer iets gaande was waarvoor haar hoofd te versuft was om het te kunnen grijpen. 'Jij niet?'

Hij bleef lang stil. Ze verwachtte dat hij een sigaret zou opsteken, maar dat deed hij niet. In plaats daarvan bleef hij haar strak aankijken.

'Er is iets wat ik je wil vertellen,' zei hij.

Dodie wachtte. Ze probeerde moeizaam te gaan zitten, maar ze kwam niet verder dan steunen op een elleboog.

'Johnnie Morrell was mijn vriend.' Zijn stem klonk triest.

Ze voelde hoe er iets donkers de kamer binnen kwam, iets kouds en verstikkends. Het duurde een volle minuut eer ze het herkende als verdriet.

'Hij en ik waren samen hierheen gekomen om een zakelijke overeenkomst te regelen. Ik moest hem in de rug dekken, maar... hij is gestorven.'

'Flynn,' fluisterde ze. 'Nee.'

'Het is alsof ik hem zelf met een mes heb gestoken.'

29

Flynn

Dodie zag er erg slecht uit. De pijn had haar bleke gezicht getekend en de aanblik hiervan deed Flynn verdriet. Maar op de een of andere manier wist ze overeind te komen en ging ze recht voor hem op de vloer zitten, terwijl ze zijn beide handen in de hare nam.

'Niet doen. Nee,' zei ze weer. 'Ik was degene die hem liet sterven. Niet jij.'

'Denk je dat echt?'

'Ja.'

Hij haalde diep adem en hield die lang vast omdat hij wist dat hij haar in vertrouwen ging nemen. Hij besefte dat zijn leven op het spel stond, en ook dat van haar.

'Dodie, je hebt het helemaal mis. Johnnie Morrell heeft niemand gechanteerd. Ik zal je vertellen wat er die avond is gebeurd.'

Haar handen grepen de zijne stevig vast.

'We zijn hier na donker aan land gegaan,' vertelde hij haar. 'Er was een boot die ons van het vliegtuig naar de andere kant van het eiland, in de buurt van Lyford Cay, heeft gebracht. Het was een woeste zee. Morrell was zo zeeziek als een hond, de arme kerel. Maar we zijn hier gekomen en gingen toen samen de verkoop van een stuk land met iemand regelen, en...'

'Ben jij hier om land te kópen?'

'Grote hemel, nee, zoveel poen heb ik niet. Morrell en ik werken...' Hij corrigeerde zichzelf. 'Morrell en ik wérkten voor een organisatie in Amerika die zwaar op de Bahama's wil investeren.'

'Waarom zijn jullie 's nachts gekomen? Waarom stiekem?'

'Op dit moment is alles nog onder embargo. Dan worden er geen vragen gesteld. Dat is veiliger.'

'O.'

'Dus toen de bespreking was afgelopen en we een paar whiskys met die kerel hadden gedronken, besloot Morrell dat hij niet langer wilde blijven rondhangen en...'

'Met wie was die bespreking?'

'Verdomme, Dodie, dat wil je niet weten.'

Ze keek hem woest aan. 'Toch wel. Als ik wist met wie jullie bespreking was, en waar die over ging, zou ik een beter idee hebben waarom ik tot moes was geslagen en waarom mijn huis in brand was gestoken. Dat ben je me toch zeker wel verplicht?'

Hij draaide haar handen om en wreef met een duim over haar koude palmen. 'Tuurlijk,' zei hij. 'Dat ben ik aan jou verplicht.'

Maar hij aarzelde nog steeds. Alles wat hij haar vertelde kon niet meer ongedaan worden gemaakt.

'Het was met sir Harry Oakes, hè?' drong ze aan.

Hij knikte. Hij wilde deze keer niet tegen haar liegen. 'Dat valt niet moeilijk te raden. Hij is degene met de meeste poen op dit eiland.'

'Vertel me dan wat er is gebeurd.'

'Na die bespreking was Johnnie Morrell te opgefokt en had hij te veel haast. Hij wilde niet langer blijven rondhangen terwijl Oakes en ik nog wat details regelden. Hij begon in het donker de paar kilometer van Cable Beach – dat is waar het huis van Oakes in Westbourne staat – naar de stad te lopen. Hij zei dat ik maar naar hem toe moest komen als ik klaar was.'

'Maar?'

'Maar toen liep alles in de soep. Ik was klaar met Oakes en ik...' Hij haalde ongemakkelijk zijn schouders op. '... dronk nog een laatste whisky met hem en vertrok vervolgens. Ik was op nog geen steenworp afstand achter Morrell toen er een donkere sedan langzaam in de verlaten straat voorbij kwam rijden. Ik kon hem al voor me zien, in het licht van de koplampen. Ik zag de auto naast hem stoppen, en hij stak zijn hoofd naar binnen om te praten met wie er in die auto zat.'

Flynn was er in gedachten weer terug. De remlichten van de auto die uit het donker naar hem knipoogden. Een schreeuw die hij slaakte, zijn benen die razendsnel in actie kwamen, de angst om zijn vriend, die hem verteerde terwijl hij holde.

'Morrell stapte achter in de auto, de stomme idioot, en ze reden weg in de richting van de stad.' Flynn tikte op het midden van zijn voorhoofd. 'Wat ging er toch in zijn hoofd om? Hoe kon hij zoiets stoms doen? Hij was veel te snugger om een lift van een vreemde aan te nemen. Hij was altijd voorzichtig, daarom was hij voor deze klus gekozen. Dus wat voor idiote gedachten gingen er door die dikke schedel van hem?'

Ze streelde hem over zijn pols, in een poging hem te kalmeren.

'Misschien,' opperde ze kalm, 'kwam het door de drank. Te veel whiskys met sir Harry, die zijn oordeelsvermogen beïnvloedden? Of was hij te dronken om verder te kunnen lopen?'

Flynn schudde nadrukkelijk zijn hoofd. 'Nee, Johnnie wist heel goed hoe hij met drank moest omgaan.'

'Misschien kende hij de chauffeur.'

'Nee.' Hij veegde een dikke lok van haar haar, die over haar wang was gegleden toen ze zich naar voren boog, opzij, en hij voelde hoe kil haar huid nog steeds was. 'Johnnie kende hier niemand. Dat heeft hij me zelf verteld.' Er ging een steek van verdriet door hem heen. 'Hij was hier nooit eerder geweest.'

Hij legde beide handen op haar schouders om ervoor te zorgen dat ze niet voorover kon vallen, maar haar gloeiende zwarte ogen keken hem strak aan.

'Waar zijn die gouden munten dan vandaan gekomen?' fluisterde ze.

30

Dodie

*D*odies stem klonk zo ijl dat ze zichzelf amper kon verstaan. 'Waar, Flynn? Waar had Morrell die munten vandaan?'

Als zijn gezicht niet zo dicht bij het hare was geweest, zou ze niet hebben gezien hoe zijn pupillen kleiner werden, of de fractie van een seconde dat zijn mondhoeken verstrakten, voor hij teder naar haar glimlachte en een hand onder haar kin schoof en die even in zijn palm hield. Tot dat moment had ze geen idee gehad dat haar hoofd naar voren begon te vallen. Zijn hand voelde warm aan. Of was haar kin zo koud? Ze probeerde haar ogen scherp te stellen op zijn gezicht, maar dit veranderde steeds van plaats. Achter zijn hoofd leken de muren te bewegen.

'Dodie,' zei hij. Het woord bereikte haar oren met enige vertraging. 'We gaan je in bed stoppen, je hebt slaap nodig.'

Maar ze stak een hand uit en greep hem bij de voorkant van zijn overhemd. 'Flynn, heeft hij je de munten laten zien? De twee Napoleons?'

'Ga nu slapen, Dodie.'

'Heeft hij ze laten zien?'

'Ja, hij heeft ze laten zien.'

'Heeft hij ook gezegd waar hij ze vandaan had?'

'Nee. Hij heeft me er niets over verteld.'

'O.' Ze wilde niet dat het een leugen was.

Hij sloeg beide armen om haar heen, drukte haar tegen zich aan, en pas toen besefte ze dat zij degene was die heen en weer ging, niet de muren. Hij trok haar tegen zich aan en kuste haar verwarde haar. Dat was troostvol.

'Luister, Dodie, dit is alles wat ik over die munten weet. Je zei dat Morrell je had gevraagd er één aan mevrouw Sanford te geven en je dacht dat dit voor haar een waarschuwing was dat ze sir Harry Oakes niet moest vertrouwen. Ja?'

Ze dacht dat ze ja zei, maar het klonk als een grom. Haar wang lag tegen zijn overhemd.

'Nou, Dodie, volgens mij heb jij het mis. Ik denk dat het inderdaad een waarschuwing was, ja. Maar dat ze Oakes moest vertrouwen en moest zwijgen over dat ze Morrell in Westbourne had ontmoet. Want degene die Morrell heeft vermoord, zal nu achter haar aan gaan als hij erachter komt dat ze erbij was.'

Dodie voelde iets trillen. Ze probeerde er geen acht op te slaan, maar het duurde voort, dus ging ze rechtop zitten en raakte zijn gezicht aan om te zien wat er aan de hand was. In het schemerige licht was ze geschokt te zien dat haar hand beefde. Flynn was af en toe scherp te zien, en dan weer niet, en ze had geen idee of de tederheid van zijn blik echt was of dat ze het zich verbeeldde.

'Flynn,' zei ze zacht, 'je bent een goed mens.'

Hij lachte, een vreugdeloze lach.

'Is dat zo?' zei hij.

'Maar waarom kom jij in mijn leven met geweld en verwoesting in je kielzog? Wie ben je?'

Flynn ging staan en tilde haar op voor ze plat op haar gezicht zou vallen. Hij legde haar op het matras en wikkelde het laken om haar huiverende lichaam om haar warm te houden. Hij bukte zich weer om haar haar te kussen, maar ze sloeg een arm om zijn nek en trok zijn mond naar de hare. Zijn lippen waren warm en smaakten naar het eiland, maar ze trokken zich snel weer terug. In plaats daarvan streelde hij haar gewonde hals met de achterkant van zijn vingers.

'Ik ben je beschermengel,' fluisterde hij. En toen hij deze keer zachtjes lachte, vlocht zijn lach zich in het weefsel van het laken en lag daar op haar te wachten, elke keer dat ze haar hoofd draaide.

31

Flynn

Flynn bewoog zich in de schaduwen, haast zonder ze te verstoren. Ten westen van Nassau lag een zijdezachte duisternis waarin nog steeds sterren waren te zien, maar in het oosten was de lucht duifgrijs, met bloedrode vegen erdoorheen.

Hij zocht behoedzaam de donkere kant van de ruime bungalow. Hij schoof het lemmet van zijn stiletto tussen de luiken, toen onder de pal van het raam en schoof dit net voldoende omhoog om over de vensterbank te kunnen glippen, de kamer in. Het was een soort bibliotheek, kasten vol boeken die in het schemerduister te zien waren. Flynn sloop snel naar de deur en deed hem op een kier open. Stilte, even zwaar als de revolver in zijn zak. Voor hem lag de brede hal. Hij luisterde. Nergens ook maar iets van een geluid.

Dit was zijn wereld, een wereld van heimelijkheid en geweld, een plek waar mensen verwondden en gewond raakten. Hij had geleerd onhoorbaar adem te halen en zijn hart langzaam te laten kloppen, snel te klimmen en niet in paniek te raken wanneer er een revolver in zijn gezicht werd geduwd. Hij was er goed in geworden. Het was geen wereld die hij leuk vond, maar het was de wereld waarin hij leefde. Alleen wilde hij er nu uit.

'Maak geen enkel geluid.'

Flynns hand lag over de vochtige mond van de man in het bed. In zijn andere hand prikte de punt van de stiletto een gaatje in de hals van de man. Zijn voeten verkrampten even onder het laken, maar toen bleef hij stokstijf liggen, met grote ogen van ontzetting, terwijl hij naar Flynn omhoog staarde alsof hij hem nog nooit had gezien.

'Meneer Spencer,' fluisterde Flynn, zo dichtbij dat hij zijn adem kon ruiken, 'het wordt tijd om eens van gedachten te wisselen. Sta op.'

Hij haalde het mes van Spencers hals weg en voelde hem huiveren. De slaapkamer was in duisternis gehuld, de luiken dicht, maar hij kon op het kussen naast het hoofd van de man vaag de contouren ontwaren van een ander hoofd, en hij kon de regelmatige ademhaling horen, niet gestoord door de geruisloze aanwezigheid van een indringer. Hij trok het laken weg en Spencer rolde gehoorzaam uit bed. Maar van de arrogantie en minachting waarmee hij Flynn onlangs in de bar had bejegend, was nu niets meer over.

Hij droeg slechts een pyjamabroek en Flynn hield een hand op zijn schouder, om hem de slaapkamer uit naar de kamer ernaast te loodsen. Spencer knipte het licht aan. Het was een kleine kleedkamer die naar haarolie stonk, en hij was smal genoeg om ervoor te zorgen dat ze niet bij elkaar vandaan konden komen.

'Wat doe jij voor den donder in mijn huis?' siste Spencer tegen hem, met vuurrode wangen, terwijl hij probeerde de situatie meester te worden. 'Maak onmiddellijk dat je...'

Flynn duwde hem met geweld tegen de kastenwand, met zijn hand tegen zijn blote borst.

'Waag het niet,' gromde Flynn in zijn gezicht, 'om Dodie Wyatt ooit nog met een vinger aan te raken.'

'Grote god, dat is belachelijk. Ik ben op geen enkele manier bij haar in de buurt geweest.'

'Je hebt je schurftige honden op haar afgestuurd, klootzak.'

'Nee.'

'Een van hen heeft nu een gebroken been.'

'Godsamme, Hudson. Dus dat was jij! Ik had het kunnen weten. Waar ben je voor de duivel mee bezig? Blijf met je handen van me af.'

Flynn deed een paar stappen achteruit, naar de muur ertegenover, om zich ervan te weerhouden de nek van de man te breken.

'Ben je nou helemaal krankzinnig geworden?' wilde Spencer weten. 'Om hier zomaar binnen te komen. Daarvoor ben je niet hierheen gestuurd. Je hoort verslag uit te brengen aan Lansky in Miami, en precies te vertellen wat er hier fout is gelopen en waarom je een puinhoop hebt gemaakt van de klus die je had moeten...'

'Hou je kop.'

'Je hebt niet zo'n toon tegen me aan te slaan, alsof...'

'Kop. Dicht.'

Flynn verhief zijn stem niet. Hij staarde door de kamer de man aan tot de kleine ruimte zich leek te vullen met het onuitgesproken dreigement dat tussen hen lag.

'Laat Dodie Wyatt met rust.'

'Onnozele hals die je bent,' antwoordde Spencer, die zijn stem nu meer onder controle had. 'Ze zal jou bij de moord betrekken.'

'Nee.'

'Ze heeft een waarschuwing gekregen. Dat zou genoeg moeten zijn. Je zou mij juist dankbaar moeten zijn. Je kunt Nassau nu laten zitten en...'

'Ik zal je dankbaar zijn.' Flynn zei het zacht.

Spencer sloeg zijn armen strak over zijn blote borst. De blik van paniek in zijn ogen op dit moment vertelde Flynn wat voor man Spencer was. Flynn had het eerder zien gebeuren. Wanneer je een kerel in het nadeel plaatst, beseft hij pas hoeveel hij te verliezen heeft.

'Luister goed,' zei Flynn tegen Spencer, nu hij zijn volle aandacht had. 'Ik zal Nassau laten zitten. Maar ik vertrek pas wanneer ik hier klaar ben. En ga jezelf nou niet wijsmaken dat ik geen...' Hij zweeg even en zag het zweet op Spencers bovenlip tussen de stoppels glinsteren. '... speelruimte heb. Want ik heb alle speelruimte die ik nodig heb.'

'Je bluft maar wat.'

Ze wisten allebei wat *speelruimte* betekende wat de maffia betrof. Het betekende een vrijbrief om te manoeuvreren. Een vrijbrief om kerels eruit te duwen, zelfs wanneer het er een van jezelf was.

Hij blufte inderdaad. Maar Spencer wist dat niet. Toch had die kerel iets gevaarlijks over zich, dat kon Flynn voelen. Hij was het soort man voor wie je altijd op je hoede moest blijven.

'Ziezo,' zei Flynn, 'nu dat duidelijk is, mag je van mij weer bij je vrouw in bed kruipen.' Hij deed een stap naar de deur. 'Ik neem aan dat het je vrouw is?'

'Natuurlijk is dat mijn vrouw.'

'Zeg haar maar van mij dat ze in een mooi huis woont.'

'Is dat een dreigement?'

'Ik ben alleen maar beleefd.'

Spencer haalde zijn armen van elkaar en balde zijn handen tot vuisten naast zich. Flynn zag hoe zijn blik heel even naar de bovenste lade van een fraaie ladekast ging.

'Hudson, je weet toch wel dat die griet van Wyatt een slet is? Ze belazert je waar je bij staat.'

Flynn bleef roerloos staan.

'Kijk maar niet zo, Hudson, het is waar. Vraag het maar aan iedereen. Ze staat erom bekend. Werkte vroeger in een atelier, tot ze een oogje kreeg op de zoon van de baas. Zoemde als een muskiet om hem heen. Hij is gelukkig getrouwd en had er geen trek in, dus begon ze tegen iedereen te gillen dat hij haar had verkracht. Verduivelde lastpost, die meid. Valt niet te vertrouwen. Heeft Morrell waarschijnlijk zelf om zeep gebracht en is toen huilend naar de polite gelopen om...'

Flynns hand was om zijn keel.

De paniekogen puilden uit, maar er lag geen vechtlust in. Flynn kwam in de verleiding nog iets steviger te knijpen, tot hij de klik hoorde die stilte bracht, en dan zou Nassau weer een rat kwijt zijn. Maar het beeld van het donkere hoofd dat in de kamer ernaast nog op het kussen lag te slapen, kwam hem voor de geest en hij liet abrupt los en stapte achteruit.

Spencer greep naar zijn keel, sloeg dubbel en hapte naar lucht terwijl Flynn kalm in de bovenste lade van de hoge kast greep en de Colt-revolver tussen de keurig opgevouwen sokken vandaan viste. Hij schoof het wapen in zijn broeksband. Van het bovenblad van de kast verwijderde hij een haarborstel met een rug van schildpad en stopte die in zijn zak. Hij wachtte geduldig tot Spencer weer overeind was gekomen, met tranende ogen, snotterende neus en vuurrode wangen.

'Denk vooral niet,' zei Flynn, 'dat hiermee de kous af is. Wanneer de zaken van de maffia met sir Harry Oakes zijn geregeld, zullen jij en ik dit afhandelen.'

'Ik zal dit rapporteren,' piepte Spencer kwaad, 'aan Lansky in Amerika.'

'Je rapporteert maar.'

'De maffia houdt niet van overlopers.'

Flynn schonk hem een kille glimlach. 'Dan zou ik dat maar niet doen, als ik jou was, tenzij je je met cement wilt laten vollopen.'

Hij stapte de kamer uit en maakte deze keer geen geheim van zijn voetstappen op de trap.

'Nou, nou, meneer Hudson, daar zie ik u staan en vraag ik me af wat u in hemelsnaam hier komt doen.' Mama Keel keek over Flynns schouder, alsof ze verwachtte dat Dodie uit de nevelslierten zou opduiken. 'Waar is de kleine Dodie?'

'Ze is thuis, in Bain Town. Ze is gewond.'

Het mooie gezicht van de vrouw vertoonde opeens een veelvoud aan rimpels, en haar vingers grepen zijn onderarm.

'Is het erg?'

'Erg genoeg.'

Zonder hem los te laten trok ze hem naar binnen en zette hem in een stoel. De eenvoud van het huisje beviel hem wel en deed hem denken aan zijn jeugd, toen kale vloeren de norm waren en stromend water een luxe. Eén armzalige kamer voor zijn ouders en hem. Een ijskoude zolder in de achterbuurten van Chicago waar uit het schuine plafond spinnen en kakkerlakken in zijn haar vielen, die zijn moeder er dan met een vrolijke lach weer uit plukte en tegen hem zei dat hij niet zo kinderachtig moest doen. Nou, hij had in elk geval geleerd niet kinderachtig te doen. Daar had zijn vader wel voor gezorgd.

'Mama Keel, ze heeft iets nodig tegen de pijn.'

Ze spraken zachtjes, om de baby, die in een kartonnen doos lag te slapen, niet wakker te maken.

'Wat is er gebeurd?' vroeg mama Keel.

'Ze is gisteravond laat overvallen. Neergeslagen en mishandeld. Twee kerels.'

'Lieve God in de hemel, het arme kind. Erg?'

'Ik geloof niet dat er iets is gebroken, maar ik weet het niet zeker. Ze wil het niet in het ziekenhuis laten bekijken.'

'En waar was jij?'

'Ik liep haar te zoeken. Ik liep in Nassau te zoeken, mama, als een stomme jachthond.'

'En de mannen die haar hebben aangevallen? Wie waren dat?'

'Ik weet het niet precies. Maar ze zijn nu niet helemaal heel meer.'

De lange vrouw knikte. Ze boog zich naar hem toe, zodat haar

186

grote, zwarte ogen met hun glinsterende paarse lichtjes tot in zijn binnenste konden kijken. Het was alsof ze hem met een blikopener opendraaide.

'Luister es goed, meneer Hudson, ik heb iets wat ik je wil zeggen, en je zult het niet allemaal even leuk vinden.'

Hij leunde achterover in de stoel. 'Mij best, mama, brand maar los.'

Ze begon potjes en zalven bij elkaar te zoeken, hem instructies te geven en zaadjes fijn te malen met een vijzel die van kokoshout was gemaakt. 'Weet je wat ik denk, meneer Hudson? Ik denk dat jij leeft in een wereld die rondtolt in een staat van chaos.'

Daar kon hij niets tegen inbrengen.

'Sommige dagen, meneer Hudson, word je 's morgens wakker en zie je niets anders dan een oceaan van zwarte olie en dode dingen om je heen. Het is waar, ik zie het in je schaduwen. Je bent omgegaan met mensen wier inhaligheid echter en zwaarder is dan rotsen of stenen, en hun begeerten kennen geen grenzen. Je hebt het gezien, meneer Hudson. Hoe ze hoereren met mooie jonge meisjes, en hoe ze levens verpletteren zonder er meer bij na te denken dan een kat die de vleugels van een vlinder afbijt.' Ze keek op en staarde hem aan. 'Is dat zo, meneer Hudson?'

'Ja, dat is zo.'

Haar handen waren bezig pakjes in een rieten mand te doen.

'Je hebt donkere schaduwen,' merkte ze op, 'echt donkere. Maar je hebt ook witte lichten, zo helder dat mijn ogen er pijn van doen.' Ze grijnsde naar hem, waardoor hij zich even overvallen voelde, en hij grijnsde terug als een dwaas.

'Mama Keel, je hebt ogen als een havik.'

'En ik hou je in de gaten, meneer Hudson.'

'Dodie wil dit gedoe met Morrell niet loslaten,' zei hij. 'Ze heeft er haar tanden in gezet. Nu is ze gewond, mama, en ik wil niet dat dat nog eens gebeurt.'

'Nee.' Ze zette de mand op zijn schoot, zodat hij niet uit zijn stoel omhoog kon komen. Er klauterde een wit poesje uit de kartonnen doos en het beklom razendsnel, met messcherpe nageltjes, zijn broekspijp. 'Niemand van ons wil dat Dodie nog meer pijn wordt gedaan.' Haar lange, magere gestalte was gehuld in een vormloze kakiomslagjurk die eruitzag alsof hij uit een van de militaire bases was geroofd, en ze legde een hand op haar hart. 'Er zijn op ons eiland slechte dingen met haar gebeurd, en toen is haar hart dichtgeklapt. Steviger dichtgetimmerd dan een doodskist.'

Hij streelde de donzige vacht van het poesje alsof het Dodie was.

'Maar toen jullie hier die avond naartoe kwamen, meneer Hudson, als een stelletje zwerfkatten, jullie samen, toen zag ze er opeens heel anders uit.'

'Waarom dan wel, mama?'

'Vertel jij me dat maar eens, meneer Hudson. Dat was een jonge vrouw die zojuist een man had zien sterven en haar huis had zien afbranden, maar er was die avond geen duisternis in haar.' Ze stapte achteruit. 'Denk eraan: je moet goed op haar passen, jongeman.'

'Ik doe mijn best.' Hij stond op en legde het poesje op de bank.

'Mama, ik wil u iets vragen.'

'Wat mag dat wel wezen?'

Een vroege straal zonlicht wipte door het raam en schuifelde in de kamer rond, als op zoek naar iets.

'Dodie heeft me verteld dat u de krachten van *obeah* bezit.'

Mama Keel sloeg haar lange armen over elkaar en keek hem aan, met trillende neusvleugels. 'En wat weet een bleekgezicht als jij over obeah op de Bahama's?'

'Niet veel. Maar ik weet dat het net zoiets is als voodoo op Cuba. Een manier om contact te maken met het universum dat mensen als u een kracht geeft om dingen... of mensen... te beïnvloeden.'

'En jij gelooft hierin?'

'Natuurlijk, mevrouw.' Zijn mond welfde zich tot een hartelijke glimlach. 'Als u er ook in gelooft.'

Mama fronste haar wenkbrauwen. 'Dit is geen onderwerp om luchtig over te doen, meneer Hudson.'

'Dat begrijp ik. Maar misschien kan het Dodie helpen, mama. Misschien.'

Ze ademde zwaar uit. 'Wat wil je van me?'

'Er is een kerel die hier in Nassau woont. Hij wil Dodie kwaad doen. Ik probeer hem zo goed mogelijk bij haar vandaan te houden, maar...' Hij haalde zijn schouders op.

'Maar wil je dat ik me ermee bemoei?' Ze zag er boos uit.

Uit zijn zak haalde hij de borstel die hij uit Spencers kleedkamer had meegenomen, met enkele losse bruine haren die in de borstel waren blijven steken. Hij legde hem voorzichtig op de tafel voor haar neer.

'Beslist u zelf maar, mama.'

Hij pakte de mand op en vertrok naar Bain Town, terwijl de zon van het eiland zijn rug verwarmde.

32

Dodie

*D*odie was ergens waar het donker was. Ze wist niet waar. Ze zag lichtjes komen en gaan, als vallende sterren.

'Dodie.'

Op slag gingen haar ogen open. Ze lag op haar buik op het matras en Flynns hand raakte haar schouder aan. Ze zag dat zijn knokkels ontveld waren en opeens herinnerde ze zich het gevecht op straat.

'Je lag te kreunen,' zei Flynn.

Kreunen? Ze probeerde zich te bewegen. 'Ik moet naar mijn werk,' fluisterde ze, maar ze maakte geen aanstalten om te gaan zitten. Alles aan haar klopte en schrijnde.

'Nee,' zei Flynn resoluut. 'Ik heb tegen juffrouw Quinn gezegd dat je vandaag niet komt.'

De opluchting golfde door haar heen. 'Dank je.'

'Dodie, ik heb zalfjes van mama Keel voor je rug, en iets wat je moet opdrinken. Dat zal helpen. Maar ik moet je jurk over je hoofd schuiven om het in te kunnen wrijven.'

Haar lichaam schokte. Ze was verbijsterd over de pijnlijke kramp. Elke spier bewaarde zijn eigen herinnering aan wat een man haar ooit had aangedaan, zodat als zij het zelf zou vergeten, de spieren het nog steeds zouden weten. Flynn moest het hebben gezien, want hij voegde er snel aan toe: 'Of zal ik een van de vrouwen verderop in de straat vragen het te doen?'

'Nee.'

'Weet je het zeker?'

'Ja.'

Ze wist het zeker. Zelfs als haar spieren dat niet wisten.

De jurk schoof gemakkelijk weg omdat ze op haar buik lag. Ze lag naakt onder het laken, maar ze keerde haar gezicht niet naar hem toe.

Als ze hem aan zou kijken, zou ze misschien zeggen: *Nee, raak me niet aan.* Of ze zou op zijn gezicht misschien iets zien wat ze vreesde te zien: het besef dat ze vies was. Niet de beschaafde, schone persoon die hij dacht dat ze was. Het zou misschien op haar huid te zien zijn, net als de acne van Minnie. Hij sloeg het laken terug tot aan haar middel.

De zalf was warm, en zijn handen waren nog warmer. Ze spreidden zich uit over haar gekneusde rug en ze voelde haar huid tintelen, rook hoe het ananasachtige aroma van bromelaïne de kleine kamer vulde. Langzaam, voorzichtig, masseerde Flynn haar rug. Zijn sterke vingers streken over haar schouderbladen, terwijl zijn duimen over haar ruggengraat heen en weer gingen tot haar spieren zich losmaakten van de pijn in haar lichaam.

Het bloed klopte onder haar huid. Schaamteloos en ongevraagd. Het stroomde naar zijn vingers en werd naar andere lichaamsdelen van haar gevoerd, zodat ze de hitte in haar lichaam voelde toenemen. Hij zei zachtjes allerlei woorden tegen haar, maar het zachte geluid voegde zich bij de omgevingsgeluiden, vouwde zich om haar heen, golfde door haar brein zoals het klotsen van de zee dat 's nachts in haar hutje aan het strand had gedaan.

Ze sloot haar ogen en liet het gefluister van zijn stem over zich heen spoelen.

33

Ella

Ella lag wakker in bed. Het was het moment voor de dageraad, wanneer de dag zijn adem inhield. Er stond een raam open in de slaapkamer en ze kon de broeierige nachtlucht op haar huid voelen.

Ella luisterde naar haar man die naast haar in het bed lag. Het was een erg warme nacht en ze waren allebei naakt, met slechts een laken over zich heen, hoewel Reggie altijd, wat de temperatuur ook was, in zijn blootje sliep. Het was een van de dingen die haar aan hem hadden verbaasd. Hij was een luidruchtige slaper. Hij produceerde de hele nacht allerlei gegrom en gemompel en gedempt gesnurk, maar vlak voordat het licht werd begonnen zijn voeten langs de lakens te schuiven, eerst losjes, maar dan steeds sterker. Als een kat die aan een deur krabt. Ze vroeg zich vaak af of hij probeerde erin of eruit te komen.

Maar veel luider was het geluid in haar hoofd. Slechts enkele dagen geleden zou ze ermee hebben gespot en hardop hebben gelachen bij alleen al de gedachte dat ze in haar hoofd naar zo'n geluid zou luisteren. Maar het was luid en duidelijk: het geluid van rechercheur Dan Calder die lucht uit zijn longen dreef.

Het was de manier waarop hij het deed. Een felle stoot lucht. Een kort, onbewaakt moment. Het gebeurde soms wanneer hij een sigaret zat te roken en zij iets zei waar hij het niet mee eens was maar te beleefd was om ertegenin te gaan, of soms wanneer ze lachte, hoewel ze geen idee had wat het dan betekende. En er waren andere geluiden. Het klakken met zijn tong wanneer hij ongeduldig werd in het verkeer. Het trommelen van zijn vingers op de tafel. Of van zijn schoenen op het trottoir. Een doordringend fluiten tussen zijn tanden dat haar door merg en been ging.

Het was een symfonie van geluiden. Ze probeerde ze tegen te houden, maar dat lukte niet, en ze was geschokt door dat mislukken. Het probleem was, besloot ze, dat ze hem elke dag buiten zijn eigen milieu zag, hij had geen eigen omgeving doordat hij naar haar wereld was overgeplaatst. Ze wist niets over hem. Was hij getrouwd? Hij droeg geen ring. Hoe oud was hij? Minstens tien jaar jonger dan zij. Waar woonde hij? Hoe lang was hij al op de Bahama's? Wat verwachtte hij van het leven?

Ze stelde zich hem in bed voor. Nu. Op dit moment. Languit op een eenvoudig wit laken, de harde spieren van zijn lichaam naakt in het donker. Was er iemand bij hem? Streelde diegene hem? Met een kreun van walging over zichzelf draaide ze zich in het bed om, wendde zich af van de beelden in haar hoofd. Bijna op hetzelfde moment voelde Reggie in zijn slaap dat zij hem dreigde te ontglippen, en hij kroop dicht naar haar toe, schoof tegen haar rug aan. Hij sloeg een slaperig-zware arm boven het laken over haar heen en drukte haar tegen zich aan.

Ella kwam haastig de keuken binnen waar haar dienstmeisje bezig was met een speld de zaden uit een granaatappel te plukken en in haar mond te wippen.

'Emerald, heb je rechercheur Calder vanmorgen al gezien?'

'Nee, mevrouw, dat niet. Maar hij is er wel.'

'Hoe bedoel je?'

'Hij is in de garage. Ik heb zijn rook gezien. Die man rookt echt te veel.'

'O, goed. Ik ga hem even koffie brengen.'

Emerald hield op, met de speld halverwege de grot van haar open mond. 'Waarom wilt u dat opeens doen? Het is mijn werk.'

'Ik wil dat Dryden vandaag aan de nieuwe omheining begint en ik dacht dat hij ons misschien zou willen helpen.'

Dryden was de tuinman en klusjesman van het huis. Er moest een deel van de kippenren worden vervangen.

'Denkt u dat een politieagent zin heeft om hekken te timmeren? U bent niet goed bij uw hoofd.'

'Het lijkt me leuker dan weer de auto te wassen.'

Emerald draaide met haar zwarte ogen en stak haar speld diep in het hart van de granaatappel. 'Leuker voor wie, mevrouw Ella?'

Dan Calder had de kans met beide handen aangegrepen toen ze hem uitnodigde om te helpen.

'Voelt u zich alstublieft niet verplicht,' had ze gezegd.

'Ik doe het graag. Voelt u zich altijd vrij om te vragen,' had hij geantwoord, maar wel op een manier die maakte dat ze zich afvroeg of ze het over hetzelfde onderwerp hadden.

Hij had de afgelopen uren palen in de grond staan slaan, tot grote tevredenheid van Dryden, die genoot van de onverwachte bonus de baas te kunnen spelen over iemand die twee keer zo groot was. Het blauwe overhemd van Dan Calder vertoonde zweetvlekken en Ella vroeg zich af of hij het zou uittrekken, maar dat deed hij niet. Toen Emerald met een dienblad met limoensap met ijs voor hen allen kwam aangewaggeld, dronk hij zijn glas bij Dryden in de schaduw op, en toen het hek klaar was, bewonderde Ella zijn werkstuk en bedankte hem voor zijn hulp.

'Ik wilde vanmiddag graag even naar de bibliotheek, als dat schikt, rechercheur Calder.'

'Natuurlijk. Wanneer u maar wilt.' Hij zag haar even naar de zweetvlekken op zijn overhemd kijken, en haalde gegeneerd zijn schouders op. 'Maakt u zich geen zorgen, ik zal me wassen en een overhemd van Dryden lenen.'

'Ik maakte me geen zorgen,' zei ze, maar tegen die tijd was hij al op weg naar de kraan buiten de garage.

Toen ze omkeek naar het hek zag ze Emerald naar haar staan kijken, met haar handen op haar enorme heupen, haar mond dichtgeknepen.

'Wat is er nu weer, Emerald?' verzuchtte Ella.

'U bent vorige week ook al naar de bieb geweest. Vier dikke pillen gehaald.'

'Twee daarvan zijn vreselijk saai, die wil ik ruilen.' Ella liep het pad op.

Achter zich hoorde ze Emerald mompelen: 'Volgens mij is dat niet het enige wat ze wil veranderen.'

De bibliotheek van Nassau, in Shirley Street, was uniek. Geen enkele andere bibliotheek kon ermee wedijveren. Ella vond het heerlijk om erheen te gaan, al was het maar omdat het zo'n wonderlijk gebouw was dat ze elke keer moest glimlachen wanneer ze de stoep op liep. Het was achthoekig van vorm en vier verdiepingen hoog met een cirkelvormig balkon langs de bovenste verdieping en een koepel erbovenop, waardoor het eerder een vuurtoren leek die iemand per ongeluk midden in de stad had gezet dan een bezadigde bibliotheek.

Het gebouw dateerde uit 1798, toen het was gebouwd als broodnodige gevangenis voor de wetteloze inwoners die in die tijd door de stad zwierven. De kerkers zaten nu vol boeken in plaats van boekaniers, en meestal bleef Ella er lang treuzelen, maar niet vandaag. Vandaag glimlachte ze naar mevrouw Faircourt achter de balie, griste *A Tree Grows in Brooklyn* en *The Body in the Library* uit de kasten, liet er een datum in stempelen en haastte zich weer naar buiten, het verblindende zonlicht in. De palmbladeren hingen slap in het parkje, uitgeput door de warmte. Twee minuten lang bleef ze in de schaduw van een van de palmen staan en stak een ernstige preek tegen zichzelf af, zoals ze dat bij Emerald deed wanneer die het te bont maakte.

'Stap in de auto. Laat hem je regelrecht naar huis brengen. Geen geklets over andere dingen dan het volgende geldinzamelingsfeest en het goede doel waarvoor het is: de weduwen van militairen die zijn gesneuveld.'

Oké.

'Geen persoonlijke vragen. Niet lachen of de rand van je hoed naar hem opslaan.'

Oké.

'En niet naar zijn handen aan het stuur kijken.'

Oké.

Maar het laatste *Oké* veroorzaakte een steek in haar borst. Alsof een van haar ribben eruit was gerukt.

Ze liep met een ernstig gezicht, haar boeken voor zich, over het plein en sloeg de hoek om waar de Rover in de schaduw geparkeerd stond.

'Waarheen?' vroeg hij.

'Naar de Berryhead Bar, denk ik. Ik heb behoefte aan een koud drankje. En u vast ook.'

Ze reden naar de bar met het terras van strandparasols, met uitzicht over de zee, en jonge mannen en vrouwen die wandelden over het strand dat tot een verblindend schone witte vlakte was geveegd. Een glimlachende ober in een rood vest bracht Ella een koele rum met limoen en een grapefruitsap voor Dan. Ze noemde hem in gedachten nu Dan, niet langer rechercheur Calder. Hij dronk nooit als hij dienst had, vertelde hij haar. Ze mocht het voornemen om rechtstreeks naar huis te gaan hebben opgegeven, ze handhaafde wel de rest van het plan. Ze praatte over het geldinzamelingsfeest dat in de Cockatoo Club zou worden gegeven, en de manier waarop ze de plaatselijke zakenlieden lief moest aankijken om hen luxueuze prijzen voor de verloting voor het goede doel te laten doneren. Ze praatte over haar werk bij het Rode Kruis, ze praatte over de hertogin van Windsor en haar toewijding aan de kinderkliniek, ze praatte over Reggies plannen om schoon leidingwater in meer huizen te krijgen.

Hij luisterde aandachtig. Ze kon niet beoordelen of hij alleen maar beleefd deed of oprecht geïnteresseerd was. Ze liet af en toe gaten in de conversatie vallen, zodat hij die kon opvullen, en tot haar verbazing deed hij dit met weetjes over de geschiedenis van het eiland. Hij vertelde haar een verhaal over de slavenschepen die de Britse marine op New Providence Island leegde. Dit gebeurde toen de slavenhandel onwettig werd verklaard in 1807, een tijd waarin de Britten verreweg de grootste transporteurs van slaven van Afrika naar Noord- en Zuid-Amerika waren. Alles bij elkaar, vertelde hij, waren er zo'n drie miljoen slaven vervoerd.

'En veel bevrijde slaven reisden vanuit de zuidelijke staten van Amerika hierheen toen de Burgeroorlog was afgelopen,' zei hij, en de pupillen van zijn grijze ogen werden groot van enthousiasme. Ze besefte dat hij echt om dit eiland gaf. 'Het heeft de bevolking van de eilanden veranderd en de basis van de huidige Bahama's gevormd.'

'Wat boeiend.'

Hij glimlachte. 'U wist het al.'

'Dat maakt het nog niet minder boeiend.'

Toen ze de bar verlieten was Ella tevreden over zichzelf. Ze had hem geen enkele persoonlijke vraag gesteld en ze zei kortaf tegen hem: 'En nu naar huis.' Maar toen ze op het punt stonden in de auto te stappen, veegde hij een druppel zweet van zijn slaap en zei: 'Het is vandaag wel heel erg warm. Hebt u er bezwaar tegen als ik mijn jasje uittrek?'

'Nee, natuurlijk niet.'

Maar ze had er wél bezwaar tegen. Heel veel zelfs. Want het zien van zijn blote arm, pal naast haar in de auto, met zijn stevige spieren en brede botten en wilde krullen donker haar, deed haar voornemen volledig verdampen, zodat ze, nog voordat ze wegreden vroeg: 'Waar woont u?'

Hij keek haar verbaasd aan. 'In Albert Street. Aan de oostkant van de stad.'

'Wilt u het me laten zien?'

'Waarom zou u in hemelsnaam mijn huis willen zien?'

'Omdat ik een indruk wil krijgen van uw achtergrond.'

Hij leek dit te begrijpen. Zonder verder commentaar keerde hij de auto en reed in oostelijke richting. Ze hielden de raampjes open om elk zuchtje wind op te vangen, maar de lucht was meedogenloos blauw en helder toen ze de schilderachtige East Bay Road namen, die langs de kust liep en hier rotsachtiger en woester was. De zee fonkelde met een diep jadegroen dat links van hen naar dieppaars verkleurde. Dit was waar schitterende grote villa's stilletjes lagen te slapen achter hoge, pastelkleurige muren vol bougainville en bermen met hoge pijnbomen. Kort nadat ze de zeilclub links van hen waren gepasseerd, sloegen ze rechts af en reden over een kronkelweg landinwaarts. Hier waren de huizen kleiner en hadden de straten niet langer een politieagent met een wit jasje, witte handschoenen en een witte tropenhelm, die op kruisingen het verkeer regelde.

In een slaperige straat stopte hij voor een van de huizen. Ze keken er allebei naar. Het was kleiner dan Ella had verwacht, maar aan de andere kant had ze geen idee hoeveel een politiefunctionaris verdiende. Het was op zich een heel aardig huis. Het bestond uit twee verdiepingen en het was witgeschilderd, met een donkerrode voordeur en luiken. Voor het huis was een klein, uitgedroogd tuintje waarin een stekelige yucca de enige bewoner was. Rechercheur Calder was kennelijk geen tuinier.

'Hoe lang woont u al in Nassau?' vroeg ze.

'Twaalf jaar.'

'Echt? Kennelijk bevalt het u hier.'

'Het is mijn idee van het paradijs.'

Hij glimlachte, en er kwam iets nieuws in zijn gezicht, iets wat ze niet eerder had gezien. Iets hoopvols en oprechts, een plotseling enthousiasme in hem dat onopgesmukt was.

'Ik ben als jonge knul bij de politie gegaan,' vertelde hij haar, 'in Swindon in Engeland, en ik hield van mijn werk. Mijn vader was in dezelfde stad bij de politie en zijn vader ook. Ik denk dat het in het bloed zit.'

Ella was geroerd door zijn familie die zich al generaties inzette voor de publieke zaak, maar zonder de beloningen die Reggie had ontvangen.

'En hoe bent u hier terechtgekomen?'

'O, ik denk dat ik rusteloos werd. Ik was jong en wilde mijn horizon verbreden. Engeland was er tijdens de Depressie slecht aan toe, na de krach op Wall Street, en ik had geluk. Ik zag in de *Police Gazette* een advertentie waarin rekruten werden gevraagd voor politieposten hier in Nassau, en dit leek me de kans op avontuur.' Hij haalde verlegen zijn schouders op, alsof ze misschien zou lachen om het idee van avontuur. 'Ik werd na mijn sollicitatie aangenomen en was net op tijd hier om de akelige Britse winter over te slaan. Maar nu...' Hij keek even uit het raam naar enkele vliegtuigen die door de blauwe lucht dreunden. '... vraag ik me wel eens af of ik de juiste beslissing heb genomen door deze baan niet voor een militaire in te ruilen.'

Hij klonk onzeker. Het was de eerste keer dat ze iets van onzekerheid in zijn stem had gehoord.

'Er moet toch iemand hier blijven om het eiland veilig te houden,' zei ze opgewekt. 'Kennelijk bent u daar de juiste man voor.'

Hij glimlachte naar haar. 'Ik vind het hier heerlijk. Wie zou dat niet vinden?'

'Allerlei mensen niet. Ze zouden niet durven. Zo'n volstrekt andere omgeving. Maar ik denk dat u niet zo gauw ergens bang voor bent, rechercheur Calder.'

Hij schoot in de lach.

'Bent u getrouwd?' vroeg Ella. Ze keek uit het raampje en voelde haar blouse tegen de rugleuning van haar stoel plakken. Pas toen ze hem weer aankeek, gaf hij antwoord.

'Nee, ik ben niet getrouwd.'

Ze veranderde van onderwerp, een beetje gegeneerd. 'Is er veel misdaad in Nassau?'

Ze zag dat hij zich ontspande. 'Nee, over het algemeen niet. Voornamelijk wat berovingen op vrijdagavond en de gebruikelijke vechtpartijen van dronken lieden op zaterdag. Maar nu er zoveel militairen op het eiland zijn, en daarnaast de huidige onlusten onder de zwarte Bahamanen, is de sfeer veranderd. We moeten nu veel waakzamer zijn.'

'Hoe zit het met de moord op de man die aan het strand is gestorven?' Ze zag hoe hij zijn wenkbrauwen fronste. 'Iedereen heeft het erover.'

'Dat heb ik gehoord.'

'Zijn ze al iets over Morrell te weten gekomen?'

'Nee.' Hij schudde zijn hoofd. 'Nee, nog niet. Zonder paspoort en zonder portefeuille is hij moeilijk na te trekken, maar…' Hij zweeg. Hij vond kennelijk dat hij al genoeg had gezegd.

'Enig idee wie de moordenaar kan zijn?' Ze liet het klinken als terloopse nieuwsgierigheid.

'Nog niet.'

Hij liet zich niet uit de tent lokken.

'Ik hoorde laatst verhalen dat het een roofoverval zou zijn geweest.'

'O ja?'

'In verband met gouden munten. Hebt u iets gehoord?'

'Nee, er is niets gemeld.'

'Dan zijn het alleen maar praatjes, denk ik.' Ze wapperde met haar hand om die gedachte te verjagen, en raakte hem daarbij op de rand van zijn schouder. Ze zou zweren dat dit per ongeluk was.

Hij draaide zich in zijn stoel opzij, zodat zijn hele lichaam naar haar was gericht. 'Mevrouw Sanford, het is te warm om nog langer zo te blijven zitten. Hebt u zin om even binnen te komen om iets koels te drinken?' Hij glimlachte ontspannen, met een luchtige welving van zijn lippen, alsof het hem allemaal niets uitmaakte. Het was aan haar.

Ella draaide haar hoofd opzij. Weg van hem. Weg van zijn huis. Gedurende een halve minuut zei ze niets. Toen ze hem ten slotte weer aankeek, waren haar glimlach en haar stem net iets te opgewekt.

'Vandaag helaas niet. Ik heb nog veel te doen. Misschien een andere keer.'

'Natuurlijk,' zei hij.

Hij startte de auto, en het geronk van de motor was het enige geluid in de auto. Ze reden zwijgend naar huis.

34

Dodie

Twee warme dagen en twee onweersachtige nachten lang week Flynn nauwelijks van Dodies zijde. Hij bracht haar ontbijten van mango en maïs, en 's avonds bakte hij kip met rijst op een wispelturig fornuisje. Ze kwam nauwelijks van het matras, ondanks de drukkende warmte in de hut, en langzaam maar zeker voelde ze hoe haar gehavende spieren begonnen te genezen.

Mama Keel kwam langs om haar te onderzoeken, waarbij ze haar tot een taaie meid verklaarde, en na dat bezoek kwamen de vrouwen verderop in de straat de openstaande deur binnen met een gerecht met schelpdieren en een berg gebakken banaan. Flynn zat met hen op de stoep, in de schaduw van een gedrongen pijnboom, en draaide sigaretten en liet bier rondgaan terwijl zij sliep.

Elke morgen en avond masseerde hij haar rug. Haar hoofd was warm en haar gedachten leken door nat zand te waden, waarin ze vreemde, onherkenbare vormen achterlieten. Maar wanneer zijn vingers haar aanraakten en mama's zalf over de welvingen en richels van haar rug streken, werd haar hoofd helderder. Ze praatten niet wanneer hij met haar bezig was. Soms neuriede hij zacht voor zich heen, een dixielanddeuntje of zomaar een vrolijk melodietje, helemaal niet wat ze van hem zou hebben verwacht.

Ze deed haar ogen dicht en leerde hem stilletjes kennen via zijn vingers. Ze ontdekte de kracht en de goedheid in hem, het geduld en het begrip. Ze vroeg zich af wat voor verleden hij had en uit welke wereld van gevaar en geweld hij afkomstig was. Soms viel ze in slaap en vergezelden zijn handen haar in haar dromen, alsof een deel van hem zich onder haar huid had genesteld en haar niet los wilde laten.

Eén keer, slechts één keer, toen hij de bos verward haar van haar nek lichtte om er de klitten met zijn vingers uit te halen, bukte hij zich en kon ze de warmte van zijn adem op haar schouderblad voelen toen hij met zijn lippen over haar nek streek. Geen kus, niets vrijpostigs. Alleen maar een aanraking van zijn huid op de hare.

Ze wilde hem bedanken. Maar haar tong lag te zwaar in haar mond.

Toen Dodie wakker werd, was het nacht. Het soort nacht dat zo warm en zijdezacht was dat ze de dichte duisternis met haar vingers kon aanraken. Ze had geen idee hoe laat het was, maar ze kon voelen dat haar lichaam begon op te knappen. Het gebons in haar hoofd was gereduceerd tot weinig meer dan een misnoegd gemurmel en ze kon haar rug bewegen zonder al te veel pijn. Voorzichtig ging ze rechtop zitten, gehuld in een wijd katoenen nachthemd dat ze van mama had geleend.

Ze kon vaag Flynns ademhaling horen. Het drong tot haar door dat hij op de lemen vloer sliep, een plek die niet voor menselijke botten geschikt was. Ze schoof haar voeten van het matras en bleef zo zitten terwijl ze wachtte tot de maan opkwam. Een uur, misschien twee, waarin haar geest zich een weg baande door de doolhof van gebeurtenissen die zich hadden voorgedaan sinds de avond dat ze meneer Morrell bloedend op straat had aangetroffen.

Toen de vloer wit werd van de gloed van het maanlicht verliet Dodie het matras en schoof naar de gestalte van Flynn. Hij lag languit op zijn zij, met één arm voor zich uitgestrekt alsof hij iets wilde afweren, en met zijn hoofd op een opgevouwen handdoek. Zijn huid vertoonde een metalige glans, en een plotselinge angst dat hij misschien dood was maakte dat haar vingers zijn wang zochten.

Meteen greep Flynns hand haar pols.

'Flynn, ik ben het.'

'Dodie?' Hij knipperde met zijn ogen om wakker te worden.

'Sst,' fluisterde ze.

'Ik wilde je geen pijn doen.'

'Weet ik.'

Ze ging op de vloer naast hem liggen, met haar hoofd bij het zijne op de handdoek. Haar hand lag op zijn blote borst en ze kon de kracht van zijn hartslag voelen. Hoe was het, vroeg ze zich af, om deze man te zijn? Iemand die voortdurend op zijn hoede moest zijn. Iemand die God mocht weten hoeveel geheimen had. Iemand die de moed had om zich, omwille van haar, in een gevecht te storten met twee doorgewinterde gangsters, en die hen dan kon reduceren tot afval voor de goot, zoals hij het noemde, alsof het de gewoonste zaak van de wereld was. Tegelijkertijd was hij een man die zijn handen op haar naakte rug kon leggen met de behoedzame aanraking van een verpleegster, zonder dat hij haar ook maar één keer het gevoel gaf dat dit ongepast was.

Ze sloeg haar arm over zijn middel en hij trok haar naar zich toe.

'Als het licht is,' zei ze zacht, 'moet ik met sir Harry Oakes praten.'

Hij gaf geen antwoord.

Ze bleef lang wachten, maar uiteindelijk viel ze in slaap.

'Laat je niet door hem in de hoek drijven.'

'Dat ben ik niet van plan,' zei Dodie resoluut.

'Mooi zo.'

Dodie en Flynn stonden voor een indrukwekkende mahoniehouten deur. Ze bevonden zich op een galerij met uitzicht op een weelderige foyer. Ze was nooit eerder in het British Colonial Hotel geweest. Ze had verhalen gehoord over de pracht en praal ervan, maar niets had haar hierop voorbereid. Het was een enorm gebouw van zeven verdiepingen hoog, dat het oorspronkelijke houten hotel, dat in 1922 was afgebrand, had vervangen, en het maakte op haar de indruk even arrogant en bombastisch te zijn als de eigenaar, sir Harry Oakes. Een centrale toren domineerde de voorgevel, de muren hadden een rozige zandkleur en het dak had knalrode dakpannen. Binnen was de extravagante foyer met zijn rode en witte marmer en zijn brede trap werkelijk schitterend. Het hele gebouw intimideerde haar. Flynn was die ochtend vroeg uit Bain Town verdwenen, en een uur later teruggekomen met de mededeling dat sir Harry bereid was haar te ontvangen.

'Waarom?' had ze gevraagd.

'Omdat hij nieuwsgierig is.'

'Naar mij?'

'Ja.'

'Als je me een week geleden had verteld dat een multimiljonair nieuwsgierig naar mij zou zijn, was ik onder een steen gekropen, en nu vind ik het heel gewoon. Er is veel veranderd.'

Ze was bezig voor het ontbijt repen van een trekkervis te scheuren.

'Ik wil niet dat je verandert,' zei hij.

Ze lachte. 'Daar is het nu te laat voor.'

'Wees op je hoede,' zei hij. 'Voor de veranderingen die zich zullen voordoen.'

'Wat kan ik voor u doen, juffrouw Wyatt?'

Hij was groter dan ze zich herinnerde. Of was het het kantoor dat hem groter maakte? Van de enorme wereldkaart op de ene muur tot aan de luchtfoto van New Providence Island op de andere, was sir Harry Oakes iemand die alles in het groot deed. Zelfs zijn filantropie. Zijn goedgeefsheid ten aanzien van goede doelen op de Bahama's liep in de miljoenen dollars. In een kast stond een verzameling grove brokken steen die glinsterden van kwartsiet en malachiet, bij wijze van herinnering aan zijn goudzoekersdagen en als bewijs van het vermogen van de bezitter om succes te hebben, om alles wat hij wilde hebben aan deze wereld te ontworstelen.

Ze stak haar hand uit, en die werd opgeslokt door zijn dikke vingers, zijn stevige greep.

'Ik zou u graag een paar vragen willen stellen,' zei ze.

'Gaat u zitten, juffrouw Wyatt.'

Ze ging zitten in een stoel met fraai houtsnijwerk, voor zijn schitterende eikenhouten bureau. Hij ging tegenover haar zitten, zette zijn ellebogen op het leren bovenblad van het bureau en keek haar onderzoekend aan. Ze kon zien dat hij haar niet vertrouwde.

Maar zij vertrouwde hem ook niet.

'En wat houden deze vragen in, juffrouw Wyatt? Ik dacht dat u hier was om mijn aanbod van een baan aan te nemen.'

Dat was onzin. Dat wisten ze allebei.

'Onze wederzijdse relatie, de heer Hudson, heeft niet gezegd wat u met mij wilde bespreken. Ik heb ermee ingestemd omdat hij dacht dat ik geïnteresseerd zou zijn in wat u te vertellen hebt. Dus kom op, jongedame, voor de draad ermee.'

'U weet ongetwijfeld dat ik degene ben die meneer Morrell heeft gevonden nadat hij was neergestoken.'

'Ja, natuurlijk weet ik dat, juffrouw Wyatt. Hoe dat zo?'

'Ik denk dat hij die avond bij u op bezoek is geweest.'

'Heeft meneer Morrell dat tegen u gezegd?'

Ze aarzelde niet. 'Ja.'

'Dat is niet wat u tegen de politie hebt gezegd.'

'Nee.'

De harde streep van zijn mond bewoog een fractie tot wat een glimlach had kunnen zijn. 'Heel verstandig.' Hij pakte een pen en tikte er luid mee tegen een metalen inktpot, alsof hij een bel luidde. 'Want het is niet waar en u zou binnen de kortste keren voor de rechtbank zijn beland, jongedame.'

'Sir Harry, ik heb geen belangstelling voor uw zakelijke transacties met meneer Morrell.'

'Waarom bent u dan zo verdomde nieuwsgierig?'

'Ik wil weten wie hem vermoord heeft. Enig idee?'

Oakes snoof smalend. 'Je moet maar durven.'

'Onder ons gezegd en gezwegen, sir Harry, dat is echt alles. Geen politie of advocaten.'

Hij had erop gestaan haar onder vier ogen te spreken. Zelfs Flynn mocht er niet bij zijn. Ze wist niet zeker waarom, tenzij het was om haar onder druk te kunnen zetten. Daar had ze zich op voorbereid, en ze had zich gehouden aan de woorden *Laat je niet door hem in de hoek drijven*, en de zekerheid dat Flynn aan de andere kant van de deur de wacht hield.

'Het enige wat ik te weten wil komen,' zei ze op redelijke toon, 'is de naam van degene van wie u denkt dat hij Morrell misschien heeft willen overvallen en...' Ze zweeg even, en haar hart begon sneller te kloppen toen ze de woede in de ogen van sir Harry zag. 'En een reden waarom diegene dat zou willen doen.'

Hij ging staan, waardoor zijn forse gestalte hoog boven haar en het bureau uittorende. 'Maak dat u wegkomt. Ik weet niet wat die Morrell u in godsnaam heeft verteld, maar het is niet waar. Hoort u me? Hij is die avond niet bij mij op bezoek geweest. Dus verdwijn nu en kom niet meer terug.'

Dodie liep meteen naar de deur. Ze voelde zich machteloos tegenover zijn ontkenningen. Ze was niet goed in iemand tot leugenaar verklaren waar hij bij was. Bij de deur draaide ze zich om en zei: 'Dan ga ik maar met mijn verhaal naar de politie.'

'U bluft,' sneerde hij. 'Ik heb u laten natrekken. Denk maar niet dat ik dat heb nagelaten. U staat daar al bekend als een smerige herrieschopster die valse beschuldigingen uit jegens mannen die u dwarsbomen.'

'Dat is niet waar.' Maar ze voelde een steek van schaamte. 'Misschien zijn ze meer geïnteresseerd wanneer ik hun vertel over de gouden munt die meneer Morrell me heeft gegeven.'

'Dat houdt geen enkel verband met mij, en u kunt niet bewijzen dat het wel zo is.'

Het was een patstelling, en dat beseften ze beiden. Langzaam liep Dodie terug naar haar stoel en ging weer zitten.

'Ach, sir Harry, laten we dit als redelijke wezens bespreken.'

De grote vuist maaide een glazen asbak van het bureau. 'Dus het is toch chantage waar u op uit bent,' gromde hij. 'Ik had het kunnen weten.' Hij rukte een chequeboek uit een la van zijn bureau en zwaaide ermee naar haar.

'Nee!' Dodie hoorde zelf dat haar stemgeluid steeg. 'Ik wil uw geld niet. Wat ik wil is dat degene die hem heeft vermoord, hiervoor moet boeten.'

Kennelijk hoorde hij iets in haar stem wat hem trof, want hij legde het chequeboek neer en begon door de kamer te ijsberen. Dodie hield hem angstvallig in de gaten, maar ze ving een glimp op van zijn frustratie, van hoe de beslotenheid van een kantoor een ergernis moest betekenen voor een buitenmens die zoveel jaren in de ruimte en de buitenlucht had doorgebracht. Hij droeg een versleten kakioverhemd met korte mouwen en een kakibroek, met oude open sandalen, waarmee hij iedereen zijn verleden toonde, terwijl de meeste mensen, zijzelf inbegrepen, hun verleden veilig achter gesloten deuren opborgen.

Ten slotte bleef hij voor haar staan. Alle branie was verdwenen, en daar was iets treurigs voor in de plaats gekomen. 'Wat maakt u dat allemaal uit?' vroeg hij. 'Morrell betekende niets voor u.'

'U hebt het mis. Wanneer je iemands hand vasthoudt terwijl hij vecht voor zijn leven, wanneer je hem in je armen houdt terwijl hij zijn laatste adem uitblaast, betekent hij meer dan niets voor je. Veel meer. Ik heb hem niet kunnen helpen. Maar nu wil ik dat hem recht wordt gedaan. Ik zál zijn moordenaar vinden. Met of zonder uw hulp.'

Sir Harry knikte langzaam. 'U zoekt wraak. Geen gerechtigheid.' Er verscheen een flauwe glimlach om zijn lippen. 'Ik kan het u niet kwalijk nemen. Wraak is iets wat ik begrijp. Ik heb daar in mijn leven een redelijk aandeel in gehad. Ik sta erom bekend kerels die mij dwarsboomden te hebben geruïneerd.'

'Heeft Morrell u gedwarsboomd?'

'Grote god, nee. Hij en ik waren oude makkers. Nog uit de dagen dat ik geen poen had en alle woeste gebieden van de wereld afzocht naar goud. Johnnie Morrell was een goeie vrind van me in een tijd dat vrinden verdomde schaars waren.'

Dat kwam als een schok. 'Dat wist ik niet.'

Hij boog zich naar haar toe met een strak gezicht. 'Er is heel veel dat u niet weet, juffrouw Wyatt.'

'Is dat de reden dat u hem de twee gouden Napoleons hebt gegeven? Als bewijs van vriendschap?'

'Wat ik wil weten is waar de rest verdomme is gebleven.'

'De rest?'

'Jawel. Die twee hadden een hele vracht blinkende knopen bij zich, een kistje vol oude munten, echte schoonheden.' Hij strekte een arm uit en greep Dodie bij de kin, zodat ze niet achteruit kon deinzen toen zijn grote, arrogante gezicht zo dichtbij kwam dat het haar hele blikveld vulde. Zijn huid vertoonde de schade van een leven dat in de felle zon en in nog fellere kou was doorgebracht, getekend door diepe rimpels van wantrouwen. 'Weet u daar iets van, jongedame?'

'Nee.'

'Weet u het zeker?'

'Ja.'

'Morrell heeft er niets over tegen jou gezegd?'

'Nee, niets.'

'Hij heeft het kistje niet in het steegje laten vallen waarna u het later hebt opgehaald, maar dit alles nu even bent vergeten?'

Ze rukte haar kin uit zijn hand los en ging staan, waardoor hij werd verrast en gedwongen werd een stap achteruit te doen.

'Nee, sir Harry. Dit is niet wat er is gebeurd. Ik ben geen dief.'

'En ik ben niet gek.'

Ze liep naar de deur.

'Eén moment, juffrouw Wyatt.'

Ze liep door.

'Wacht!'

Haar hand lag op de zware koperen deurkruk.

'U en ik, we willen hetzelfde, juffrouw Wyatt, dus laten we...'

Ze draaide zich met een ruk om. 'Het kan u helemaal niet schelen wie uw vriend heeft vermoord, u wilt alleen maar uw goud terug en de politie erbuiten houden.'

'Nou, nou, juffrouw Wyatt, u hebt wel een heel kort lontje, hè? Maar u hebt het mis wat Morrell betreft. Het kan me wél schelen. Van hem, niet alleen van het geld. Maar u hebt gelijk over de politie. Ik heb inderdaad geen zin om die over de vloer te hebben, dat ze in mijn zaken snuffelen en allerlei stomme vragen stellen waar ik geen antwoord op wil geven.' Zijn hand maaide door de lucht, als om de vragen weg te meppen.

Dodie zei: 'U hebt van de politie mijn versie over de gebeurtenissen van die avond gehoord. Vertelt u mij nu uw versie.'

Een moment lang leek het of hij zou weigeren, maar ze zag dat hij zich bedacht.

'Het is eigenlijk heel simpel. Morrell kwam naar mijn huis, we handelden onze zaken af, dronken een paar glazen en haalden wat herinneringen aan de slechte ouwe tijd op. En daarna ging hij weg.'

'Met het kistje munten?'

'Met het kistje munten.'

'En Flynn Hudson? Was hij er ook bij?'

'Ja, die Hudson was er ook bij. Maar hij hield het grootste deel van de tijd buiten de wacht om ervoor te zorgen dat wij niet werden gestoord.' Hij aarzelde, opeens niet op zijn gemak. 'Behalve toen hij de rest van het huis ging inspecteren, om zeker te weten dat we niet werden afgeluisterd.'

'Is dat het moment waarop mevrouw Sanford binnenkwam?' vroeg ze.

Hij zette grote ogen op. Zijn wangen werden vuurrood en Dodie zette zich schrap voor de volgende woedeaanval, maar in plaats daarvan begon hij te lachen. Een grote, bulderende lach die tegen de wanden weerkaatste en het glas in de ramen deed rinkelen.

'Wel verdomme, juffrouw Wyatt.' zei sir Harry Oakes lachend. 'Loop verdomme nou gauw naar de hel!'

Ze reden in een open rijtuigje, getrokken door een paard dat op zijn gemak voortstapte, met op zijn hoofd een jolige strohoed tegen de nietsontziende gloed van de zon. Flynn nam Dodie mee naar een bar in het oude gedeelte van de stad. Het stelde als bar niet veel voor, maar het was er rustig en er werd lokaal bier verkocht. Ze kozen voor een tafeltje buiten, in een stoffig stukje schaduw, en Flynn hoorde zwijgend Dodies relaas aan over wat zich tussen sir Harry en haar had afgespeeld.

Hij begon ongedurig te worden, te veel sigaretten op te steken en ongeduldige slokken bier te nemen terwijl zij het gesprek beschreef toen ze het kantoor uit werd gestuurd, toen Oakes nog niet had beseft dat ze niet was gekomen om problemen te maken maar om informatie te bemachtigen. Toen ze klaar was bleef Flynn zwijgend zitten nadenken over alles wat ze hem had verteld.

'Nu tevreden?' vroeg hij ten slotte. 'Nu Oakes je heeft verteld wat hij weet.'

'Maar dat heb jij niet gedaan.'

'Wat heb ik niet gedaan?'

'Mij vertellen wat je weet.'

Flynn drukte zijn sigaret uit. Hij plukte een verdwaald kevertje van de voorkant van zijn witte overhemd en zette dat op de tafel, waar het diertje in kringetjes rond bleef rennen. Op dit moment had Dodie het gevoel dat ze precies hetzelfde deed: in kringetjes rondrennen, niet in staat afstand te nemen om de hele tafel te overzien.

'Jij hebt me niet verteld wat je weet,' zei ze weer.

'Waarover?'

'Het kistje met gouden munten.'

'O, dat.'

'Ja, dat.'

'Daar had ik een reden voor.'

Ze wachtte.

Hij legde zijn hand naast de hare op de tafel, zodat ze naast elkaar op het houten blad lagen, waarbij ze elkaar raakten maar niet verstrengeld waren. Zijn hand had lange beenderen, net als de rest van zijn lichaam, met op zijn knokkels donkere schaafwonden die nu begonnen te genezen, overblijfselen van zijn gevecht met de twee gangsters.

'Sommige dingen kunnen beter niet worden verteld. Dat is veiliger voor jou. Om bepaalde dingen niet te weten.'

Ze dwong zich haar hand weg te halen en rond het bierglas te vouwen. 'Wat weet ik nog meer niet?'

Hij schoot in de lach. 'Jij bent wel hardnekkig, hè?'

'Dat zou je inmiddels moeten weten.' Ze hield haar gezicht streng. 'Wat is er met het kistje munten gebeurd?'

'Dodie, ik heb geen idee.' Hij fronste zijn wenkbrauwen en ze was ervan overtuigd dat hij in gedachten Morrell er in een door sterren verlichte nacht met de buit aan goud vandoor zag gaan als een ouderwetse piraat die geluk had gehad. 'Johnnie Morrell nam het mee terwijl ik nog even bleef, zoals ik je heb verteld. Om met Oakes te praten.'

'Morrell had het niet bij zich toen ik hem vond.'

'Dus óf hij werd beroofd, óf...'

'Hij heeft het ergens verstopt.'

'Ik ben de hele route nagelopen. Verdomme, ik heb óveral gezocht.' Hij sloeg kwaad met zijn vlakke hand op de tafel.

'Zonder succes?'

'Zonder succes.'

'Maar dat betekent dat hij misschien om die munten is vermoord. Niet omdat hij betrokken was bij...' Ze draaide met haar ogen naar hem. '... bij wat het ook mag zijn waar jullie bij betrokken waren.'

'Als het alleen maar een beroving was, besef je dan waar wij mee komen te zitten, Dodie? In dat geval zou iedereen op dit vervloekte eiland de moordenaar kunnen zijn.'

'Dat is waar. Op één ding na.' Ze pakte haar glas.

Hij keek hoe ze van haar bier dronk. 'En dat is?'

'Hij vertelde me dat hij niet naar het ziekenhuis durfde te gaan omdat mensen hem daar zouden kunnen vinden, en...' Het beeld van

Morrell bij wie het bloed op haar vloer stroomde, kwam in alle hevigheid weer bij haar boven. 'En hij zei, net als jij, dat het beter voor me was als hij me niets vertelde.' Ze schudde haar hoofd. 'Beseffen jullie mannen dan niet hoe verdomde irritant dat is?'

Hij glimlachte naar haar. 'Dat is de eerste keer dat ik u heb horen vloeken, juffrouw Wyatt.'

'Nou, er ligt nog een hele berg van hetzelfde spul te wachten als jij me niet gauw vertelt wat er nou allemaal aan de hand is.' Ze liet haar bier staan en schoof haar hand tegen de zijne op de tafel. 'Wees eerlijk tegenover me, Flynn. Alsjeblieft. Als Morrell niet naar het ziekenhuis durfde te gaan, was het vast niet een toevallige straatrover voor wie hij bang was. Dan was het... wat? Jullie "organisatie", zoals jullie het noemen? Waarom zouden ze hem willen vermoorden? Wie zijn dat?'

Flynn schoof achteruit in zijn stoel. Hij haalde zijn hand van de tafel en zijn gezicht veranderde. De hoeken werden harder en hij staarde haar strak aan.

'Ik werk voor de *mob*. De Amerikaanse maffia, of hoe je het noemen wilt. In Chicago. Zoals Morrell er ook voor werkte.'

Dodies vingertoppen werden ijskoud.

'De maffia?' Haar stem klonk hol. De woorden deden pijn om uit te spreken. 'Doe jij al die dingen die ze over de maffia vertellen? Met drugs en alcohol. En gokken. Moord en afpersing. Doe je dat allemaal?'

'Ja.' Hij leek nog dieper in de schaduw weg te kruipen tot ze niet meer wist wie hij was.

35

Dodie

*D*odie vroeg Flynn haar mee te nemen naar zijn kamer. Ze wist dat die ergens in de buurt moest zijn, omdat hij dat eerder had gezegd.

'Het is hier twee straten vandaan,' vertelde hij haar. 'Kun je zo ver lopen? Gaat dat, met je rug?' Hij deed beleefd.

'Ja.'

Waar zij behoefte aan had was alleen te zijn met hem, weg van de nieuwsgierige oren en blikken van voorbijkomende vreemden. Hij liep met haar naar een straat die zo smal was dat de hitte erin bleef hangen, en Flynn liep er snel met haar doorheen, iets waarvoor ze dankbaar was. Zijn arm onder de hare voelde solide en betrouwbaar, maar dat was een illusie. Flynn Hudson was allesbehalve solide en betrouwbaar. Hij was een crimineel. En nu scheen de kloof tussen hen zich te hebben uitgestrekt tot een oceaan. Geen boot. Geen brug. Niets waarmee ze kon oversteken.

Flynn maakte de paarsgeschilderde voordeur van een van de wat sjofeler huizen open en hielp Dodie de trap op naar een kamertje. Ze was blij met die hulp. Haar rug deed pijn en haar voeten leken iets anders te willen dan zijzelf. Het was snikheet in de kamer en hij zette de ramen snel open, maar dat maakte geen enkel verschil, er stroomde alleen maar nog meer warme lucht naar binnen. Op de vensterbank kropen lusteloos twee vliegen rond.

'Het is niet veel,' erkende hij. 'Maar ik heb er genoeg aan.'

De kamer bevatte een smal bed met smetteloze lakens en sloop, een houten stoel, een ladekast en twee hangertjes aan een haak aan de deur. Aan een muur hing een vlekkerige spiegel aan een spijker. Dodie was het liefst naar de kast gelopen om de laden open te maken en met haar handen door de inhoud ervan te gaan. Onder zijn kussen te kijken. Onder zijn bed. In de zakken van het jasje dat aan de deur hing. Dit alles om hem weer terug te vinden.

'Zal ik een glas water voor je halen?' vroeg hij.

Ze schudde haar hoofd. Ze wilde niet dat hij wegging.

'Ga alsjeblieft zitten, Dodie.'

Ze ging op de rand van het bed zitten, zette haar strohoed af en wapperde zich er koelte mee toe. Hij leunde met zijn lange gestalte tegen de deur en keek naar haar. Toen liep hij naar haar toe.

'Ga maar liggen. Geef je rug even wat rust.'

'Nee, dank je, het gaat prima.'

Hij trok één donkere wenkbrauw op. 'Echt?'

'Ja.'

Maar haar lichaam was al niet beter dan haar voeten. Het bezat een eigen wil en zakte met een zucht van opluchting in elkaar toen het achteroverleunde en zich languit op Flynns onberispelijke bed uitstrekte. Dodie was ontzet.

'Beter?' vroeg hij.

'Ja, dank je. Ik blijf maar heel even.'

'Blijf zolang je wilt.'

Ze deed haar ogen dicht. Buiten in de straat kibbelden kinderen met veel lawaai dat pas ophield toen iemand iets tegen hen schreeuwde. In de stilte die volgde kon ze Flynns ademhaling horen.

'Tja,' zei hij. Dat was alles.

'Tja,' zei zij eveneens en ze deed haar ogen open. 'Vertel me er eens wat over.'

'Hoeveel wil je weten?'

'Alles.'

In de stilte van de snikhete kamer kon ze hem horen nadenken over welke woorden hij zou kiezen.

'Weet je wat ik als kind wilde worden?'

'Wat dan wel?'

'Pianist.' Hij lachte meesmuilend. 'Stomme idioot. Wist niet beter. Maar ik ben in New York in de Bronx geboren, en in die tijd stonden er meer dan zestig pianofabrieken in de wijk. Ze hadden zo'n vijfduizend arbeiders in dienst en ik wilde alles op alles zetten om er ook een van te worden. Als kind hing ik daar na schooltijd rond om allerlei klusjes te doen, de vloer aan te vegen en zo, en een van die kerels heeft me toen leren spelen. Ik was niet echt geweldig, maar toen ik negen was kon ik een aardig deuntje spelen.'

Dodie rolde op haar zij en leunde met haar hoofd op haar hand. Ze kon het in zijn ogen zien. Die piano's waar zijn hart naar uit ging, de muziek die door zijn hoofd ging.

'Wat is er gebeurd?'

Hij haalde zijn schouders op. 'Toen ik tien was ben ik na schooltijd voor mijn pa gaan werken.'

'Wat voor werk?'

Hij glimlachte traag. 'Ik werd runner.'

'Wat doet een runner?'

'Een runner is een soort loopjongen, een knechtje. Hij brengt pakjes weg. Hij neemt boodschappen aan. Controleert of de straten veilig zijn. Houdt politiepatrouilles in de gaten. Dat soort dingen.'

Ze fronste haar wenkbrauwen. Dat bedoelde ze niet zo. Ze wilde niet dat hij zou denken dat ze over hem oordeelde. Een vader te hebben die je kinderdromen heeft verziekt, kwam haar akelig bekend voor. Ze fronste vóór hem, niet tégen hem.

'Wat deed je vader?'

'Hij handelde in clandestiene drank.'

'O, ik begrijp het.'

'Nee, Dodie. Ik denk niet dat je het begrijpt. Het was de tijd van de drooglegging. Dertien gewelddadige jaren waarin president Woodrow Wilson vond dat wij Amerikanen geheelonthouder en godvrezend moesten zijn. Het lukte niet, natuurlijk lukte het niet. Het maakte alleen maar dat de illegale drankstokers en bendes rijk werden en dat er te veel mensen werden doodgeschoten.'

'Was je vader ook lid van zo'n bende?'

'Reken maar. Hij was dikke mik met Lucky Luciano en Meyer Lansky in de Lower East Side van Manhattan. Daarna maakten ze een tijdje deel uit van de Five Points Gang. Samen met Luciano stapte hij over op de organisatie van Joe Masseria, de gangsterbaas van Brooklyn, vlak voordat ik runner werd voor hem. Mijn pa hielp Luciano zijn drankenhandel te drijven, niet dat mijn pa ooit rijk werd, denk dat vooral niet. Hij dronk te veel van de handelswaar.'

Hij lachte, alsof hij een goede grap had verteld, maar zijn ogen stonden donker en diep in zijn hoofd. Zijn vingers draaiden sliertjes tabak met volmaakte precisie tot een sigaret, maar Dodie begreep dat hij niet langer zag wat er voor hem was. Hij nam alle tijd om zijn sigaret op te steken, en hij inhaleerde diep, om alle herinneringen weer naar binnen te zuigen.

'Hoe dan ook,' zei hij snel, 'toen ik twaalf was zijn mijn ouders voor mijn ogen doodgeschoten op straat. Een wraakactie. Sicilianen zijn goed in wraak.'

'Flynn, wat vreselijk. Dat moet...'

Maar hij bleef praten. De behoefte alles eruit te gooien was te sterk. 'Luciano stuurde me naar Chicago, voor het geval ze ook achter mij aan zaten. Daar heb ik Johnnie Morrell ontmoet. Hij zat toen bij Al Capone. Ik ben voor hen gaan werken.' Hij blies een lange sliert rook naar het open raam. 'En zo is het gekomen.'

Hij stond op, bewoog zijn schouders alsof er iets was wat hem vasthield en waaruit hij zich los moest rukken. Hij liep naar het raam en staarde naar buiten in de door de zon gebleekte straat, waar nu een briesje met een geur van zeewier streek, niet meer dan een behoedzaam vleugje lucht, maar het maakte het leven in het snikhete kamertje heel even iets draaglijker.

'Tegen de tijd dat ik veertien was ben ik eruit gestapt. Ik had mijn buik ervan vol. Vier goeie vrienden van me waren doodgeschoten in die twee jaar. Weggevaagd. Dus ging ik op pad. Had behoefte aan frisse lucht. Morrell bracht me in contact met Harry Oakes, over de grens in Canada, een oude kameraad van hem uit zijn jaren als goudzoeker. Ik heb een paar maanden voor hem gewerkt, maar ik had geen rust in m'n gat. Canada is een verrekt groot land, dus begon ik te zwerven. Af en toe stopte ik in het een of andere nietszeggende stadje, maar ik trok altijd weer verder.'

De woordenstroom stokte. Hij wierp zijn sigaret de straat op, maar hij bleef bij het raam naar buiten staan staren.

'Flynn,' riep ze zacht.

Hij hoorde haar niet.

'Flynn, kom eens hier.'

Hij draaide zijn hoofd naar haar om. De harde blik was uit zijn ogen verdwenen en daarvoor in de plaats was er nu een droefheid die Dodie een steek in haar hart bezorgde.

'Ga zitten,' zei ze.

Hij ging naast haar zitten, met stramme ledematen. 'Hoe is het met je rug?'

'We hebben het nu even niet over mijn rug.' Ze lag op het schone witte sloop en liet haar handen hem niet aanraken. 'Vertel me de rest.'

'Er valt niet veel meer te vertellen. Uiteindelijk ben ik teruggegaan. Dat is het punt bij de maffia. Ze zijn net als de katholieke kerk. Als ze eenmaal hun klauwen in je hebben gezet, hebben ze je voor het leven te pakken. Ik heb in Florida veel voor Meyer Lansky gewerkt en hij heeft me met Morrell hierheen gestuurd voor de grondtransactie met Oakes. Ze hadden ons ervoor uitgezocht omdat wij hem allebei hebben gekend voordat hij *sir* was.'

'Maar wie,' vroeg ze, 'huurt er op dit eiland zware jongens in om mij in elkaar te slaan?'

'Lansky heeft hier nog een andere kerel zitten die naar zijn pijpen danst. Hij heet Spencer.' Hij pakte haar hand van het laken en hield hem plat tussen zijn eigen handen. 'Daarom moeten we goed voor jouw veiligheid zorgen.'

'Wat denken zij dat ik weet?'

'Ze zijn doodsbang dat Johnnie Morrell op zijn sterfbed te veel heeft verklapt. De enige reden dat ze jou nog niet meer hebben aangedaan, is dat ze niet nog meer aandacht van de politie wensen, en ik heb hun bovendien bezworen dat.' Hij haalde verontschuldigend zijn schouders op. '... jij slechts een onnozel serveerstertje bent dat van niets weet.'

'Dank u wel, meneer Hudson.'

Hij glimlachte. Ze fronste naar hem.

'Nog één vraag,' zei ze.

Hij hield nog steeds haar hand vast, alsof hij bang was dat die ervandoor zou gaan.

'Ga je gang.'

'Waarom heeft sir Harry meneer Morrell dat goud gegeven?'

Flynn schudde langzaam zijn hoofd. 'Ik sta voor een raadsel. Ik weet het niet, ik was er niet bij. Ik was buiten. Het enige wat ik weet is dat Morrell ermee is vertrokken.'

'Heb je het aan sir Harry gevraagd?'

'Nee.'

'Waarom niet? Misschien heb je er iets aan.'

'Omdat sir Harry het me niet zou vertellen. Dáárom.'

Ze knikte. Het leek mogelijk. 'Nog een vraag.'

'Brand maar los.'

'Wat had jij met sir Harry onder vier ogen te bespreken? Toen Morrell was vertrokken.'

Ze zag hem nadenken over zijn antwoord. Wist hij nog niet dat hij haar kon vertrouwen?

Hij zuchtte even. 'Oakes wilde met mij over zijn schoonzoon praten, Freddie de Marigny. De ouwe bok met het groene blaadje. Hij brengt Oakes tot razernij. Heeft niets met Morrell te maken.'

Dat verbaasde haar. Als het waar was.

'Nog één laatste vraag.'

Hij lachte, maar het was geen vrolijk geluid. 'Vraag maar.'

'Wie denk jij dat Johnnie Morrell heeft vermoord?'

Hij aarzelde niet. Stopte niet om een leugen te bedenken. 'Sir Harry Oakes.'

'Je zou er eigenlijk vandoor moeten gaan nu het nog kan,' zei Flynn tegen haar.

Dodie ademde zwaar, alsof ze hard had gelopen op een plaats waar de lucht ijl was. Ze ging rechtop zitten, streelde de bleke, stadse huid van zijn hals, plaatste een resolute kus op zijn mond en ging weer op het kussen liggen.

'Ik ga nergens heen, Flynn. Denk maar niet dat ik zal vertrekken vanwege alles wat jij me hebt verteld.'

Hij bleef op het bed zitten en staarde omlaag naar haar gezicht, prentte zich alle gelaatstrekken tot in de kleinste details in alsof hij verwachtte dat ze elk moment in rook zou opgaan. Hij boog zich over haar heen, met zijn gezicht vlak boven het hare, en zijn geur trok in haar neusgaten. Toen ze bleef waar ze was, was zijn kus niet teder. Hij kuste haar woest en gretig. Ze kon de scherpte van zijn begeerte proeven. Ze kon het voelen in de manier waarop zijn lippen bezit namen van haar mond en waarop hij de welving van haar wang streelde. Dit deed een verlangen in haar ontstaan, een verlangen dat snel door haar lichaam stroomde.

De kracht van dit verlangen deed Dodie schrikken. Ze had geen idee gehad dat het zó zou zijn, hoe een paar kussen het verdedigingsmechanisme van haar lichaam, dat ze zo zorgvuldig had opgericht, konden vernietigen. Er ontsnapten haar geluiden. Zacht gezucht en gekreun en gekerm waarvan ze niet wist dat ze het voort kon brengen, terwijl Flynn het bandje van haar jurk van een schouder schoof. De schouder was nu naakt en kwetsbaar.

'Dodie,' zei hij zacht, 'dit is niet waarvoor je hierheen bent gekomen.'

O nee? Was dit niet waarvoor ze hierheen was gekomen?

Met moeite rolde hij bij haar vandaan en wilde opstaan van het bed.

'Blijf,' fluisterde ze.

Stuk voor stuk maakte ze de knoopjes van zijn overhemd los, pelde dit van zijn schouders en gleed met beide handen over zijn bleke huid. Over de donkere, glanzende haren. Ze boog haar hoofd en drukte haar lippen tegen zijn borst. Zijn hartslag hamerde tussen zijn ribben door, vibreerde tegen haar tong toen ze de zilte smaak van zijn huid proefde.

Teder streelde hij haar haar en lichtte de kastanjebruine massa op, ontblootte haar nek om die te kussen, en zonder enige schaamte schoof ze haar jurk over haar hoofd. Ze voelde zijn blik op haar naakte borsten, maar in plaats van verlegen en schroomvallig te zijn, in plaats van de schuchtere en onervaren minnares die ze feitelijk was te zijn, wilde ze dat hij haar niet alleen bekeek maar ook streelde. Ze had sinds het incident met haar baas in het naaiatelier niet gewild dat een man haar zou aanraken, en ze had gezworen dat ze nimmer een man – hoe lief en aardig ook – zelfs maar bij zich in de buurt zou laten.

Maar hier had ze niet op gerekend. Op dit gebulder. Dit razen van het bloed in haar aderen. Deze hitte. Verstikkend en verterend. Ze wilde zich schamen, maar kon het niet, ze wilde spreken, maar kon het niet, ze wilde zeggen: kijk nou toch eens wat je met me hebt gedaan. Maar ze kon het niet. Zijn mond was op de hare, zijn handen streelden haar, liefkoosden haar borsten, haar dijen. Ze trok hem zijn kleren uit en kon niet langer zeggen welke ledematen van hem waren en welke van haar, want de begeerte in haar binnenste was zo hevig dat ze zich moeiteloos met elkaar verstrengelden.

En toen was hij boven haar, met ogen die op haar neerkeken met zo'n onverholen medeleven dat ze besefte dat hij het wist. Dat hij wist van het naaiatelier. Ze had geen idee hoe, maar hij wist het. Hij wist alles over het vuil in haar. Haar wangen vertoonden een blos van schaamte, maar hij kuste haar intens en fluisterde tegen haar lippen: 'Mijn liefste, dit is een nieuw begin. Voor ons samen. Vergeet de rest. Dit gaat om jou en mij.'

Mijn liefste.

Hij wist van haar vuil, hij had het smerige op haar lichaam geroken, en toch noemde hij haar *mijn liefste.*

Gretig sloeg ze haar benen om zijn heupen, en toen hij bij haar binnen ging slaakte ze een kreet. Niet van pijn deze keer. Niet van woede en vernedering omdat haar lichaam werd opengescheurd als het karkas bij een slager. Maar van verbijstering. Dat het zo teder, zo liefdevol, zo opwindend kon zijn. Ze kon geen adem halen. Kon niet denken. Kon niet zijn. Er bestonden slechts hun twee lichamen die verbonden waren. Dat was haar werkelijkheid in deze kleine, heimelijke kamer die nu haar wereld vormde.

Buiten werd het licht zachter. Er kropen schaduwen de kamer binnen. Dodie had alle besef van tijd verloren, maar dat was niet van belang. Het was alsof de tijd in een onbekende wereld thuishoorde en geen enkele betekenis voor haar had. Ze leunde op een elleboog om Flynns gezicht te bekijken terwijl hij sliep.

Maffiaknecht of molenaar of majoor in het leger?

Maakte het enig verschil voor haar?

Nee. Het antwoord knalde in haar hoofd. Nee. Geen steek. Wat hij ook mocht zijn, hij maakte nu deel van haar uit. Ze keek glimlachend op hem neer, genietend van de intimiteit van het smalle bed, en ze boog zich over hem heen tot haar lippen op een centimeter afstand van de zijne waren, en ze had al haar wilskracht nodig om zijn mond niet te kussen.

'Wat lig je daar als een halvegare te grijnzen?' mompelde Flynn, met een stem die nog zwaar was van de slaap. 'Hoe gaat het met je rug?'

'Welke rug?'

Hij draaide zich om en duwde haar in het kussen, waar hij slierten van haar haar door zijn vingers liet glijden, en hij kuste haar tepel, waardoor hij een golf van hitte zich bij het verlangen tussen haar benen liet voegen.

'Dus die zere rug en die blauwe plekken waren...'

'Een list om jou in bed te krijgen.'

Hij lachte blij, maar hij hoorde haar zuchten.

'Wat is er?' vroeg hij.

Ze sloeg een arm om zijn lichaam en kroop dicht tegen hem aan. 'Er is nog iemand met wie we moeten praten.'

Hij legde losjes een vinger op haar lippen, want hij had geen zin nog meer te moeten horen, maar ze kuste de vinger en haalde hem weg.

'Wie?' vroeg hij.

'De heer Harold Christie.'

'De makelaar?'

Ze knikte. 'Hij was naar mij toe gekomen. Nu is het mijn beurt om naar hem toe te gaan. Ik weet zeker dat hij betrokken is bij wat er met Morrell is gebeurd, en het wordt tijd dat we hem wat vragen stellen.'

36

Ella

'Reggie, moeten we rechercheur Calder misschien uitnodigen om morgenavond mee te gaan naar het feest?' vroeg Ella.

Haar man zweeg. Hij was bezig zijn overhemd los te knopen, zich klaar te maken om naar bed te gaan. 'Waarom zouden we dat in hemelsnaam doen?'

'O, ik weet het niet. Het lijkt me gewoon wel aardig voor hem.' Ze bukte zich om haar kous uit te trekken. 'De arme man heeft zoveel uren in de auto op mij zitten wachten.' Ze liep naar haar man en drapeerde haar kous rond zijn nek, liet het zijden oppervlak langs zijn huid glijden. 'Hij is tenslotte niet zomaar een chauffeur. Hij is een politiefunctionaris. Bovendien zal hij daar opgaan in de menigte. Het lijkt me niet redelijk om hem de hele avond buiten te laten zitten wachten, vind je wel?'

Reggie dacht hierover na. Ze kon iets van twijfel in zijn ogen op de loer zien liggen. Zijn vingers liefkoosden de kous.

'Tilly en Hector zullen hun lijfwacht niet mee vragen, daar ben ik van overtuigd,' verklaarde ze, en ze kuste hem op de wang. 'Maar jij bent een veel aardiger man dan Hector.'

Ze liep naar de kaptafel en pakte de amberkleurige fles parfum op. Behoedzaam depte ze wat Vol de Nuit van Guerlain onder aan haar hals. Ze wist dat Reggie dol was op de houtachtige geur ervan. Soms was dit alles wat ze in bed droeg om hem een plezier te doen. Ze depte er ook wat van op haar dijen. Hij kwam nu naar haar toe, aangetrokken door de geur, en hij streek peinzend met zijn duim over het embleem in reliëf op de voorzijde van de fles. Het stelde een vliegtuigpropeller voor, omdat het parfum was vernoemd naar de tweede roman van Antoine de Saint-Exupéry, *Vol de Nuit*, en Reggies oogleden zakten iets omlaag, zijn lippen weken iets uiteen. Ze kon zich maar al te goed voorstellen wat er in zijn hoofd omging, dus stoorde ze hem niet. Toen hij haar ten slotte aankeek, was zijn blik een beetje wazig.

'Natuurlijk, liefste, net wat jou goeddunkt,' zei hij.

Ze schonk hem een hartelijke glimlach. 'O Reggie, wat ben je toch een goed mens.'

Hij ging wat meer rechtop staan, met blozende wangen. Alsof het helemaal zijn idee was geweest om rechercheur Dan Calder uit te nodigen voor het feest.

Ella staarde slapeloos naar de zwarte heuvel die Reggie was.

Het was verkeerd. Natuurlijk was het verkeerd.

Wat bezielde haar?

Het was dwaas. Misplaatst. Volstrekt verkeerd.

De remedie was heel eenvoudig: ze zou hem niet uitnodigen. Rechercheur Calder kon buiten in de auto wachten, samen met alle andere chauffeurs. Wat kon haar dat in hemelsnaam schelen? Reggie zou het niet eens opmerken.

Ze haalde diep adem en zuchtte onhoorbaar in de nacht. Het donker van de slaapkamer vouwde zich moeiteloos rond haar geheimen, verborg ze zelfs voor haarzelf, en ze onderging een overweldigend gevoel van opluchting. Dit maakte dat ze een gewaarwording had alsof ze zojuist een steile helling had beklommen. Ze had het besluit genomen.

Morgenochtend zou ze zonder mankeren vroeg opstaan en regelrecht naar de garage lopen om rechercheur Calder te vertellen dat de familie Sanford hem niet langer nodig had. Daar zou hij blij om zijn. En daar zou zij blij om zijn.

Iedereen zou blij zijn.

Ze nestelde zich dichter tegen haar man aan en ademde zijn zeepachtige geur in. De seks was niet goed geweest. Maar ook niet slecht. Niet echt slecht.

De Cockatoo Club was Ella's favoriete plek. Meer zoals de gewaagde clubs in New York, waar Reggie haar tijdens hun tochten mee naartoe had genomen, met allemaal goud en glitter en glamour. Enorme roze kroonluchters wierpen een gloed als van een zonsondergang over de

dansende en dinerende menigte en deed diamanten en gouden ket-
tingen fonkelen, zodat alles schitterde en blonk. Een brede, glimmen-
de trap leidde naar een halvemaanvormig podium waarop een zwarte
swingband in helderwitte jasjes goed op dreef was. De zachte, soepele
muziek maakte het tot een genot om te dansen, terwijl een hese zan-
geres in een opvallende jurk vol kraaltjes door de microfoon stond te
croonen.

Vanavond was iedereen er. Ella was blij met de kaartverkoop voor
dit liefdadigheidsfeest en de hertogin was bijzonder tevreden over de
opkomst. Ze was heel elegant in haar nachtblauwe avondjurk van
Schiaparelli en haar bekende panterarmband, terwijl ze zich van tafeltje naar tafeltje bewoog. Ella was op de drukke dansvloer. Ze keek
voortdurend onopvallend om zich heen, terwijl ze de kolkende menigte luidruchtige feestvierders afzocht.

Waar was Dan? Was hij ertussenuit geknepen?

Hij had ja gezegd. Hij zou komen. Daar klampte ze zich aan vast.
Ja, had hij gezegd, hij zou deze avond graag bijwonen, en ja, hij bezat
avondkleding. Ze had gebloosd bij de blik die hij haar toewierp toen
ze de vraag stelde. Ze begreep dat ze te ver was gegaan. Dus negeerde
ze hem nu, zonder te weten of hij in de club was, maar ze kon haar
ogen er niet van weerhouden af te dwalen. Haar te verraden.

Er was deze avond veel vitaliteit in de bewegingen van alle dansers.
Alsof er een vonk van de een op de ander oversprong, om hen in lich-
terlaaie te zetten. Het kwam door de berichten over verliezen, over al
die gewelddadige en tragische sterfgevallen. Voor degenen die aan de
kant moesten staan en toe moesten kijken bestond hun enige wapen
uit terugvechten, uit met grimmige vastberadenheid proberen het
leven zo normaal mogelijk te laten doorgaan. Te laten zien dat muziek en dans bewezen dat ze eeuwig zouden leven.

'Zoek je iemand, Ella?'

Het was de hertog van Windsor.

'Nee, helemaal niet.' Ella schonk de gewezen koning van Engeland
een stralende glimlach terwijl ze met hem danste. 'Ik dacht te veel aan
alle vliegtuigbemanningen hier.'

Ze keken beiden even naar de uniformen om hen heen, met voor
de laatste keer meisjes in hun armen.

'Nou, je hebt het weer schitterend voor hen georganiseerd. Een schouderklopje heb jij wel verdiend.' Hij klopte haar lachend op de rug.

'Dank u.'

Het orkest zette 'Chattanooga Choo Choo' in en het tempo op de dansvloer versnelde. De hertog was een uitstekende danspartner, hij bewoog zich goed, ondanks zijn geringe lengte, een soepele, tengere man die prat ging op zijn charmes. Ontzettend ijdel, naar Ella's mening. Hij besteedde zeldzaam veel zorg en kosten aan zijn persoonlijke verschijning, zijn pakken waren allemaal van topkwaliteit Savile Row, en de taille van zijn jasjes was speciaal verhoogd om hem een langer silhouet te geven.

Ze moest toegeven dat hij op zijn negenenveertigste, gebruind en sportief, nog steeds knap was om te zien, op een jongensachtige manier, met zijn sluike blonde haar naar achteren gekamd. Maar zijn mond vertoonde een pruilerige trek, iets kleinzieligs. En zijn grote blauwe ogen stonden soms zo intens verdrietig dat ze het nauwelijks kon verdragen hem aan te kijken. Toch bezat hij alles wat een mens kon begeren: een zorgzame vrouw, geld, status, een belangrijke baan, goede gezondheid, de hele santenkraam verdorie. Niettemin beschouwde hij zichzelf als onheus behandeld. Hij wilde altijd meer. De arme Reggie zou eerder zijn tong afbijten dan ook maar één kritisch woord over een lid van de koninklijke familie te uiten, maar wanneer hij 's avonds soms gespannen en gefrustreerd thuiskwam, wist Ella precies wie ze daar de schuld van kon geven. Maar ze deed haar best. Ze danste. Glimlachte. Vroeg niet om gunsten. Reggie zou tevreden over haar zijn.

'Is sir Harry vanavond niet hier?' informeerde ze terloops.

Sir Harry Oakes en de hertog waren trouwe golfpartners.

'Nee, hij voelde zich niet helemaal fit, of dat zei hij tenminste.' De hertog grinnikte even, waardoor diepe rimpels rond zijn ogen ontstonden. 'Het lijkt me meer een geval van als de kat van huis is dansen de muizen. Als je begrijpt wat ik bedoel.'

'O ja?'

'Jazeker. Zijn vrouw en dochter zitten in Amerika.'

Het was opvallend hoe goed de hertog, als gouverneur, geïnformeerd was en hoe graag hij de laatste nieuwtjes bijhield. Ella plooide haar gezicht tot een meelevende glimlach.

'U zult wel een drukke week hebben gehad. De nodige narigheid met die moord en de onrust onder de arbeiders.'

'Ach, laten we het daar maar niet over hebben, mijn lieve kind.'

Hij voerde Ella snel over de dansvloer rond, alsof hij de duizelingwekkende gebeurtenissen van deze week wilde benadrukken. Ze kwam langs een stel brede schouders die hoog boven de hertog uit staken en heel even stokte de adem haar in de keel. Maar het waren de verkeerde schouders.

'Is er nog nieuws over die afschuwelijke moord?' vroeg Ella.

'Een verdomd vervelende zaak. Een hoop gedoe, maar ze zijn helaas nog niets over die ongelukkige kerel te weten gekomen.'

Ongelukkig. Was dat het juiste woord voor hem?

'De politie is overal op zoek,' ging de hertog verder, 'naar zijn portefeuille. Ze zijn ervan overtuigd dat hij er een bij zich moet hebben gehad. Kolonel Lindop zegt dat hij gelooft dat iemand hem in de nacht van de moord heeft gestolen en dat ze hem uiteindelijk wel zullen vinden. Hij is een goeie vent, dus hij zal vast wel gelijk hebben.'

'Hij heeft meestal gelijk.'

'Dus willen ze de jonge vrouw die hem heeft gevonden nog eens stevig aan de tand voelen.'

Ella's hart kromp ineen. 'Ik had gehoord dat ze vrijuit ging.'

'Nee, nog niet. Maar, mijn lieve Ella, het wordt helaas tijd dat jij je lijfwacht gaat verliezen. We zijn tot de conclusie gekomen dat de situatie met de arbeiders, goddank, weer stabiel is en geen verdere bedreiging voor onze vrouwen inhoudt. Bovendien wil Lindop zijn manschappen van andere klussen afhalen om zich te concentreren op het onderzoek naar de moord. Waarschijnlijk een hele opluchting voor je? Het kan verdomd vervelend zijn om voortdurend zo'n kerel om je heen te hebben, nietwaar?'

Hij merkte niet op dat haar ogen groot waren geworden en haar mond was opengevallen terwijl ze naar woorden zocht.

Het orkest zette 'That Old Black Magic' in en dat was het moment waarop ze hem zag. Er ontstond een opening in de dansende paren, een smal ravijn dat over de dansvloer rechtstreeks van hem naar haar leidde. Ella staarde gretig naar hem. Hoe zijn gespierde lichaam zich weinig comfortabel voelde in het slechtzittende jasje toen hij zijn aandacht richtte op de lachende vrouw in zijn armen.

Hij danste met Tilly Latcham.

'Prettig gedanst met zkh?' vroeg Freddie de Marigny. De schoonzoon van sir Harry werkte de zoveelste cocktail naar binnen.

'Ja, dank je.'

Reggie schonk haar een goedkeurende glimlach.

'Hij zag er heel ernstig uit,' zei Hector.

Tilly's man zat met Reggie en Freddie aan hun tafeltje, gehuld in sigarenrook en omringd door cognacglazen. Ella ging zitten en pakte een glas wijn.

'Hij heeft je toch niet verveeld, hè?' vroeg Hector goedmoedig. 'Met een uitvoerig verslag van het golfen van vanmiddag?'

Hij lachte vrolijk. Hector was vrij goed in golf terwijl het algemeen bekend was dat de hertog er min of meer een klungel in was. Ze liet zich nog eens bijschenken en dronk het glas snel leeg.

'Alles goed met je?' vroeg Hector zacht. 'Je ziet een beetje pips.'

Ze knikte. 'Prima. Dank je.'

Ze was erg op Hector gesteld. Hij was een van die mensen die het leven overzichtelijk hielden. Hij geloofde in zwart en wit en had weinig geduld met al het grijs van Reggie. Desondanks konden de twee mannen het uitstekend met elkaar vinden.

'Waar is Tilly gebleven?' vroeg hij.

'Ik ga haar wel zoeken.'

Ella stond op en baande zich een weg door de propvolle club, haastig, om zo snel mogelijk bij de dansvloer vandaan te komen.

Hoe kun je in de spiegel kijken en de ogen van een vreemde zien? Een persoon die je nooit eerder hebt gezien? Hoe kan dat gebeuren?

Ella boog zich bij de wc's over de wasbak en plensde wat water op haar wangen, maar het maakte geen enkel verschil. Haar gezicht was zo warm dat ze dacht dat het zou smelten. Het kwam door de schok, besefte ze. Niet de schok bij het zien van een lachende Tilly Latcham in de armen van Dan Calder, of bij de gedachte aan zijn hand die midden op haar rug lag met niets meer dan een flinterdun laagje zijde ertussen.

Nee. Niet die schok. Hoewel dat al genoeg was om haar van streek te maken.

Erger, veel erger was de schok over hoezeer haar dat raakte. Hoeveel pijn het haar deed. Hoezeer ze de controle had verloren over wie ze was.

Ze huiverde.

'Ella, ik heb je overal gezocht, lieverd. Waarom heb je je hier verstopt?'

Tilly was luidruchtig binnengekomen op een golf van parfum en cocktails. Haar mond was vuurrood, alsof iemand die had gekust.

'Ik moest even tot mezelf komen, Tilly. Het is zo warm op de dansvloer.'

Tilly keek haar onderzoekend aan. 'Je ziet er inderdaad een beetje verhit uit.'

Ella spoelde haar handen nogmaals af en pakte een handdoek om ze te drogen. Ze weigerde, weigerde pertinent, haar vriendin te vragen naar de dans met Dan Calder. In plaats daarvan kamde ze haar haar een beetje te wild en speldde een blonde lok die aan een parelmoeren clip was ontsnapt, weer vast.

'Hector is vanavond goed op dreef,' merkte ze op.

'Hij is de hele dag al in een wonderlijke bui. Ik denk dat hij de een of andere verrassing in petto heeft, de dwaze jongen.'

'Een reisje naar New York?'

'Misschien. Wie weet? Ik vind het altijd leuk om een nieuwe jurk te kopen. Heb je die Schiaparelli van de hertogin goed bekeken? Moet een fortuin hebben gekost, maar ze heeft er niet het figuur voor.'

'Hij is echt prachtig. Maar ze ziet er vanavond slecht uit.'

Tilly klopte op haar eigen donkere krullen en legde één sliert kunstig over haar versgepoederde wang. 'Hoe bedoel je?'

'Ze ziet er zo...' Ella zocht naar het juiste woord. '... hongerig uit.' *Roofzuchtig,* dacht ze, maar dat zei ze niet.

Zou ik er nu ook zo uitzien? Hongerig. Roofzuchtig. Loerend op iets wat ik niet kan krijgen.

'Nou ja, dat is niet zo verbazingwekkend, hè?' zei Tilly schouderophalend. 'Ze wil altijd hebben wat ze nog niet heeft.'

Tilly was geen fan van de hertogin en vond haar gewoonte om de hertog en plein public verwijten te maken, onvergeeflijk.

'Het is niet gemakkelijk voor haar,' verklaarde Ella.

Zowel Ella als Tilly was zich ervan bewust dat achter gesloten deuren werd gefluisterd dat de hertog een seksueel probleem had, dat hij prematuur was wat de geneugten van de slaapkamer betrof en dat deze handicap uitsluitend met de hertogin enigszins beheersbaar bleef. Ella had geen idee hoe waar dit gerucht was. Maar het kon een aantal dingen over hun relatie verklaren: zijn volledige afhankelijkheid van zijn vrouw, de begeerte in zijn ogen wanneer hij maar naar haar keek, zijn onwil om Wallis Simpson op te geven, zelfs voor de troon van Groot-Brittannië. En het was algemeen bekend dat Wallis enige tijd in Sjanghai had gewoond waar ze – aldus de geruchten – bepaalde seksuele technieken had geleerd, zoals de bijzondere sjanghai-greep.

Allemaal kletskoek waarschijnlijk. Maar soms bespeurde Ella iets onevenwichtigs aan haar, alsof ze te strak was opgewonden. Precies zoals Ella zich nu voelde.

Reggie, neem me mee naar huis, neem me nu mee naar huis.

Tilly haakte haar arm door die van Ella en troonde haar mee naar de deur. 'Kom op, engel, ik wil met Zijne Koninklijke Hoogheid dansen... en er is iemand die met jou wil dansen.'

Hoe kon ze met hem dansen zonder hem te verslinden?

Roofzuchtig. Loerend op haar prooi. Met tanden die glinsterden van het speeksel.

Ella deed haar mond dicht en zorgde dat ze een fatsoenlijke afstand tussen hun lichamen bewaarde, zodat ze niet zomaar kon bijten. Ze bezat nog steeds iets van beschaving en daar klampte ze zich aan vast, opdat hij geen idee zou hebben van alles wat er in haar omging, van het glibberige, hellende vlak waarlangs haar gedachten omlaag tuimelden.

'Zeg, Dan,' zei ze, met een stem die ze verafschuwde, de toon van een koloniale matrone die haar favoriete bediende bevoogdend toespreekt, 'ik hoor dat je me zult worden ontnomen. Wat jammer.'

Grijze ogen. Grijs met streepjes lichtblauw. Ze staarden haar aan alsof zij een vreemde was die hij nooit eerder had ontmoet, een vreemde die niet bijzonder sympathiek op hem overkwam. 'Daar heb ik niets over gehoord, maar het zou me niets verbazen. Het is op dit moment razend druk op het bureau.'

Haar hand lag luchtig in de zijne. Zonder zich vast te klampen. Zonder over zijn arm omhoog te schuiven naar de rechte, scherpe lijn van zijn kaak.

'Vanwege de moord op Morrell, vermoed ik,' zei ze.

'Inderdaad.'

Toen wisten ze niets meer te zeggen. Het gesprek stokte gewoon. Iets wat in alle uren die ze samen in de auto hadden doorgebracht nooit was voorgekomen. Ze keek niet naar de andere mensen op de dansvloer, of naar het orkest dat op het podium stond te swingen, maar staarde zwijgend naar het gezicht van Dan Calder, tot hij haar abrupt losliet en midden op de dansvloer bleef staan. De menigte golfde en draaide om hen heen, en de zanger neuriede hun toe.

'Dit wordt niets,' zei hij zacht. Ze kon het nauwelijks boven de muziek uit horen.

'Nee.'

'We moeten er nu mee stoppen.'

Hij draaide zich pardoes om en liep bij haar vandaan, waarmee hij iets uit haar losrukte. Hoe was dit gebeurd? Hoe was ze hierin verzeild geraakt zonder dat ze het had zien aan komen? Hoe? Ze zag hoe hij snel tussen de tafeltjes door liep en vervolgens door de uitgang verdween.

'Ella? Is er iets?'

Ze had geen idee wie dit vroeg. Ze kwam in beweging en begon toen te rennen, duwde deuren open en riep zijn naam. Toen zijn hand haar vastgreep en haar in een donkere hoek achter de garderobe trok, wist ze dat het niet goed was. Toen zijn hand haar gezicht streelde en zijn soepele, lange lichaam zich tegen haar aan drukte, wist ze dat het krankzinnig was. Dat het iets was wat ordinaire en slechte vrouwen achter de rug van hun man om deden.

Maar ze had geen controle meer over haar lichaam. Het deed dingen die haar choqueerden, het maakte dat ze met haar vingers zijn warme volle lippen streelde en haar dijen tegen hem aan drukte, tot zijn lippen opeens op de hare waren en zijn tong in haar mond drong.

'Reggie?'
    'Mmm?'
    'Ben je wakker?'
    'Nu wel.' Zijn stem was dik van de slaap.
    'Reggie, alles is toch goed met ons, hè?'
    'Hoe bedoel je?'
    'Ik bedoel, we zijn toch gelukkig, hè?'
    Hij draaide zich om in het bed om haar aan te kijken, hoewel ze in het donker niet meer dan vage vormen waren, anoniem en zonder kenmerken.
    'Natuurlijk zijn we gelukkig,' zei hij, maar ze kon een trilling van onrust in zijn stem horen. 'Wat mankeert je?'
    Ze gleed met een hand over zijn naakte borst, waarbij ze de vertrouwde, babyachtige zachtheid van zijn mollige middel voelde, om vlak voor de dichte bos haar in zijn kruis tot stilstand te komen. 'Er is zoveel verdriet om ons heen, ik kon het vanavond in de club voelen, het was alsof het van het plafond drupte, met al die jonge levens die gevaar lopen. Ik wil dat we altijd gelukkig zijn. Ik wil dat we altijd...' Ze kreeg een prop in haar keel en kon niets meer uitbrengen.
    'Mijn liefste Ella toch!' Hij sloeg een arm om haar heen en trok haar tegen zich aan. 'Wat is er aan de hand?'
    'Niets.'
    Hij kuste haar voorhoofd. Een tedere, geruststellende kus die maakte dat ze zich nog slechter voelde. Ze trok zijn mond naar de hare, in een wanhopige poging dat hij zijn stempel op haar lichaam zou drukken, dat hij zijn rechten op haar zou doen gelden, en hij gehoorzaamde. Hij kwam boven op haar en schoof heel voorzichtig, zorgzaam, bij haar naar binnen. Ze luisterde naar zijn gesmoorde gegrom, voelde de warmte, vanbinnen en vanbuiten, van zijn verlangen om het haar naar de zin te maken, en ze zei tegen zichzelf dat het genoeg was. Dat ze niet méér nodig had.
    Toen het voorbij was, was het doffe, rusteloze verlangen tussen haar

benen nog steeds aanwezig, onbevredigd en onverzoenlijk. Reggie viel in slaap met zijn gezicht in de holte van haar hals, zijn adem warm en gestaag op haar borst. Ze trok het laken omhoog en drukte het tegen haar mond om haar kreet van wanhoop te smoren.

'Emerald, wil jij vandaag alsjeblieft een picknick voor me klaarmaken?' zei Ella opgewekt.

Emerald keek op van haar baksels en wapperde met haar met meel bestoven handen. 'Ik ben bezig een taart te bakken voor meneer Reggie. Al die blauwe bessen die anders verspild worden. En meneer Reggie houdt van een lekkere vruchtentaart.'

Ella voelde zich opgelaten, iets wat eigenlijk onredelijk was. Ze had zich gisteravond door Dan laten kussen, maar dat was alles. Wat was een kus tenslotte? Niets. Een kort moment van plezier. Meteen weer voorbij. Zodat ze nu weer verder konden gaan met hun leven. Het was absurd aan iets anders te denken. Ze wilde gewoon een ontspannen dag doorbrengen, ver van het gedoe in Nassau op een rustiger en koelere plek, zodat ze haar gedachten kon ordenen.

'Wat moet er in die picknick van u?'

'Alleen maar een paar eenvoudige sandwiches en een thermoskan thee,' zei Ella terloops, want het was echt een onbelangrijk uitstapje. Een picknick. 'O, en misschien wat cake voor rechercheur Calder.'

'Gaat rechercheur Calder u naar deze picknick brengen?'

'Ja, natuurlijk.'

'Dat is helemaal niet zo "natuurlijk". Wilt u blauwebessentaart voor meneer Reggie of een picknick voor uzelf?' Emerald zette haar handen vol meel op haar heupen en trok een kritisch gezicht.

Ella glimlachte liefjes naar haar. 'O Emmie lieverd, je weet best dat ik allebei wil.'

'Niks te *Emmie lieverd.*' Ze snoof luidruchtig. 'Uwes is gewoon inhalig, mevrouw Ella.'

'Inhalig?'

'Jawel. U wilt wat u niet kunt krijgen.'

Ella diepte een glimlach op en zette hem op haar gezicht. 'Ga die verhipte picknick nou maar klaarmaken.'

Dan Calder deed het portier van de Rover voor Ella open met zijn gebruikelijke hoffelijkheid, waarbij de kus van de vorige avond veilig ergens in een afgesloten lade was opgeborgen. Hij schoof naast haar de auto in, met een vriendelijk en professioneel gezicht. In de besloten ruimte van de auto rook hij lekker, de een of andere aftershave of haarolie, iets met sandelhout erin. Ze probeerde ongemerkt diep in te ademen.

'Waarheen vandaag?'

'Laten we een eindje landinwaarts gaan,' stelde ze voor.

Hij zette het grote voertuig in beweging en om haar ogen van zijn handen aan het stuur af te houden, draaide Ella haar hoofd opzij om naar buiten te kijken. Ze reden langs de voorkant van het huis. Emeralds gezicht was voor het raam van de eetkamer te zien, met een uiterst misprijzende uitdrukking erop. Haar boezem was als een reusachtig wit kussen tegen het glas gedrukt, haar zware lippen bewogen.

In haar hoofd kon Ella de woorden van haar dienstmeisje nog horen: 'Uwes is gewoon inhalig, mevrouw Ella.'

37

Flynn

Flynn had behoefte aan iets te drinken, iets stevigs, hoewel het volgens de oude staande klok, die tegen de muur leunde, amper halverwege de middag was. De ventilator in het kantoor was efficiënt, zorgde er in elk geval voor dat de warme lucht over zijn huid golfde. Ze waren binnengelaten, hadden een stoel en thee aangeboden gekregen. Thee? In deze hitte? Wat hadden die Britten toch met thee? Stroomde dat soms door hun aderen of zo?

'Of kan ik u misschien iets sterkers aanbieden, meneer Hudson?' vroeg Harold Christie minzaam.

'Een biertje lijkt me prima.'

Christie zorgde voor bier. Het was lauw.

Flynn mocht deze man niet. Zijn glimlach was te oprecht, zijn charme te gemakkelijk, zijn manier van doen te verdomd ontspannen. Nog een ietsje meer ontspannen en hij zou languit op zijn eigen vloer liggen, met zijn gezicht op zijn chique Perzische tapijt. En hoe kwam hij erbij te denken dat Dodie op haar achterhoofd was gevallen?

Want zo behandelde hij haar. Vanaf het moment dat ze de kamer waren binnen gekomen, had Christie haar behandeld als iemand die hij bij de neus kon nemen, en zij zat hem daar een beetje in te pakken met haar lieve maniertjes en haar brave glimlach. Die glimlach van haar. Flynn wilde tegen haar zeggen dat ze die weg moest doen, op moest rollen en veilig in haar zak stoppen. Het leidde hem af.

Ze had hem voorgesteld. 'Dit is mijn vriend, de heer Hudson.'

Christie had Flynns aanwezigheid geaccepteerd omdat er niets anders op zat, maar dat betekende nog niet dat hij hem aardig moest vinden. Zijn handdruk was behoedzaam en de begeleidende glimlach reikte nauwelijks voorbij zijn mondhoeken.

Flynn had geprobeerd haar deze bijeenkomst uit het hoofd te praten, maar ze had erop gestaan en hij begon in te zien dat hij niet goed in nee zeggen was wanneer zij ja zei. Niet wanneer haar lippen langs de zijne streken en haar vingers zijn haar ronddraaiden, net zo gemakkelijk als dat ze zijn hart ronddraaide. Maar het was beter dat hij hier in een van Christies grote gemakkelijke stoelen zat dan dat ze alleen was gegaan en de makelaar zou denken dat ze een gemakkelijke prooi was. Het was veelzeggend dat alleen al het noemen van haar naam hun toegang had verschaft tot dit heilige der heiligen, boven in Bay Street. Haar roem snelde haar vooruit bij deze jongens met geld en aanzien in de Bahamaanse society, en dat beangstigde Flynn. Ze wilden allemaal weten wat er precies in dat mooie hoofdje van haar omging.

'En, juffrouw Wyatt, wat kan ik voor u doen?'

Dodie had haar kop thee niet aangeraakt. Flynn zag hoe Christie haar observeerde op de manier waarop een ekster kijkt naar een jong vogeltje dat uit het nest is gevallen.

'Dank u wel dat u mij wilt ontvangen, meneer Christie,' zei Dodie, en ze schonk hem een glimlach. 'Uw reputatie is in Nassau algemeen bekend en zeer gerespecteerd. Het overviel me enigszins toen u onlangs in het Arcadia verscheen, maar ik heb nog eens nagedacht over wat u zei, en u had gelijk. We moeten de goede naam van de Bahama's hoog zien te houden.'

Christie glimlachte, even van zijn stuk gebracht. Hij had dit niet verwacht, maar hij herstelde zich snel. 'Het doet me genoegen dat te horen, jongedame.' Hij trok hard aan zijn sigaret. 'Ik was ervan overtuigd dat u het net zo zou zien als ik.'

'Inderdaad. En daarom denk ik dat wij samen kunnen werken.'

'Samen kunnen werken?'

'Ja. Ik ben naar u toe gekomen – met mijn vriend, de heer Hudson – om meer te weten te komen.'

'Te weten te komen over wat?'

'U weet alles wat er over grond te weten valt op New Providence Island.' Ze schudde de losse krullen van haar haar, zodat ze als zijde rond haar schouders golfden, het licht vingen en Christies blik trokken. Flynn kreeg een opwelling om hem de ogen uit het hoofd te krabben. 'Ik dacht,' ging ze verder, 'dat u ons er misschien iets over kon vertellen.'

'Wat voor iets? Hebt u belangstelling om grond te kopen?' Zijn groene ogen lichtten op bij zelfs de geringste mogelijkheid van een verkoop. Hij richtte zich vol verwachting tot Flynn. 'Of u, meneer Hudson?'

'Nee,' zei Flynn resoluut.

'Meneer Morrell vertelde me,' verklaarde Dodie, 'dat hij hier in Nassau was in verband met een transactie met grond. We dachten dat u daar misschien iets over zou weten.'

Er volgde een stilte die vibreerde in de kamer. Als bonen in een blik, zo luid.

Christie richtte zijn blik op Flynn. 'Meneer Hudson, wat is precies uw rol in dit gesprek?'

'Mijn rol is heel eenvoudig.' Flynn drukte zijn sigaret uit in een asbak van onyx. 'Er is een moord gepleegd, meneer Christie, zoals u onge-twijfeld bekend is. Ik ben een vriend van juffrouw Wyatt, en het is mijn taak ervoor te zorgen dat ze niet over nog meer lijken struikelt.'

'In mijn kantoor?'

Flynn grinnikte ontspannen. 'De meeste mensen hebben ergens wel een lijk in hun kasten liggen.'

Het had als een dreigement kunnen klinken, een beschaafd dreige-ment weliswaar, maar toch. Hij wilde dat Christie zich op hem richtte, niet op Dodie. Wat was ze in godsnaam van plan? Zoals ze zichzelf als lokaas zat te gebruiken. Ze had hem niet gewaarschuwd.

'Dus,' zei Flynn, 'zijn we op zoek naar iets over de verkoop van grond wat de ondergang van meneer Morrell kan hebben veroorzaakt.'

'O ja? Hebt u al iets gevonden?'

'Niets definitiefs.'

'Hebt u deze theorie al aan de politie gemeld?'

'Nog niet.'

'Ik weet niets over een transactie.'

Christies ogen gleden naar het sombere portret van koning George VI in vol ornaat, dat aan de muur hing, alsof hij zich ervan wilde vergewis-sen dat er nog steeds orde en gerechtigheid heersten. 'Maar juffrouw Wyatt,' zei Christie glimlachend, en hij legde zijn charmes er nog wat dikker bovenop, 'ik geloof echt dat u op het verkeerde spoor zit.'

'Hoe komt u daar zo bij?'

'Ik heb begrip voor uw belangstelling voor Morrell, echt alle begrip. Maar het wordt tijd dat u op de hoogte bent van het volgende feit: twee dagen na de moord is er een zwarte vrouw naar me toe gekomen. Ze wilde haar naam niet noemen, weigerde dit pertinent. Maar ze vertelde me over Mirabelle.'

Dodie ging rechtop zitten. 'Wie is Mirabelle?'

'Ze is een prostituee. Een vriendin van de vrouw.'

'Wat is haar relatie met Morrell?'

'Wat denkt u?'

Flynn liet niets van zijn woede blijken. 'Wat heeft deze vrouw gezegd?'

'Mirabelle is in de nacht van de moord naar haar toe gekomen, overdekt met bloed.'

Dodie slaakte een gesmoorde kreet.

'Het spijt me, juffrouw Wyatt, maar Mirabelle vertelde haar dat ze die avond een Amerikaanse heer in een steegje had "ontvangen" en dat hij haar had mishandeld. Hij had gedronken. Hij had een mes bij zich en bedreigde haar ermee. Er volgde een gevecht, en…' Christie zweeg even om er zeker van te zijn dat hij hun volle aandacht had. 'En uiteindelijk heeft zij hem met het mes gestoken.'

Dodies hand ging naar haar mond. Flynn schudde heel even zijn hoofd naar haar.

Christie blies een rookwolk de kamer in. 'Het schijnt dat Mirabelle zijn portefeuille heeft gestolen en is weggerend. De volgende morgen heeft ze het eiland verlaten, zonder te willen zeggen waar ze naartoe ging.'

'Wilt u ons zeggen…' Flynn benadrukte elk woord. '… dat Morrell is vermoord door een prostituee die sindsdien voortvluchtig is? En dat dit verhaal u werd verteld door een vrouw die u niet kent en die weigerde haar naam te noemen?'

'Ja, dat klopt.'

Voor het eerst keek Christie ongemakkelijk, zich bewust van het onwaarschijnlijke van zijn verhaal.

'En u hebt de politie niet geïnformeerd?' vroeg Dodie.

'Integendeel. Dat heb ik wel gedaan.'

'Maar waarom was ze naar ú toe gekomen?'

'Ach, juffrouw Wyatt, u moet beseffen dat ik heel goed bekend ben in deze gemeenschap. Ik heb een zekere reputatie voor het helpen van Bahamanen, al zeg ik het zelf. Deze vrouw is niet het soort persoon om naar de politie te stappen, maar ze wilde het toch vertellen aan iemand met enig gezag – iemand die zich bekommert om de mensen hier – dus is ze naar mij toe gekomen.' Hij spreidde zijn armen, alsof hij ze om alle Bahamanen heen wilde slaan.

Flynn ging staan en schoof zijn stoel naar achteren. 'Het klinkt plausibel, meneer Christie. Het is een goed verhaal en eentje dat iedereen verdomd goed uit zou komen. Het is waar dat Morrell een mes bij zich had. Het is waar dat hij het soms met prostituees aanlegde.' Hij slaakte een diepe zucht en keek strak omlaag naar de man aan de andere kant van het bureau. 'Maar u hebt één ding mis. Morrell zou nooit een vrouw mishandelen, van zijn levensdagen niet.'

Dodie keek hem aan, maar er lag iets straks in haar gezicht, ze verzweeg iets.

'Dank u wel, meneer Christie. Dank voor uw tijd,' zei ze.

Ze liepen naar de deur en gaven elkaar plichtmatig een hand. Juist op het moment dat ze naar buiten stapten zei Christie langs zijn neus weg: 'Meneer Hudson, geen enkele man weet waar een andere man over fantaseert wat seks betreft. Iedere man – of vrouw – kan een innerlijk monster loslaten wanneer er niemand anders in de buurt is. Denk daar maar eens over na.'

De woorden bleven in de gang hangen en Flynn had het liefst zijn vuist erdoorheen geslagen. Dodie pakte hem bij de arm en loodste hem het gebouw uit.

In de straat kletterde de regen op het trottoir en siste onder de autobanden.

'Je zou het mis kunnen hebben,' zei ze.

'Dodie, geloof hem niet.'

'Maar stel dat het waar is? Hij heeft het aan de politie verteld.'

Ze stonden onder een klapperende luifel in Bay Street, met auto's die toeterden in de drukke straat en voetgangers die tussen het verkeer door schoten om te vluchten voor deze plotselinge hoosbui. De lucht was vochtig en zwaar, zwiepte met plotselinge kracht van de oceaan naar binnen. Flynn had een arm om Dodies middel en hij drukte haar stevig tegen zich aan.

'Luister goed, Dodie. Morrell was niet dat soort man.'

Ze kneep haar ogen een eindje dicht om alles buiten te sluiten, behalve hem. De schok over wat Christie haar had verteld, lag nog steeds op haar gezicht, maar Flynn kon zien dat ze de neiging had de woorden van de makelaar te geloven, en dat maakte dat hij zich ongerust maakte over haar. Het maakte dat hij zwijgzaam werd. Ze drukte haar gezicht tegen zijn hals, en de geur van haar natte haar trok in zijn neusgaten.

'Niet doen, Flynn,' fluisterde ze.

'Wat niet doen?'

'Niet boos zijn. Niet zwijgen. Niet tegen mij.'

'Morrell was niet zo'n man,' zei hij weer. 'Hij zou nooit een vrouw met een mes bedreigen.'

'Zelfs niet als hij haar betrapte bij het stelen van zijn portefeuille? Misschien was dat de waarheid.'

'En hoe zit het dan met zijn angst om in het ziekenhuis te worden vermoord? Hoe valt dat te rijmen met het mooie verhaal dat Christie voor jou en voor de politie heeft opgedist?'

Ze hield haar hoofd achterover om hem aan te kijken. 'Morrell was lid van de mob. Ik weet dat hij een revolver bij zich had en ik neem aan dat hij die ook wel eens heeft gebruikt. Je zegt dat hij nooit een vrouw zou bedreigen.' Ze schudde treurig haar hoofd. 'Maar hij was een moordenaar.'

Haar woorden lagen tussen hen. Ze kon ze niet meer weghalen. Toen er een rijtuigje voorbijsjokte, met een paard dat door de regen glom als een zeehond, riep Flynn het aan en werkte hen beiden er snel in. Ze zaten naast elkaar, zonder iets te zeggen, en het besef dat Dodie Morrell als een moordenaar beschouwde, vulde elke centimeter ruimte onder het afdak van het voertuigje. Want als ze zo over Morrell dacht, zou ze ook zo over hem denken.

Flynn pakte haar hand vast. Hij was koud. Maar ze trok hem niet terug.

Dodie was een taaie. Zoals ze liep, met een rechte rug, zonder ook maar iets te laten merken van de pijn in haar lichaam. In het hutje in Bain Town hielp Flynn haar zich op het hobbelige matras te laten zakken. Hij trok haar jurk uit en masseerde nog meer van mama Keels zalf in haar rug.

'Gaat het er al beter uitzien?' vroeg ze, met haar gezicht in het laken gedrukt.

'Veel beter.'

Haar rug zag eruit alsof iemand er een pot slecht gemengde verf overheen had gegooid, een wild palet van blauw en zwart en paars.

'Hou es op met grommen,' mompelde Dodie.

'Grommen?'

'Ja. Je klinkt als zo'n zwerfhond van mama Keel, met alle poten stijf en de nekharen overeind.'

Was dat zo? Hij wist hoe hij een onbewogen gezicht moest trekken, hoe hij niets moest verraden, zelfs niet met het trillen van een ooglid. Daar had zijn leven vaak van afgehangen. Maar zij keek dwars door hem heen, en dat schokte hem. Toch schonk het hem vreemd genoeg ook iets van bevrijding. De mogelijkheid al het andere los te laten en haar gewoon lief te hebben. Hij bracht zijn hoofd omlaag en kuste haar schouder. Die smaakte naar vreemde kruiden.

'Je moet nu rusten om je rug te laten genezen.' Hij liep naar de deur.

'Waar ga je naartoe?'

'Ik moet iemand spreken.'

'Wat voor iemand?'

'Dodie,' zei hij kalm, opdat ze niet zou weten hoeveel moeite hem dit kostte, 'ik wil dat je dit eiland verlaat.'

'Nee.'

'Alsjeblieft, Dodie. Ik ga een boot regelen.'

'Nee.'

'Dat is veiliger.'

'Veiliger voor mij. Niet voor jou.'

'Je moet hier echt weg. Ik blijf. Ik heb mijn woord gegeven dat ik de moordenaar van Johnnie Morrell zou vinden, en ik wil me aan mijn woord houden.'

'Ik ook, Flynn.'

Hij besefte dat ze nooit weg zou gaan voordat dit voorbij was.

'Samen,' zei ze tegen hem. 'We doen dit samen. En daarna gaan we weg.'

Het was opgehouden met regenen. De lucht had een saaie, metaal-grijze kleur die de armoedige bar beroofde van het beetje licht dat er nog was. Maar Flynn wist dat de zon over een paar uur weer tevoor-schijn zou komen. Hij begon gewend te raken aan het ritme hier, aan de hitte en de felle kleuren op het eiland, alles zo verschillend van Chicago met zijn grauwe en broze lucht.

Spencer zat aan de bar op hem te wachten, met een gespannen trek op zijn smalle gezicht, een bijna leeg glas whisky voor zich. Hij was kortaf geweest aan de telefoon toen Flynn zijn kantoor belde. Geen van beiden had iets over Flynns inbraak in zijn slaapkamer gezegd, of over het onder bedreiging met een mes verwijderen van Spencers revolver.

'Wat doe jij verdomme nog steeds hier?'

'Ook leuk jou weer te ontmoeten, Spencer,' zei Flynn met een zuur gezicht terwijl hij ging zitten en om een glas bier gebaarde. 'Ik heb je al eerder gezegd dat ik pas wegga als ik klaar ben, en niet eerder. En tot die tijd zou ik wat antwoorden van jou kunnen gebruiken.'

'Loop naar de hel.' Spencer ging staan. 'Of beter gezegd: loop naar Miami. Ik ben alleen maar gekomen om deze boodschap aan je over te brengen: Lansky wil je spreken.' Hij genoot van het dreigement dat deze woorden inhielden. Meyer Lansky voerde zijn gesprekken te vaak met een .38 special met korte loop.

Flynn trok uitvoerig aan zijn sigaret en wist dat Spencer niet weg zou lopen. Het bier kwam en hij klonk met zijn glas tegen het whiskyglas.

'Op je gezondheid,' zei hij.

Hij had zijn bier naar binnen gegoten, gevolgd door het restje whisky, voordat Spencer zijn handen op het vettige tafeltje legde en zich eroverheen boog.

'Wat voor spelletje ben jij verdomme aan het spelen, Hudson?'

'Dit is geen spelletje.' Flynn wipte met zijn stoel achterover. 'Denk vooral niet dat ik een spelletje speel. Ik ben van plan uit te vinden wie Morrell heeft vermoord.'

'Wees geen stomme idioot. Vergeet Morrell. Maak dat je wegkomt uit Nassau voordat...'

'Voordat wat?'

'Voordat de zaak uit de hand loopt.'

'Is dat een dreigement?'

Spencer ging zitten. 'Blijf bij me uit de buurt. Ik wil niet dat tuig van jouw allooi in de buurt van mijn huis komt en al helemaal niet in de buurt van mijn vrouw.'

Flynn dacht terug aan de donkerharige vrouw die in het bed had liggen slapen en hij vroeg zich af in hoeverre zij enig idee had wat haar man met de maffia uitspookte. Dit was een kerel die niet graag zijn mooie schone manchetten vuilmaakte en zijn problemen meestal oploste met behulp van potige kerels, zoals het tweetal dat Dodie had mishandeld. Alleen al daarom mocht Spencer zich gelukkig prijzen dat zijn armen nog in de juiste hoek stonden, maar op dit moment had Flynn die vent nodig. Hij vormde de brug. Met één voet bij de maffia en de andere in het Britse koloniale kamp in Nassau. Dus liet Flynn zijn stoel weer op alle vier de poten vallen, met een kabaal dat Spencer achteruit deed deinzen met grote ogen vol achterdocht.

'Ik heb vandaag met Harold Christie gesproken,' zei Flynn op veelbetekenende toon. 'We hebben een tijdje met elkaar zitten kletsen.'

Spencer reageerde met heel stil te blijven zitten. Hij vertrok geen spier.

'Hij hing een verhaal op over een prostituee die Morrell met een mes had gestoken,' vertelde Flynn hem. 'Weet jij daar iets van?'

'Het is een gerucht dat de ronde doet. Het zou waar kunnen zijn.'

'Het zou evengoed waar kunnen zijn dat een van je handlangers die klus voor jou heeft geklaard.'

'Nee, Hudson, doe niet zo idioot. Of we het nou leuk vinden of niet, jij en ik werken voor dezelfde partij.'

'Oké, Spencer, vertel me dan maar eens wie er in de andere partij zitten. Wie had er iets te winnen bij de dood van Morrell? Jij?'

'Nee.'

'Sir Harry Oakes?'

'Godallemachtig, je bent wel met een stok in een slangenkuil aan het porren als je zulke dingen loopt te zeggen.'

Flynn sleep in gedachten een scherpe punt aan zijn stok. 'Wat is er zo bijzonder aan deze transactie? Iedereen weet dat Oakes het halve eiland bezit. Dus waarom doet iedereen hier zo verrekte opgewonden over?'

Spencer wilde zijn glas pakken en schoof het nijdig opzij toen hij zag dat het leeg was. 'Ga terug naar Miami, Hudson. En steek je neus niet in Lansky's zaken.'

Vanaf de andere kant van de bar klonk een kreet, waar twee zwarte mannen in overall ruzie kregen bij het kaarten, en dit trok Spencers aandacht. Hij draaide zijn hoofd, en in dat onbewaakte ogenblik zag Flynn hoe snel zijn halsslagader klopte. De man moest enorme hartkloppingen hebben. Hij was doodsbang. Maar waarvoor? Voor Oakes? Of was het Lansky? Of voor iets in zijn eigen schaduw?

Flynn stak nog een sigaret op en zoog de rook tot diep in zijn longen, om de vragen te smoren die hij op de tafel wilde smijten. In plaats daarvan stelde hij slechts één vraag. 'Wat is er gebeurd met het geld dat Morrell bij zich had? De politie is op zoek naar zijn portefeuille.'

Het noemen van de politie veroorzaakte een reactie.

Spencer ontblootte zijn slechte gebit naar Flynn. 'Hoe moet ik verdomme weten wat er met die portefeuille is gebeurd? Voor hetzelfde geld heb jij 'm in je zak gestopt.'

Flynn gooide zijn sigaret op de vloer en trapte hem uit. De andere kerels in de bar keken niet om zich heen, ze praatten met elkaar en schoven wat marihuana van de ene hand in de andere. Ze meden de twee blanke mannen in hun midden alsof die onzichtbaar waren. Flynn reikte over het tafeltje heen, greep Spencer bij de voorkant van zijn zweterige overhemd en trok hem hard tegen de rand van het tafelblad.

'Laatste vraag, makker. Wat is de naam van de fabriek waar het meisje vroeger heeft gewerkt?'

Spencers smalle ogen werden twee keer zo groot. Hij pakte Flynn bij zijn pols, in een poging zijn overhemd los te rukken. Maar opeens begon het hem te dagen, en met een diepe zucht begon hij te lachen.

38

Ella

Als picknick was het een mislukking. Als moment waarop Ella's leven aan scherven viel, was het een doorslaand succes. Zozeer zelfs, dat ze ervan overtuigd raakte dat er op een onbewaakt moment iemand anders onder haar huid was gekropen. Wat kon anders de verklaring zijn voor de vreemde die ze in haar botten aantrof en die dingen deed en woorden sprak die iedere gelukkig getrouwde vrouw zouden doen blozen?

Haar hand gleed in zijn tailleband. 'Laat me je aanraken,' had ze in zijn oor gefluisterd.

Schandalige, schandalige dingen.

Het was allemaal zo goed begonnen. Ella was blij en spraakzaam, zoals ze ontspannen in de auto zat met de raampjes omlaag toen Dan landinwaarts reed. Er waren slechts smalle, stoffige weggetjes die zich als koraalkleurige linten tussen de overhangende bomen door kronkelden, met hier en daar een enkele ezelswagen of een groepje vrouwen dat heupwiegend in vrolijk gekleurde jurken met dozen limoenen of meloenen op hun hoofd liep. Geen huizen. Alleen maar de wilde bush met zijn felgroene heesters, onderbroken door dichte bosjes pijnbomen en flamboyante palmen in alle vormen, die hun bladeren tegen de saffierblauwe lucht lieten uitwaaieren.

Het gaf een besloten gevoel. Ver weg van alle huizen, ver van de mensen van Nassau met hun onophoudelijke geklets. Kwam het daardoor? Kreeg ze daardoor zo'n gevoel van vrijheid en ontspanning? Of was het Dan? Hij leek zo onverstoorbaar. Zijn elleboog op de rand van de raamopening, de wind die aan zijn haar rukte. Hij moest die ochtend vroeg naar de kapper zijn geweest want er lagen kleine plukjes haar op de witte kraag van zijn overhemd met open hals, en de huid achter zijn oor glansde roze in het zonlicht.

Vandaag leek er geen barrière tussen hen te zijn en hij maakte haar aan het lachen toen hij een spotvogel antwoordde die hun een serenade leek te brengen. Ze lachte graag met hem. Ze zongen de hele tekst van 'London Pride', waarbij zijn sterke bas naast haar stem rolde, en het voelde goed.

Dan kende de paadjes en weggetjes goed, hij wist precies waar hij nog net met de auto door kon, en waar niet. De bush strekte zich rond hen uit, dicht en geheimzinnig, vol geluiden en geuren die Ella onbekend waren, aangezien ze zich nog nooit zo ver had gewaagd. Alles leek wild in haar ogen. De bomen spreidden hun zware takken verder, de struiken waren bezaaid met rode besjes die glinsterden als juwelen in de zon, en de ondergroei van varens en stekelige planten ritselde door het bewegen van kleine, onzichtbare dieren.

'Zijn hier ook slangen?' vroeg Ella plotseling.

Hij lachte om haar gezicht. 'Ja, maar geen giftige.'

Toen hij ten slotte een schaduwrijk plekje onder een groep pijnbomen koos om hun picknickkleed uit te spreiden en Emeralds verzameling cakes en sandwiches rond hen uit te stallen, voelde Ella zich alsof ze een champagnebel van geluk in haar mond had zitten.

Ze kon geen hap door haar keel krijgen. Niet met die bel in haar mond. Ze was bang dat die bel zou barsten zodra ze iets at, dus dronk ze alleen maar wat wijn en rookte een sigaret van Dan, warm uit zijn zak. Maar ze keek voortdurend naar hem. Haar ogen deden zich te goed aan het genot waarmee hij zijn tanden in Emeralds blauwebessentaart zette, zodat het paarse sap over zijn kin drupte en ze was geschokt door de intensiteit van haar verlangen het weg te likken.

Dus ging ze op het kleed liggen, dwong haar ogen naar de lucht te staren in plaats van naar hem, zodat ze zag hoe de wolken vanaf het westen landinwaarts begonnen te trekken, terwijl ze de lichtheid in haar ledematen voelde en het langzame, tevreden kloppen van haar hart. Toen een zwerm muskieten vlak bij haar gezicht bleef hangen, kon ze zich er niet eens toe brengen ze weg te slaan, maar Dans grote hand maaide heen en weer om ze te verjagen.

'Je wilt vast niet dat zij je bijten,' zei hij glimlachend.

Was het verbeelding of legde hij een nadruk op 'zij'? Alsof ze misschien wilde dat iets anders haar wel beet? Of iemand anders. Een plotseling besef de grens te hebben overschreden van wat fatsoenlijk was, maakte dat ze haar ogen dichtdeed. Zodat ze die ogen het genoegen ontnam naar hem te kijken, naar de manier waarop zijn haar aan zijn slapen ontsprong, naar de grote sleutelbeenderen die boven zijn overhemd te zien waren. Ze zou een perzik op die sleutelbeenderen kunnen leggen. Maar bovenal verbood ze haar ogen vol begeerte naar zijn handen te kijken. Zich voor te stellen wat die konden doen.

'Slaap je?'

Ze glimlachte en draaide haar hoofd loom heen en weer. 'Nog niet.'

Ze hoorde hoe hij zijn tanden in een appel zette. Zachtjes begon hij haar over zijn werk te vertellen. Over de zwarte vrouwen die op vrijdagavond, na betaaldag, het politiebureau binnen glipten met een opgezet gezicht en een kapotte lip. Betaaldag betekende veel rum drinken. Hij vertelde haar over de weggelopen honden, de dronkaards, de zakkenrollers, de burenruzies, de verkeersongelukken, over de eerlijke maar starre houding van zijn baas, kolonel Lindop, maar geen moment noemde hij de moord. De grote aantallen militairen die nu op het eiland waren hadden een onvermijdelijke toename in zijn werk betekend, maar hij sprak erover met een toewijding die haar plezier deed.

Op een gegeven moment legde hij een hand op haar been, op haar blote scheenbeen. Heel terloops, alsof hij het nauwelijks opmerkte. Ze dwong zich kalm adem te halen. En toen hij zijn hand weghaalde om een nieuwe invasie van muskieten te verjagen, hield ze haar ogen stevig dicht, zodat hij niet zou zien wat dat bij haar deed. Daardoor zag ze niet dat de wolken grijs werden, of dat de horizon afvlakte tot een vage achtergrond waartegen de bomen om haar heen afstaken als zwarte silhouetten. Toen de regen begon te vallen, was het alsof er penny's in haar gezicht werden gesmeten.

'Ella!' schreeuwde Dan, en hij trok haar overeind. 'Rennen!'

Ella. Hij noemde haar *Ella*. Ze begon te lachen terwijl ze door de regen snelde.

Hij rende naar de beschutting van de dichtstbijzijnde boom en trok haar met zich mee, want de auto stond vijftig meter verderop bij het weggetje. Maar ze waren al doorweekt tot op hun huid. De bliksem vorkte door de lucht, hakte die in stukken, en ze drukten zich tegen de natte boomstam waar Dan haar stevig in zijn armen nam, alsof hij bang was dat de horizontale kracht van de regen haar weg zou spoelen.

Ze wist niet wat er het eerste was. Na afloop probeerde ze het zich te herinneren, maar dat lukte niet. Haar vingers die tussen de knopen van zijn overhemd gleden of zijn hand die haar achterhoofd steunde en haar naar zich toe trok. Het maakte niet uit. Zijn lippen daalden hartstochtelijk op de hare, zijn adem was heet op haar natte gezicht, en er ging iets door haar heen wat als gloeiende draden voelde. Het brandde in haar vlees, schroeide de zachte huid van haar dijen tot het verlangen ertussen meedogenloos werd.

'Stil maar,' zei hij zacht, en hij kuste de regen van haar oogleden. Hij gleed met zijn hand over haar lippen, om ze weer in model te brengen. 'Stil maar,' zei hij weer, en pas toen besefte ze dat ze met veel geweld lucht in en uit haar longen blies, met het geluid van een blaasbalg die het vuur dat in haar binnenste woedde, opstookte. Hij trok haar blouse uit en likte de regen van haar tepels, tot zij haar hand in zijn broeksband schoof en fluisterde: 'Laat me je aanraken.'

Ze knoopte zijn gulp open en raakte hem aan, hield hem vast, streelde hem zoals ze Reggie nooit had gestreeld. Dan trok hun kleren uit tot ze allebei naakt waren in de striemende regen, en hij nam haar, staande tegen de boom, met haar rug tegen de ruwe schors toen hij in haar stootte. Hij was niet teder. Ze wilde niet dat het teder was. Het was een ruw, uitgehongerd grijpen van haar lichaam. Hij opende haar en vulde alle koude en lege ruimten in haar met een hitte die door haar hele wezen brandde.

Toen hij in haar was, rukten haar vingers aan de harde spieren van zijn rug, en toen de uiteindelijke explosie van de bevrediging kwam, gilde ze het uit. Ze gilde zo hard dat een paar duiven verschrikt uit de beschutting van hun tak opvlogen. Dans hoofd ging even met een schok, verschrikt, naar achteren, maar toen hij haar blik zag, lachte hij, een zacht geluid vol genegenheid, waar ze zich aan vastklampte.

Na afloop zaten ze op de drijfnatte grond, hij met zijn rug tegen de boom, Ella tussen zijn benen, met haar rug tegen zijn borst. Ze kon zijn borstkas op zijn ademhaling voelen bewegen en ze probeerde haar ademhaling eraan aan te passen. Hij bukte zich om haar nek te kussen en hij legde zijn hand rond haar naakte borst om die tegen de regen te beschermen. De tijd verstreek. Ze had geen idee hoeveel of hoe snel. Het enige wat ertoe deed was dat ze zijn lichaam tegen haar huid kon voelen en het gewicht van zijn hoofd dat tegen het hare rustte. Ze dacht niet aan Reggie. Of aan Bradenham House. Of hoe ze na dit moment moest leven. In plaats daarvan zette ze het gesprek over zijn werk voort, alsof het niet was onderbroken.

'Dus kolonel Lindop heeft op dit moment veel problemen te behandelen.'

'Ja. Iedereen op het bureau heeft het uitermate druk.'

'Ik wed dat je popelt om terug te gaan.'

Hij gaf eerst geen antwoord, maar zijn arm ging strakker om haar heen. 'Er moet werk worden verricht in die moordzaak.'

'Hoe staat het daarmee? Wordt het beschouwd als een misdrijf in verband met de sociale onrust?'

'We onderzoeken alle mogelijkheden.'

Hij praatte graag over zijn werk. Dat kon ze aan zijn stem horen.

'Wat betekent dat?'

'Het betekent dat we bekijken of het een roofoverval kan zijn geweest, omdat zijn portefeuille wordt vermist, tenzij dat meisje liegt en hem zelf heeft gestolen. Of het is een overval door rassenhaat, of misschien zelfs het werk van een prostituee die in paniek is geraakt.'

'Wat denk jij?'

'Ik heb zo'n donkerbruin vermoeden dat hier veel meer bij betrokken is dan zomaar een gelegenheidsdief.'

'O ja? Hoe dat zo?'

'Omdat iemand probeert de zaak zo snel mogelijk te sluiten.'

'Wie denk je dat die iemand is?'

Ze was ervan overtuigd dat hij sir Harry Oakes zou zeggen, maar ze had het mis. Zijn antwoord bezorgde haar een koude rilling.

'Onze gouverneur,' zei hij zacht, alsof zelfs hier in de groene wildernis zijn woorden slechts voor haar bestemd waren.

'De hertog van Windsor?'

'Ja.'

'Hoe kom je daar in hemelsnaam bij?'

'Hij wil hier geen problemen. Voor het geval dat dit schade berokkent aan zijn gouverneurschap.'

'Tja, als je het vanuit zijn positie bekijkt. Ruim dit akelige gedoe zo snel mogelijk op, zonder veel lawaai. Tenslotte kwam Morrell niet van de Bahama's, dus misschien is het beter om alles onder een handig tapijt te vegen, om geen slechte publiciteit voor het eiland te krijgen.'

Zijn benen klemden zich stevig om haar heen, en ze begreep dat ze hem boos had gemaakt.

'We zijn politiemensen, Ella. Kolonel Lindop moet zich verzetten tegen allerlei vormen van onaangename politieke druk. Hij wil dat de wet wordt nageleefd en dat het recht zegeviert.'

Ze streelde de natte krullen op zijn bovenbeen om hem te sussen. 'Dat is goed om te weten.'

Ze meende het. Ze wilde niet dat de Reggies van deze wereld zouden winnen met hun verwrongen logica en hun recht praten van alles wat krom was.

'Wat wij te weten moeten komen,' ging Dan verder, 'is waar Morrell die avond heeft doorgebracht. Wat hij heeft gedaan en wie hem heeft gesproken. Jij hebt zeker niets gehoord, hè?'

'Ik?' Ella richtte haar ogen op een grote zwarte kever die door de laag rottende bladeren rende. De regendruppels ploften als bommen op zijn glanzende zwarte rug, brachten hem uit zijn koers, maar hij wilde niet opgeven. 'Nee, natuurlijk niet. Waarom zou ik?'

'Die feesten waar jij naartoe gaat vormen vast een broedplaats van geruchten.' Hij haalde zijn schouders op. 'We hebben in de kranten verzoeken om inlichtingen geplaatst, met de foto van Morrell erbij, maar tot dusver heeft niemand zich gemeld.'

'Waarom denk je dat dat is?'

Hij nam haar oorlelletje tussen zijn tanden en beet er zacht in. 'De mensen zijn bang om erbij betrokken te raken.'

'Zijn wij dat, Dan? Erbij betrokken?'

Bij wijze van antwoord wikkelde hij zijn vuist in haar natte slierten haar en trok haar hoofd achterover, zodat hij haar gezicht kon zien. Zijn eigen gezicht was verhit, en hij fronste zijn wenkbrauwen toen hij haar aandachtig bekeek.

'Ella, ik ben erbij betrokken.' Hij schudde zijn hoofd, zodat het water in het rond spatte, en hij bracht zijn gezicht tot vlak bij het hare. 'Jij?'

'Ja.'

Zijn mond sloot zich om haar lippen en gleed omlaag langs haar hals, zijn hand nog steeds stevig in haar haar. En toen deed Ella iets waarvan ze niet had gedacht dat ze het ooit bij een man zou doen. Ze smeekte. Haar hand gleed tussen hun lichamen en nestelde zich in zijn kruis, tussen het dichte haar, en toen haar hand hem hard en heet vond, smeekte ze: 'Toe, Dan, alsjeblieft.' Ze was vervuld van weerzin jegens zichzelf toen deze woorden uit haar mond tuimelden, maar ze bleven komen. 'Alsjeblieft, toe, alsjeblieft.'

Deze keer liet hij haar vooroverbuigen, met haar handen en knieën in de modderige grond, terwijl de regen op haar rug ranselde, en hij nam haar van achteren. Als een teef. Een smerige teef, zou Reggie zeggen. Haar man zou er niet over peinzen een vrouw op die manier te vernederen, maar voor haar was het niet als een vernedering. Ella kon Dan diep in haar binnenste voelen, diep en veeleisend, en plotseling wilde ze dit moment nooit meer los hoeven laten. Niets wat haar in de toekomst wachtte, kon ooit bij dit in de buurt komen. Bij dit overweldigende gevoel dat ze leefde.

Ella dacht dat Dan haar rechtstreeks naar huis zou brengen, maar dat deed hij niet.

'Je moet eerst alle viezigheid wegpoetsen en je afdrogen voor je je aan Emerald vertoont.'

Hij glimlachte toen hij dit zei, terwijl zijn ogen geamuseerd naar haar modderige wangen en handen keken. Ze had in de stromende regen haar natte kleren aangetrokken, maar ze wist dat ze er volslagen geruïneerd uitzag. Ze kon begrijpen waarom ze zich dood zou generen wanneer Reggie haar zo verfomfaaid zou aantreffen, maar het kon haar helemaal niets schelen als Dan naar haar keek en haar uitlachte.

Hij bracht haar naar zijn huis. Tegen de tijd dat ze de stad bereikten waren de wolken opgehouden met hun chagrijn te spuien, zodat toen hij de auto voor zijn huis parkeerde, de zon opnieuw tevoorschijn was gekomen en de waterdamp van de motorkap van de auto opsteeg en over het trottoir dreef. Er vloog een mangrovekoekoek over hen heen, met een lange, zwart-witte staart die alle bravoure van een piratenvlag had. Er was iets zo normaals en vanzelfsprekends aan dit alles dat het nauwelijks voorstelbaar was dat alle gebeurtenissen bij de picknick werkelijk hadden plaatsgevonden. Toch stapte Ella haastig uit de auto en volgde Dan op de hielen over het pad naar de voordeur, het huis in.

Het was een smalle hal met sterk, mannelijk, gestreept behang en een trap die was bedekt met een rode loper. Dit verraste haar, het was zo'n felle kleur. Zodra Dan de deur achter hen had dichtgedaan, nam hij haar in zijn armen en kuste haar. Daarna droeg hij haar naar boven, naar de badkamer, waar hij een bad liet vollopen en haar begon te wassen. Hij nam er alle tijd voor, zeepte haar teder in en spoelde het vuil van al haar lichaamsdelen.

'Wacht hier,' beval hij, toen hij haar had afgedroogd en haar in zijn badjas had verpakt. Hij verdween om haar natte kleren in de zon te hangen.

Hier. Ze was in zijn slaapkamer. Die was chiquer dan ze in haar nachtelijke fantasieën had gedacht. Ze liep langzaam rond toen hij weg was, streek met haar vingertoppen langs de notenhouten kaptafel en zijn ivoren kledingborstel, gluurde in zijn kleerkast naar de nette en ordelijke rij overhemden en pakken. Ze boog zich in het muskusachtige donker om daar zijn geur op te snuiven. Toen Dan in de slaapkamer terugkwam had ze haar haar met zijn haarborstel geborsteld, een sigaret opgestoken uit het pakje in het nachtkastje, de geur van zijn hoofdkussen ingeademd en zich in kleermakerszit in het midden van zijn eenpersoonsbed genesteld. Het was langer geleden dan haar lief was dat ze voor het laatst in een eenpersoonsbed had gelegen. Het voelde klein en intiem. Haar hart bonsde vol verwachting. De binnenkant van haar mond was droog en kriebelig.

Maar toen hij de kamer binnen kwam, was er iets veranderd. Ze kon de verandering in hem zien zodra ze opkeek naar zijn lange gestalte. Hij had zijn politiegezicht opgezet. Zijn mond vertoonde niet langer het soepele waar ze zo van hield wanneer hij haar aankeek, en had nu een vastberaden, strakke trek die ze niet kende. Zo zou hij wel op het politiebureau zijn, maar ze wilde niet dat hij bij haar zo was. Niet hier. Niet nu.

'Ella,' zei hij, zonder op het bed te gaan zitten, 'wil je me vertellen wat je over sir Harry Oakes weet?'

'Dan,' zei ze, met neergeslagen blik, 'heb je je handboeien in de buurt?'

39

Dodie

'Ik moet morgen weer naar mijn werk,' kondigde Dodie aan. 'Dat is veel te snel.'

'Als ik langer wegblijf, zal ik mijn baan kwijtraken.'

Flynn keilde een schelp de branding in en hun blik volgde de strandlopertjes die als ingenieus opwindspeelgoed langs de waterlijn hipten. Er stoomde een oorlogsschip de haven uit, met aan boord jongemannen op weg naar de strijd, en de dreiging die uitging van dit grijze gevaarte overheerste het vredige tafereel en veranderde de stemming op het strand. De oorlog leek wel in alles door te dringen. Maar op zee pufte een vissersbootje oostwaarts naar de kade, met een wolk krijsende meeuwen achter zich aan, en er sneed een plezierjacht met veel vertoon van snelheid door de golven, op een ontspannen manier die Dodie zich deed afvragen hoe iemand zo kon leven. Zorgeloos. Gewichtloos. Racen op de wind. Het was een leven waar ze slechts naar kon raden.

'Dodie, blijf hier.' Flynns blote voet streelde de hare in het zand. 'Ik smeek het je. Blijf alsjeblieft hier. Ik kom weer naar je terug. Ik zal altijd naar je terugkomen.'

Ze leunde tegen hem aan en voelde zijn spieren reageren zoals ze dat steeds deden wanneer ze hem aanraakte, met kleine trillingen. Alsof ze een elektrische schok in hem teweegbracht, iets wat hij niet in bedwang kon houden. Ze zaten in het zand, met Flynns arm om haar heen, zodat hij haar dwong uit te rusten in plaats van te zwemmen. Ze was tevreden om hier bij hem te zitten, wachtend tot het donker werd, en te zien hoe het uitgestrekte blauwe doek van de lucht vuurrood werd en als bloed in de zee weerspiegelde, zodat het leek alsof er duizend mannen in waren verdronken.

'Dat kan ik niet, Flynn.'

'Ik heb alleen maar last van je.'

Ze glimlachte en leunde tegen zijn schouder. 'Daar zul je dan maar tegen moeten kunnen.'

'Blijf hier.'

'Alleen als jij ook blijft.'

Hij draaide zich opeens opzij en nam haar gezicht in zijn handen. 'Verdomme, Dodie, ik moet weg.'

'Wel verdomme, Flynn, dan moet ik ook weg.'

'Dit is 'm.'

Dodie vroeg niet hoe Flynn dat wist. De haren in haar nek gingen overeind staan toen hij iets uit zijn zak haalde wat op een set metalen pinnetjes leek, en eerst de ene en toen een andere in het slot stak. Ze hoorde een klik. Haar tong was zo droog dat hij aan haar tanden plakte.

Het gebouw was pikdonker. Ze waren het genaderd vanaf de richting van de kade, waar de wind rammelde in de masten van de boten die daar voor anker lagen, zodat het geluid van hun voetstappen werd overstemd. Bay Street was te goed verlicht om door de voordeur naar binnen te durven gaan, met te veel kans om te worden gezien.

Dus waren ze door een straat gegaan die er evenwijdig aan liep, langs de havens, en waren ze een van de talloze steegjes die de straat met Bay Street verbonden ingedoken. Ergens achter een raam met een luik ervoor speelde iemand op een piano. Halverwege het steegje had Flynn stilgehouden voor een deur in een hoge muur. Dodie voelde zich net een dief. Wist dat ze eruitzag als een dief. Ze wierp voortdurend angstige blikken over haar schouder. Ze kon zich niet bedwingen, ook al was de maan nog niet op en was de duisternis inktzwart.

De deur kwam uit op een kleine binnenplaats. Flynn liep rechtstreeks naar een houten trap die Dodie niet kon zien tot ze haar been eraan stootte, en ze begreep dat hij hier eerder was geweest. Natuurlijk. Dit was zijn wereld. Heimelijkheid. Duisternis. Sloten openmaken. Weten wat er om elke hoek lag. Ze pakte zijn hand en voelde zich onmiddellijk zekerder. Hij leidde haar zwijgend naar de volgende verdieping, waar hij opnieuw zijn toverkunsten op een slot uitvoerde, en opeens waren ze in het gebouw. Het rook er naar vloerwas. Ze had dat niet opgemerkt toen ze hier eerder waren, maar haar zintuigen waren nu gescherpt. Ze kon de duisternis proeven, de draden van de nacht zien.

'Dodie,' fluisterde Flynn, 'blijf vlak bij me.'

Dat hoefde hij haar niet te zeggen. Ze liepen door de receptieruimte, waar bureaus en ouderwetse fauteuils uit het donker opdoken, en Flynn leidde haar met een nimmer falend gevoel voor richting naar een kantoordeur die op slot was. Dodie hoorde opnieuw gerinkel van de metalen pinnen, een klik, en een zachte grom van voldoening van Flynn.

Ze waren binnen.

Dodie doorzocht de bureauladen. Ze voelde totaal geen scrupules om dat te doen en dat schokte haar. Ze begon te begrijpen hoe gemakkelijk het kon zijn om een wereld binnen te stappen waarin goed en fout slechts leenwoorden waren, zonder enige betekenis en geen enkele relevantie. Het was onwettig waar ze mee bezig was, en toch ging ze ermee door. Toen ze de bureauagenda van Harold Christie uit de la haalde, was ze verbijsterd over de brutaliteit van deze daad, maar dit weerhield haar er niet van hem plat voor zich neer te leggen en door de bladzijden ervan te bladeren, tot de dag waarop Morrell was vermoord.

Het licht van de straatlantaarns in Bay Street viel mosterdgeel het kantoor binnen, door de jaloezieën van de luiken, net genoeg voor Dodie om het zwarte gekrabbel te lezen: *9 v.m. Tennis met hertog. 12.30 lunch Zeilclub.* De middag was bezet met besprekingen met drie verschillende banken, maar de avond klonk gezelliger: *20 uur Bioscoop – In Which We Serve.* Dodie voelde een steek van frustratie. Ze had op meer gehoopt.

'Iets gevonden?' vroeg Flynn op gedempte toon.

'Nog niet.'

Hij stond voor het portret van George VI. Hij leek haar opeens een vreemde, in deze duistere omgeving, gericht op het werk waar hij mee bezig was. Hij tastte met zijn vingers langs de lijst van het schilderij.

'Er zou alarm op kunnen zitten,' had hij eerder uitgelegd.

Dat was de reden waarom ze hier waren.

'Heb je Christies ogen gezien?' had hij gevraagd zodra Christie hen had uitgelaten. 'Hij kon ze gewoon niet van jullie koning afhouden.' Hij grinnikte om haar verbaasde gezicht. 'Hij is óf een krankzinnige royalist, óf...' Hij had haar kin aangeraakt om haar gerust te stellen. 'Of hij houdt iets achter dat geweldige schilderij van 'm verborgen.'

Nu zette hij het voorzichtig op de vloer. Hij had gelijk. Erachter was een kluis in de muur aangebracht. Hij werkte snel en in volkomen stilte. Hij legde zijn oor tegen de kluis en begon met eindeloos geduld aan de schijf te draaien, waarbij hij gespannen naar de tuimelaars luisterde. Dodie verroerde zich niet, haalde geen adem en sloeg geen pagina om. Maar ze luisterde heel aandachtig. Ze schrok op van een plotselinge bundel licht die in de kamer viel. Het was van de koplampen van een late auto in Bay Street, het zwenkte over Flynn maar die verroerde zich niet.

Tien minuten. Dat was alles, volgens de lichtgevende klok op het bureau. Het voelde als tien uur. Dodies kiezen deden pijn, zo stijf had ze ze op elkaar geklemd. Ze wist wanneer de klik kwam, door het plotselinge ontspannen van Flynns lichaam. Hij draaide zich naar haar om, met strepen licht over zijn gezicht, en hij grijnsde naar haar.

'Aanvallen!'

Hij deed de deur van de kluis wijd open, heel even flitste er een zaklantaarn aan en hij haalde er een stapel mappen uit maar liet drie geldkistjes staan. Hij gaf de helft van de mappen aan Dodie, en ze hurkten op de vloer, weg van het raam, om bij het licht van de zaklantaarn de inhoud van de mappen te bekijken. De meeste papieren bleken contracten te zijn voor de verkoop van huizen, een aantal fabrieken, een hotel, een geërfde boomgaard die van eigenaar verwisselde.

'Niets,' siste Dodie.

'Geduld.'

Het lag helemaal onderop. Een contract voor de verkoop van een groot stuk land en kust, genaamd Portman Cay, aan de westzijde van New Providence Island. Ze doorzochten de juridische terminologie, vonden de kaart waarop de positie was aangegeven en spoorden de naam van de koper en de verkoper op. Een zekere Michael Ryan en Alan Leggaty.

'Ken je die namen?' fluisterde hij.

Dodie schudde haar hoofd. 'Ze zeggen me niets.'

Hij haalde zijn schouders op, wierp een laatste blik op de kaart en deed zijn lantaarn uit. De plotselinge duisternis voelde bedreigend. Dodie legde de mappen weer in de goede volgorde, en ze had zich juist naar Flynn omgedraaid om te vragen of er nog meer in de kluis lagen, toen een abrupt geluid haar deed verstijven. Van angst kon ze geen lucht krijgen. Het was de deur.

Flynns hand lag op haar schouder. 'Verroer je niet.'

Geruisloos liep hij de kamer door en drukte zich plat tegen de muur achter de dichte deur, onzichtbaar in het donker, hoewel zijn ene schoen doormidden werd gesneden door een verdwaalde streep licht. Het geluid was er weer. Er klonk gerammel aan een deurknop, een man die eentonig floot, en toen weer gerammel, aan een andere deurknop. Geschuifel van voeten. Toen stilte.

'De nachtwaker,' fluisterde Flynn.

Controle van de kantoren. Kennelijk geen man die er met de pet naar gooide en de hele nacht met een pakje sigaretten onder een boom zat te lummelen, maar iemand die zijn taak gewetensvol opvatte. Vijf minuten lang verroerde geen van beiden zich. Ten slotte verdween het fluitje en kwam beneden weer tevoorschijn, toen de man naar het volgende gebouw slenterde.

'Hij zal terugkomen,' zei Flynn op dringende toon. 'Tijd om op te stappen.'

Samen legden ze de mappen precies zo terug als ze ze hadden gevonden, en terwijl Flynn de kluis weer afsloot legde Dodie de agenda in de la. Ze verlieten haastig de kamer, deden hem opnieuw op slot en waren halverwege het onverlichte gedeelte dat de ontvangstruimte voor het makelaarskantoor van Harold Christie vormde, toen een ruwe stem uit de verste hoek naar hen schreeuwde: 'Sta of ik schiet. Handen omhoog. Verroer je niet.'

Dodies hart schoot in haar keel. 'Nee,' fluisterde ze. En meer tegen Flynn dan tegen de onzichtbare vreemde: 'Doe alsjeblieft níéts!'

'Heb je honger?' wilde de stem weten.

Dodie werd overmand door een enorm gevoel van opluchting, en ze greep Flynn bij de arm. 'Het is een papegaai. Christie heeft hier verdomme een papegaai.'

Flynn schoot in de lach. Een korte uitbarsting van een vrolijk geluid voor hij het smoorde. Dodie had hem erom lief.

De geur van houtvuurtjes hing in Bain Town nog in de avondlucht, en deed Dodie beseffen dat ze een geweldige honger had. Het staccato geblaf van een hond in de verte prikte door de stilte in haar kleine hut en ze kon het gemompel van lage mannenstemmen horen. Ze zaten op de stoep van hun huis sterke verhalen te vertellen en de problemen van die dag in zelfgebrouwen bier te verdrinken. Het was een troostvol geluid. Het deed haar denken aan de avonden dat ze wakker lag, toen haar moeder was gestorven en ze luisterde naar haar vader en zijn vrienden die in de naastgelegen kamer bier zaten te drinken en kibbelden over wat premier MacDonald zou moeten doen om de puinhopen na de crash in Wall Street op te ruimen.

Ze wachtte tot Flynn terugkwam. Ze wist niet waar hij naartoe was gegaan, maar ze kon aan de manier waarop hij zijn schouders hield en op lichte voeten bewoog zien dat hij zich schrap moest zetten voor iets. Ze vroeg waarvoor, maar bij wijze van antwoord kuste hij haar mond en dwong haar te gaan liggen zodat hij haar rug weer met de zalf van mama Keel kon masseren. Ze vertelde hem niet hoeveel pijn dat deed, want ze verlangde naar zijn handen op haar lichaam. Daar had ze wel een beetje pijn voor over, en ze vond het heerlijk dat terwijl hij dat deed, hij haar plaagde dat ze een prima dievenmaatje was geworden, een uitstekende insluipster.

'Zenuwen van staal,' had hij met ontzag verklaard.

Hij had zijn jasje achtergelaten en zij trok het aan, schoof haar armen in de mouwen en wreef met haar wang langs de kraag, als een kat. Ze liep piekerend door de kleine hut heen en weer, schoof haar handen in zijn zakken en trof daar niets in aan, behalve een blikje met drie van zijn zelfgerolde sigaretten. Ze rookte ze op. Ze probeerde het met God op een akkoordje te gooien. *Laat hem alstublieft binnen tien minuten ongedeerd terugkomen, dan zal ik nooit meer voor dievenmaatje spelen.*

Maar de minuten tikten voorbij. Ze kon ze niet tegenhouden.

Laat hem binnen een halfuur terugkomen, dan zal ik de politie over de gouden munten vertellen. Ook al zet ik mezelf daarmee voor schut.

Maar de minuten werden uren. Ze kon ze niet tegenhouden.

Laat hem bij me terugkomen. Alstublieft. Dan zal ik u de revolver van Morrell geven, die ik in mijn ondergrondse kluis aan het strand bewaar. Ik zal u mijn baan geven. Ik zal u mijn vaders bijbel geven. Alstublieft. Alstublieft.

Flynn glipte het huisje binnen, volmaakt geluidloos. Hij trok zijn kleren uit, zodat de huid op zijn flanken wit oplichtte in het zwakke schijnsel van de maan dat door het raam viel. Hij liep naar het matras dat in het donker lag, en Dodie zag zijn hoofd snel heen en weer gaan toen hij ontdekte dat ze daar niet was.

'Waar ben je geweest?'

Zijn ogen flitsten door de kamer en vonden haar in de donkerste hoek.

'Dodie.' Ze hoorde hem opgelucht ademhalen.

'Waar ben je geweest?'

Hij kwam naar haar toe en knielde voor haar neer, maar iets in haar stem zei hem dat hij haar niet moest aanraken.

'Dodie, vraag er alsjeblieft niet naar. Het is beter als je dat niet weet.' Zijn stem klonk uitgeput.

'Het is niet beter voor mij om het niet te weten.'

'Het is veiliger. Geloof me, het is…'

'Nee, Flynn. Ik ga je niet geloven. Ik verkeer nu al in gevaar, alleen maar omdat ik Morrell heb verpleegd. Dus ga me dat niet vertellen.'

Ze zag de donkere schaduw van zijn hoofd heen en weer gaan.

'Luister goed, Dodie. Ik zou het mezelf nooit vergeven als jou iets overkwam doordat ik…'

'Genoeg! Genoeg! Ik kan niet doorgaan met niet weten. Ik kan hier niet avond aan avond in mijn eentje zitten zonder te weten waar jij bent en bang te zijn dat ik je in een smerig steegje met een mes in je buik zal aantreffen.' Ze kreeg haar stem weer onder controle en vroeg nogmaals: 'Waar ben je geweest?'

Het donker in haar hoek was warm en benauwd. Flynn slaakte een diepe zucht, en na een lange stilte trok hij haar gezicht naar zich toe, legde zijn wang ertegenaan.

'Ik zal het je vertellen,' zei hij.

Hij maakte een kruidenthee van mama Keel voor hen beiden klaar. Dat kalmeerde hen. Dodie bleef in haar donkere hoek zitten, maar Flynn stak een kaars aan en bekeek haar gezicht met een intensiteit waarvoor ze zich op geen enkele manier kon verschuilen. Ze had de blauwe jurk aan, haar haar hing los en was ongekamd, haar ogen waren heftiger dan haar bedoeling was, en de wereld kromp tot niet meer dan de lichtcirkel van de kaars. Daardoor ontstonden plassen van kleur in de donkere uithoeken van de kleine kamer, dieppaars en donkerrood, die elke keer dat de kaars flakkerde dichterbij kropen. Ze zaten op de vloer, met het gezicht naar elkaar toe, Dodie met haar knieën opgetrokken tot aan haar kin, alsof ze wist dat ze bescherming zou behoeven tegen zijn woorden. Flynn was in het laken gewikkeld.

'Ik ben met sir Harry Oakes gaan praten,' zei hij plompverloren.

Ze voelde hoe het klamme zweet haar uitbrak, maar ze zei niets.

'Ik ga vaak naar hem toe. Meestal rond middernacht.' Zijn mahoniekleurige ogen waren vriendelijk. 'Ga je me niet vragen waarom?'

Ze zei nog steeds niets.

Hij zuchtte even. 'Dat is omdat ik voor hem werk.'

Buiten kreunde en kraakte de tak van een boom. Of was het een geluid binnen in haar? Ze wist het niet meer.

'Wat doe je?' vroeg ze.

'Je bent intelligent, Dodie, te intelligent. Het was duidelijk dat jij zou begrijpen dat er meer aan de hand is. Alles wat ik je eerder heb verteld is de waarheid, maar omdat ik van je houd, heb ik er wat dingen uitgelaten.'

Omdat ik van je houd. Zijn woorden bewogen in de kamer, ritselden om haar heen.

'Vertel me eens precies wat jij voor sir Harry Oakes doet.'

'Toen ik uit Chicago was vertrokken, belandde ik bij Johnnie Morrell in Niagara Falls. Daar woonde Oakes toen. Hij was inmiddels multimiljonair dankzij de Lake Shores goudmijn in de buurt van Kirkland Lake.' Er verscheen een glimlach rond Flynns mond. 'Oakes ontdekte het goud in 1912, en hij was heel royaal met zijn buit. De gemeenschap van Niagara Falls heeft daar veel van geprofiteerd.'

'Hoe ben jij erbij betrokken geraakt?'

'Zoals ik al eerder heb verteld, waren Oakes en Morrell kameraden uit hun goudzoekersdagen en zo, via Morrell, kwam ik voor Oakes te werken.'

'Om wat te doen?'

'Van alles en nog wat. De drooglegging was nog maar net opgeheven. Ik was pas zestien toen Oakes het met me zag zitten. Hij zei dat ik lef en volharding bezat, twee dingen die hij hogelijk waardeert. De Canadese regering liet hem schandalig veel belasting betalen, kneep hem uit tot vijfentachtig procent belasting, dus verhuisde hij met zijn gezin naar de Bahama's, waar bijna geen belasting wordt geheven. Hij is niet gek.'

Flynn ging staan, pakte een sigaret en stak hem op, maar hij nam slechts één trekje en drukte hem meteen weer uit. Hij ijsbeerde wat door de kamer voor hij weer tegenover Dodie ging zitten. Ze had zich niet verroerd.

'Je moet wel bedenken, Dodie, dat het bij mannen als Oakes allemaal om geld draait. Dat is wat ze eten en ademen, het is hun leven. Hij is heel intelligent, weet je. Hij heeft geneeskunde gestudeerd voordat hij naar Klondike vertrok om goud te zoeken.'

'Geneeskunde?' Dodie kon zich sir Harry niet als dokter voorstellen. Hij zou zijn patiënten vast doodsbang maken. Ze stak een hand uit en raakte Flynns in het laken gehulde knie aan. 'Wat toen?'

'De maffia kwam achter hem aan, viel hem voortdurend lastig.'

'Waarom?'

'Ze willen hier casino's opzetten, en dat wil Oakes niet.'

'Ik dacht dat gokken hier tegen de wet was.'

'Helemaal waar. Maar wetten kunnen worden veranderd, als de juiste mensen besluiten ze te veranderen.'

Ze hoorde verbittering in zijn stem. 'En jij?' vroeg ze zacht. 'Wat is er met jou gebeurd?'

'Oakes zette me weer aan het werk bij de maffia in Chicago, bij Capone.' Hij veegde met een hand over zijn voorhoofd, alsof hij de herinnering eraan uit zijn geest wilde wegvagen. 'Ik was nog een kind. Te jong en te onnozel. Wilde ik het Harry Oakes, een van de rijkste mensen op deze planeet, naar de zin maken en hem imponeren? Reken maar. Dus werd ik zijn ogen en oren binnen de mob. Om verslag aan hem uit te brengen. Via mij weet Oakes wat er gaande is, en kan hij hen op deze manier een stap voor blijven.'

Het licht van de kaars flakkerde over zijn gespannen gezicht. 'Ik heb hem ronduit gevraagd of hij lieden had ingehuurd om Morrell op de terugweg te vermoorden. Om zijn goud weer terug te krijgen. Hij zei van niet. We kregen ruzie. Dat was niet zo aangenaam, maar niemand die ruziemaakt met Oakes vindt dat aangenaam.'

'Wat akelig.'

'Hij beweerde dat hij niets met de dood van Morrell te maken had. En hij vertelde me dat hij niet de eigenaar is van Portman Cay.'

'Dus dan moet het Christie zijn.'

'Morrell zou het hebben geweten.'

Dodie schoof naar voren en sloeg haar armen om Flynns middel, zodat ze dicht tegen elkaar aan zaten. 'Waarom stap je niet uit de maffia? Keer je hun niet gewoon de rug toe?'

Hij lachte. Het was een scherp geluid.

'Je kunt niet zomaar uit de maffia stappen, Dodie. Als je dat doet, of als ze ontdekken dat je hen hebt verraden, dan komen ze als een roedel hyena's achter je aan om je aan stukken te scheuren.'

Dodie legde haar wang tegen de zijne en voelde dat die ijskoud was. Alles was veranderd.

40

Dodie

*D*e dag begon grauw en somber. Dodie en Flynn gingen met een rijtuigje tot Cable Beach, voorbij de golfclub, en liepen daarvandaan verder terwijl ze genoten van de verandering in de lucht, de geuren van verre specerijen die door de ochtendwind werden meegevoerd. Er slingerden zich koraalrode paadjes door het wilde en beboste landschap, waar hagedissen in de hoop op zonneschijn op rotsige stenen lagen te wachten. De kolibries snelden zoemend naar de laatste bloesems van de jacarandabomen, sneller dan mieren naar jam.

Dodie zei niet veel. Haar gedachten werden nog steeds in beslag genomen door de gebeurtenissen van de vorige avond en nacht. Flynn was vastbesloten haar stemming te verbeteren en hij floot zo opgewekt dat ze wel moest glimlachen tijdens het lopen. Hij had een ontbijt meegebracht van verse broodjes, geitenkaas en mango, en dat aten ze in het stralend witte zand van Portman Cay. De grijze zee vermengde zich met de lucht en het oppervlak was als van platen gepolijst staal. De zee zag er dreigend uit. Alsof hij woest wilde worden.

'Vanavond onweer,' merkte Dodie op.

Hij nam een hapje kaas. 'Je houdt van dit eiland,' zei hij. 'Je kent de stemmingen en de kleuren ervan.'

Deze opmerking verraste Dodie. Het was waar, maar ze had niet beseft dat hij begreep hoeveel het eiland voor haar betekende.

'We zouden weg kunnen gaan,' zei ze zacht.

'Weg van het eiland?'

'Ja.'

'Ik dacht dat we het erover eens waren dat we het aan Johnnie Morrell verplicht waren zijn moordenaar te vinden.'

'Dat was eerder.'

Hij vroeg niet: eerder dan wat? Ze wisten allebei dat ze bedoelde voordat ze over de maffia had gehoord. Hij sloeg een arm om haar schouders en ze bleven zwijgend naar het eindeloze rollen van de golven kijken. Ze was zich heel sterk bewust van elk deel van zijn lichaam, dicht naast het hare. Het bot van zijn enkel, waar hij zijn broekspijp had opgerold. De spier van zijn schouder. De frisse geur van hem. En ze besefte dat ze bereid was dit eiland, waar ze zo van hield, voor hem op te geven als dit hem zou redden. Maar ze wilde vooral zich op sir Harry Oakes storten om hem de ogen uit het hoofd te krabben om wat hij Flynn had aangedaan, om hoe hij hem had gebruikt. Maar dat zei ze niet tegen Flynn. Ze liet het onuitgesproken.

Toen ze haar hoofd ophief, zag ze dat hij met een hartelijke glimlach naar haar keek.

'Waarom ben je uit Engeland vertrokken, Dodie? Je hebt me niets over je verleden verteld.'

Ze had weinig behoefte het allemaal weer op te rakelen. Het lag achter haar. Ze wilde dat het daar bleef.

'Ik begrijp er niets van,' zei hij. 'Waarom zou iemand weg willen uit Engeland? Met mannen als Churchill die de leiding hebben.'

Ze hief haar hoofd een eindje hoger en legde het tegen zijn arm.

'Het is een kort verhaal. Mijn vader was een goedhartige man, maar hij is verwoest door het vechten in de loopgraven in de Eerste Wereldoorlog. Hij raakte aan de drank.' Twee kleine woorden – de drank – die zoveel inhielden. 'Mijn moeder is aan de Spaanse griep gestorven toen ik negen was en toen ging het helemaal mis met hem. En met mij. De dingen werden een stuk erger. Hij kon niet lange tijd achter elkaar werken en ik probeerde wat baantjes te vinden...' De branding speelde tikkertje met de strandlopers en Dodie zei lange tijd niets. Flynn hield zijn arm om haar heen geslagen.

'Hoe dan ook,' zei ze, en ze schudde haar hoofd, 'we zijn hiernaartoe gekomen om een nieuw leven te beginnen, maar hij vond het vreselijk. Hij vond zichzelf vreselijk. Hij heeft drie keer geprobeerd zelfmoord te plegen. Dan reed hij ons naar het strand, kuste me vaarwel en liep de zee in om terug te zwemmen naar Engeland.'

'Da's een verrekt eind zwemmen.'

'Drie keer is hij teruggekomen. Maar de vierde keer kwam hij niet meer terug. De volgende dag werd zijn lichaam een eindje verderop langs de kust gevonden.'

Flynn veegde met zijn vingers over haar lippen, alsof hij het heftige van haar woorden weg wilde vegen. 'Wat akelig, Dodie. Je hebt het heel zwaar gehad.'

'Iedereen heeft het zwaar.' Ze ging staan. 'Kom, dan gaan we lopen.'

Ze stapten naast elkaar voort over het zachte zand van het strand. Het was een lange, hoefijzervormige landtong met een dichte rand van palmen en pijnbomen, en een naar het water aflopende helling, met aan de ene kant een lapjesdeken van plasjes in de rotsen, waarin krabben als kerkgangers bijeen waren gekomen.

'Wat is het,' vroeg Dodie terwijl ze om zich heen keek, 'aan dit strand van Portman Cay dat iedereen het zo graag wil hebben? Het is niets bijzonders. Niet anders dan alle andere stranden.'

Flynn keek peinzend over het zand en richtte zijn blik toen weer op haar. 'Vertel me eens wat over dat naaien van je. Ik weet dat je er goed in bent.'

'O, dat was in de fabriek.' Het woord 'fabriek' smaakte zuur in haar mond. 'Ik was kledingontwerper.'

'O ja?'

Ze lachte naar hem. 'Van poppenkleren. We waren met zijn dertigen. De poppen kwamen in enorme kartonnen dozen, een gros tegelijk, helemaal roze en glimmend en schreeuwend om kleren. Ik moet duizenden jurkjes hebben genaaid voordat ze naar Amerika teruggingen. Ik vond het leuk werk. Het was…' Ze zweeg abrupt en fronste haar wenkbrauwen. 'Hoe weet je dat ik er goed in ben?'

'Ik heb je quilt gezien.'

'In mijn hut?'

'Ja.'

'Wanneer?'

'Toen ik Morrell sprak. Ik ben in je hut geweest om hem te zien toen jij naar mama Keel rende.'

Dodie staarde hem aan. 'Ik had geen idee.'

'Hij vertelde me hoe dankbaar hij je was. Vroeg me op jou te passen.'

Er kwamen nu allerlei beelden van Morrell in haar op. Van zijn grote, beerachtige handen, en van de moerbeikleurige vlek op de voorkant van zijn overhemd. Van het harde uiterlijk dat hij als een tweede huid om zich heen had, en toch de zuidelijke hoffelijkheid in zijn stem wanneer hij tegen haar sprak. Ze werd dusdanig door deze beelden in beslag genomen dat ze, toen er een kogel aan haar voeten in het zand sloeg, niet eens begreep wat er gebeurde, tot ze een fractie van een seconde later de knal van het geweer hoorde.

'Wat gaan...'

Ze staarde verbijsterd naar de plek, terwijl haar brein weigerde te beseffen dat er op haar werd geschoten. Maar Flynn greep haar bij de arm en liet haar zigzaggend naar de bomen rennen om dekking te zoeken. Het zand was zacht. De helling was steil. Haar voeten struikelden en gleden weg. Haar rug deed pijn en het klonk alsof er een cirkelzaag in haar hoofd zat, zodat ze niet kon horen wat Flynn schreeuwde, hoewel ze zijn mond kon zien bewegen.

Flynn trok haar mee tussen de bomen. Hij maakte ontwijkende bewegingen en schoot heen en weer. Hij ontweek stukken met zonlicht en met gebogen hoofd sprongen ze over het lage struikgewas. Er sloeg een kogel in een palm links van hen, zodat de schors versplinterde en een zwerm vinken van schrik snel opvloog. Flynn rukte haar achter een dikke boomstam en hield haar arm stevig vast.

'Weg!' beval hij. 'Blijf rennen. Ik houd hem hier tegen. Rennen!'

Ze beefde. *Rustig nou maar.* Er was nooit eerder op haar geschoten en ze was niet op de reactie van haar lichaam voorbereid.

'Nee,' zei ze.

'Weg!'

Ze richtte haar blik op zijn gezicht. Dat was beheerst en gespannen. Zijn stem klonk dringend, maar zonder een spoortje paniek. Geen enkel teken van de ontzetting die zij voelde. Wat zijn gevoelens ook mochten zijn, hij had ze onder controle. Toen er opnieuw een kogel door de takken boven hun hoofd floot, kromp Flynn niet eens ineen, en haar ontzag voor hem werd nog groter.

'Nee,' zei ze weer.

In Flynns andere hand was een pistool. Ze staarde ernaar en probeerde te begrijpen hoe het daar was gekomen. Het was zwart en met een korte loop. Waar was het opeens vandaan gekomen? Ze sloeg beide handen om de loop en hield die stevig vast.

'Nee, Flynn,' siste ze. 'Doe dat weg.'

'Ik zal hem tegenhouden.'

'Dan maak je dat we allebei worden doodgeschoten.'

'Voor het geval je het nog niet hebt begrepen, is dat precies wat die kerel op dit moment probeert te doen.'

Ze praatte snel. 'Luister, Flynn. Je bent vergeten hoe een onschuldig iemand zich zou gedragen. We moeten tegen hem praten, niet op hem schieten.'

'Wat ben je liever? Onschuldig en dood? Of schuldig en levend?'

Bij wijze van antwoord draaide ze haar hoofd opzij en schreeuwde: 'Hela, jij daar met je geweer, waar ben je mee bezig? We zijn hier alleen maar om te wandelen. Niets meer. Er is geen reden om op ons te schieten.'

'Jullie bevinden je op verboden terrein.' De stem was zwaar en rolde als een bulldozer tussen de bomen door.

Flynn deed zijn mond open om te reageren, maar Dodie hield haar hand ervoor.

'Het spijt me,' schreeuwde ze tegen de bomen. 'We wisten niet dat het eigen terrein was. We waren niets kwaads van plan. Geen reden om op ons te schieten.'

'Kom es tevoorschijn.'

'Hoe weet ik of je niet op ons gaat schieten?'

'Als ik op jou had willen schieten, was je nu al dood geweest, juffie. Ik wilde jullie alleen maar waarschuwen dat jullie moesten ophoepelen.'

Er klonk geritsel in de struiken en de schelle alarmkreet van een papegaai.

'Hij maakt een omtrekkende beweging,' fluisterde Flynn.

'Blijf hier staan.'

Ze stapte naar voren in een helder stukje zonlicht dat door het bladerdek van de bomen viel. Ze luisterde aandachtig maar hoorde verder niets, en voor ze haar mond open kon doen om weer te roepen, stond Flynn naast haar, om haar met zijn lichaam te beschermen. De revolver was verdwenen.

'Zie je wel?' schreeuwde Dodie naar de man.

Flynn zei niets maar stak zijn lege handen uit.

Er stapte iemand van achter een pijnboom vandaan, een zwaargebouwde man van gemengd ras, met krullend haar dat met vet naar achteren zat geplakt, gekleed in een donker overhemd met das. Zijn handen waren knotsen van spieren die om het geweer waren geslagen, en de punt van de loop was recht op Flynns borst gericht.

'Wat doen jullie hier?' wilde hij weten.

'Dat heb ik al gezegd,' zei Dodie. 'We wilden gewoon wandelen.'

'Het is een verdomd eind weg om te wandelen.'

'We vinden het leuk om ver bij iedereen vandaan naar stille plekjes te gaan.'

De man lachte, een smerig rauw geluid dat onder andere omstandigheden voor een blos op Dodies wangen had gezorgd. 'Dat zal best.'

Flynn glimlachte minzaam. 'Weet je nog andere rustige plekjes, zonder bewaker?'

'Dan moet je naar de zuidkust, man, daar is het echt rustig. Ruimte zat, en niemand die je lastigvalt. Gewoon jullie tweetjes, en de mangroven en de muskieten.' Hij grinnikte even.

'Maar waarom schiet je dan op ons?'

De glimlach van de man verdween op slag. 'Ik heb mijn orders.'

'Wat is er hier dat bewaakt moet worden?'

'Niets. Alleen maar zand en struiken. Maar het is van iemand en die iemand wil niet dat hier anderen komen ronddalven.'

'Van wie is het?'

Het geweer, dat langzaam begon te zakken, ging nu met een ruk omhoog naar Flynns borst. 'Man, jij stelt te veel vragen.'

'We zijn alleen maar nieuwsgierig,' zei Dodie. 'Zou jij dat niet zijn als er op je was geschoten? We zijn ons halfdood geschrokken.'

De man bekeek hen nog een keer zwijgend, probeerde te bedenken wat hij ging doen, en gebaarde toen met zijn geweer in de richting van de weg.

'Vooruit, wegwezen.' Hij keek hen kwaad aan, alsof hij zich opeens herinnerde hoe een bewaker zich diende te gedragen. 'En laat me jullie hier niet nog een keer zien, want de volgende keer zal ik raak schieten.'

Dodie voelde dat Flynn stond te popelen om de man bij zijn lurven te grijpen en elk beetje informatie uit hem los te trekken. Maar het was niet waarschijnlijk dat hij iets wist over de mensen die zijn loon betaalden, en bovendien zou er iemand bij die poging gewond kunnen raken. Ze moest er niet aan denken dat het Flynn zou zijn.

'We gaan al,' zei ze snel, en ze greep Flynn bij zijn pols en troonde hem mee.

41

Ella

'Je zult het warm hebben in die blouse.'

Ella keek op. Ze zat aan haar kaptafel en in de grote, ovale spiegel was de elegante slaapkamer te zien, met zijn moderne meubilair van suikeresdoorn en met zijn zachte vrouwelijke kleuren. Alles door haar uitgekozen. Alles heel smaakvol. Maar voor het eerst vond ze het een flets geheel. Ze kreeg een intens verlangen naar grote strepen en felle kleuren.

Zou Reggie dat ook denken maar nooit zeggen?

Hij lag nog in bed, met zijn handen achter zijn hoofd, zijn haren verward, terwijl hij haar met nieuwsgierige ogen in de spiegel aankeek.

'Je bent vroeg op,' vervolgde hij.

'Ik was rusteloos. Kon niet slapen.'

'Dat heb ik gemerkt. Hoe komt dat?'

'O, ik weet het niet.' Ze lachte even en haalde haar schouders op. 'De tijd van de maand, gepieker over de kinderen in het ziekenhuis of wanneer ik naar de kapper wil of wat ik vanavond aan moet trekken. Je weet wel, de gebruikelijke dingen.'

Hij glimlachte naar haar, een toegeeflijke, vergenoegde glimlach, die haar anders plezier zou hebben gedaan maar die vandaag als een glassplinter in haar huid voelde.

'Je kunt echt beter iets anders aantrekken. Anders krijg je het veel te warm.'

Ze keek naar haar spiegelbeeld, naar de blouse die ze droeg. Gekocht bij Macy's in New York, een subtiele tint blauwgroen die haar flatteerde, met lange mouwen die aan haar polsen waren dichtgeknoopt.

'Je hebt waarschijnlijk gelijk.'

Ze pakte haar haarborstel met zilveren rug en bracht hem juist naar haar hoofd toen haar man zei: 'Sir Harry heeft ons vandaag uitgenodigd voor de lunch.'

Haar hand verstarde. Ze draaide zich snel naar hem om. 'Ons allebei?'

'Ja.'

'O Reggie, ik vrees dat ik niet kan. Ik moet met Tilly in de kliniek werken.' Ze sprak te snel. *Rustig nu.*

Hij trok een zuur gezicht. 'Dat zal hij niet op prijs stellen. Hij heeft expliciet gevraagd of jij ook kwam. Ik denk dat hij je aardig vindt… en wie kan hem dat kwalijk nemen?'

'Ik denk niet dat hij me aardig vindt.' Ze draaide zich terug naar de spiegel en borstelde de klitten van de nacht met harde halen uit haar haar, om haar lange, blonde golven te dwingen zich te gedragen. 'Het spijt me, Reggie.'

'Geeft niet, lieverd. Dan doen we het een andere keer. In elk geval zul je vandaag weer zelf kunnen rijden, nu rechercheur Calder is teruggeroepen voor de normale dienst.'

De borstel stopte niet, hoewel haar vingers gevoelloos waren geworden.

'Dat zul je wel prettig vinden, hè, Ella? Dat hij je niet steeds voor de voeten loopt.'

'Ja.'

Het woord lag dood in haar mond, als een steen.

In het kantoortje van de hoofdzuster hing Ella de telefoon op. Ze keek naar haar hand. Die beefde niet langer. Ze had haar zelfbeheersing herwonnen, maar ze was geschokt over hoe gemakkelijk ze die had verloren. Ze had het politiebureau gebeld.

'Ik wil graag even rechercheur Calder spreken.'

'Met wie spreek ik?'

'Met mevrouw Sanford. Het is dringend.'

Een klik. Stilte. Toen zijn stem.

'Goedemorgen, mevrouw Sanford.'

Het was vreselijk wat dit met haar deed. Dat iets in haar binnenste wegsmolt. Dat spieren waar ze geen beheersing over had zich samenbalden van verlangen.

'Goedemorgen, rechercheur. Ik wil graag met u praten. Over de Morrell-zaak.'

Ze was zich er scherp van bewust dat een telefonist mee kon luisteren.

'Kunt u naar het bureau komen?'

'Dat doe ik liever niet.'

'Ik ben de hele dag bezet, maar ik zou u vanavond kunnen ontmoeten.'

'Nee, vanavond komt niet gelegen.'

Ze hoorde hem papieren verschuiven. Stelde zich voor hoe zijn handen in een agenda bladerden.

'Ik kan eventueel vanmiddag om twee uur, mevrouw Sanford, als dat schikt.'

'Dank u.'

'Goedendag, mevrouw Sanford.'

Hij hing op. Geen van beiden had gezegd waar ze elkaar zouden ontmoeten. Dat was niet nodig. Langzaam, alsof de hoorn van de telefoon bij ruw gebruik stuk kon gaan en de afspraak kon vernietigen, hing ze hem terug terwijl er een golf van blijdschap door haar heen ging. Dat was alles wat ervoor nodig was. Ze keek naar haar handen. Zo kalm als wat.

De deur ging open en Tilly kwam binnenstormen. 'Heb je 't al gezien?' Ze glimlachte breed. Gekleed in haar Rode Kruis-uniform keek ze over een gigantische stapel pasgewassen luiers in haar armen heen. 'Lieverd, het wemelt buiten van de yankees. Ze zijn van het vliegveld hierheen gekomen, met hun zakken vol snoepjes voor de kinderen. En...' Haar grijns werd breder. '... bergen verrukkelijke nylonkousen voor ons.' Ze dumpte de stapel slordige luiers op het bureau en wierp Ella een pakje toe. 'Als ik jou was zou ik maar gauw je Amerikaanse buit inpikken voordat alles op is. Je weet wat voor hebberds de verpleegsters zijn wanneer...' Ze zweeg abrupt en staarde Ella aan. 'Is alles goed met je?'

'Ja, natuurlijk.'

'Je ziet er...' Tilly tuitte haar vuurrode lippen, in een poging te bedenken wat het aan haar vriendin was dat haar aandacht had getrokken. '... anders uit.'

'O ja?'

'Echt.'

Hoe was het te zien? Zo snel. Alsof liefde de structuur van je gezicht veranderde.

'Ik heb gewoon te veel in de tuin gewerkt. Zon gekregen.'

Tilly ging prat op haar lelieblanke teint en ze keek Ella kritisch aan. 'Als je niet uitkijkt verander je nog eens in een nikkertje.'

'Ik zal uitkijken.'

Heel goed uitkijken.

Ella liep naar de luiers en begon ze in keurige vierkanten te vouwen. Met bestudeerde nonchalance vroeg ze: 'Hoe is het met Hector?'

'O, praat me er niet van. Hij is vandaag strontvervelend. Hij was van plan vanmorgen te gaan zeilen, maar hij heeft een afschuwelijke hoofdpijn, dus zit hij op zijn kantoor te werken en dat maakt hem verschrikkelijk chagrijnig.'

Ella kon zich Hector niet chagrijnig voorstellen. 'Heeft hij nog iets over die afschuwelijke moord gehoord?'

'Die steekpartij?' Tilly huiverde. 'Niet veel. Maar hij zei gisteravond wel dat hij denkt dat ze dat meisje zullen arresteren. Het schijnt dat ze een reputatie heeft op het gebied van problemen veroorzaken. Het is een of ander sletje in de knop, vermoed ik. Maar ze is deze keer kennelijk te ver gegaan.'

'Wat? Nee toch zeker. Ik dacht dat ze het aan de zwarte arbeiders weten, die hun gram op de blanke kolonialen wilden halen.'

'Kennelijk hebben ze dat idee laten vallen. Hector lijkt het het beste.'

'Als advocaat zal hij het wel weten.'

'O, hemel nee!' Tilly schoot spottend in de lach. 'Hector is alleen maar geïnteresseerd in zeilboten. Maar hoe dan ook, lieverd, ik moet me haasten.' Ze begon haar donkere krullen in model te duwen en haar pony te fatsoeneren. 'Ik ga naar de haven.'

'Toch niet wéér een parade?'

'Toch wel.'

'Tilly, je haalt het jezelf op de hals.'

Tilly haalde haar poederdoos tevoorschijn en poederde haar neus. 'Het is wel het minste wat ik voor onze jongens kan doen. Het zijn deze keer nieuwe rekruten.'

'De arme kerels. Geef ze een zwaai van me.'

Er zouden nieuwe rekruten uit een troepenschip aan wal worden gezet om te paraderen voor de hertog van Windsor, als gouverneur van de Bahama's. Maar Ella liet zich niet voor de gek houden. Ze wist dat de ware reden dat Tilly naar alle parades ging was dat ze dan de kans had Zijne Koninklijke Hoogheid in gala-uniform te zien. Ze had Ella ooit opgebiecht dat dat haar elke keer kippenvel bezorgde. Ella begreep daar niets van. Maar wie was zij om anderen te oordelen?

'Ga maar.' Ze lachte. 'Ga maar en...'

Op dat moment stapte de hertogin van Windsor naar binnen, even kordaat als altijd, met een kaarsrechte middenscheiding in haar haar.

'Goedemorgen, dames.'

'Goedemorgen, hoogheid,' antwoordde Tilly, maar ze excuseerde zich direct en deed de deur achter zich dicht. Ze gedroeg zich gewoonlijk op deze manier.

Het gezicht van de hertogin vertoonde even iets van irritatie, maar ze herstelde zich snel en keek Ella glimlachend aan.

'Ella, mijn lieve kind, wat zie je er geweldig gelukkig uit.'

Ella reageerde met een blik van onschuld. 'Ik hoorde vandaag dat de kleine Gussie volgende week weer naar huis, naar zijn moeder kan. Dat is geweldig nieuws voor hem.'

'Hij is toch dat polio-jongetje met wie je al die oefeningen hebt gedaan?'

'Dat klopt.'

De hertogin knikte, schoof een sigaret in haar ebbenhouten houder en zoog haar longen vol rook voor ze haar hoofd wat achterover deed, alsof ze Ella beter wilde kunnen zien terwijl ze haar met samengeknepen ogen opnam.

'Ik ben niet gek, Ella. Als ik ergens goed in ben, is het in het doorgronden van andere mensen.'

Ella richtte zich weer op het opvouwen van de stapel luiers.

Maar de hertogin was er de vrouw niet naar om zich met een kluitje in het riet te laten sturen. 'Je loopt niet te stralen alsof iemand een gloeilamp in je heeft gestoken alleen maar omdat het een of andere knulletje aan wie je erg gehecht bent deze antiseptische kooi mag verlaten.'

Ella hield op met vouwen.

De hertogin lachte, een geamuseerd en hartelijk geluid. 'Er is maar één ding dat zoiets veroorzaakt. En we weten allebei wat dat is, niet-waar, mevrouw Sanford?'

Mevrouw Sanford. Een verwijzing.

'Niet doen,' zei Ella zacht. 'Ga het niet bederven.'

'We zitten allemaal in deze koloniale kooi opgesloten, ikzelf inbe-grepen.' Haar dunne hals verstrakte en de pezen verrieden opeens de spanning. 'We willen er allemaal graag af en toe even uit. Om te zien hoe de vrijheid smaakt.' Ze gebaarde met haar sigaret door de lucht, alsof ze de uitgang van de kooi wilde wijzen, maar opeens hield ze stil, stapte naar Ella toe en pakte haar arm vast. Voor een kleine vrouw had ze grote handen en de greep van een man.

'Wat is dit?'

Ella keek omlaag naar de plekken onder haar mouw, naar de rauwe schaafwonden op de blanke huid van haar pols. 'Het is niets. Ik heb me geschramd toen ik bezig was gaas rond een paal voor mijn kip-penren te doen.'

De hertogin knikte, alsof ze precies wist waar zulke plekken door werden veroorzaakt, maar ze zei niets, liep naar het bureau en ging erop zitten, terwijl ze stevig door bleef roken. 'Ik bekommer me om iedereen op de Bahama's, Ella, en ik wil voor ieder van hen het beste. Maar maak je geen zorgen.' Haar hoekige gezicht leek opeens ouder te worden, haar ogen treuriger, en er lag een eenzaamheid in die de hele kamer leek te vullen. 'We hebben het recht ons eigen leven te kiezen. Ik zou er niet over peinzen jou het jouwe te ontzeggen.'

Een volle minuut keken ze elkaar strak aan, toen liep de hertogin naar de deur en stapte met gespannen, hoekige schouders naar buiten om de hospitaalsoldaten te begroeten.

42

Dodie

*D*odie had het niet geweten. Wat het betekende om verliefd te zijn.

Ze had niet geweten dat het is als een strand met opkomend tij. Dat alles wat eerst stil en statisch was, roerloos terwijl de wereld eroverheen stampte, opeens vol beweging was. Zo voelde het. Alles in haar binnenste was in beroering, alles draaide, tolde en tuimelde.

Ze had het niet geweten. Dat het zo zou zijn.

Haar huid prikte en schrijnde, was het ene moment gloeiend heet, het andere ijskoud. Haar ogen waren voortdurend wijd open, alsof ze niet genoeg van deze wereld konden krijgen, en toch leken haar wimpers af en toe zo zwaar dat ze haar konden verpletteren. Haar ogen kregen een schittering, haar handen een zachtheid. En vanbinnen voelde ze zich sterk.

Ze had het niet geweten. Dat liefde je sterk maakt.

Dus toen Flynn kort voor middernacht tijdens een woeste onweersbui haar bed uit glipte, stak ze haar hand niet uit. Hield ze hem niet tegen, drukte ze hem niet tegen haar matras. Ze deed zelfs haar ogen niet open en veranderde het ritme van haar ademhaling niet. Ze vroeg ook niet om een laatste kus. Eén laatste kus. Dat was haar grote angst. Dat hij niet terug zou komen. Ze liet hem gaan zonder ook maar één veertje gewicht toe te voegen aan de last die hij kennelijk op zijn rug droeg, en al die tijd kon ze het sterke, gestage kloppen van zijn hart binnen in haar eigen hart horen.

Hij kwam niet terug. Uur na uur dwong Dodie Flynn in gedachten de deur binnen te vallen, nat en verwaaid, gehavend door het geweld van het onweer, maar veilig en wel. Ze stelde zich voor hoe ze zijn drijfnatte kleren van hem af zou pellen, hem languit op haar bed zou leggen en zijn lichaam met een handdoek droog zou wrijven. Hem met haar lichaam zou verwarmen.

De regen ratelde op het dak, als hamers die vastbesloten waren het dak grondig te verwoesten. Het lekte op zoveel plekken dat Dodie het matras voortdurend moest verplaatsen. Ze stond af en toe in het donker voor de deur, hield die stevig vast terwijl ze luisterde naar de wind die buiten loeide en dreigde de deur uit zijn scharnieren te rukken. Maar ze stond ook klaar om de deur wijd open te doen zodra zijn hand hem aanraakte.

Kort voor het aanbreken van de dag kwam hij. Alleen was het niet dezelfde Flynn Hudson die eerder die nacht zo wild en hartstochtelijk de liefde met haar had bedreven. De Flynn Hudson die terugkwam was beschadigd. Hij wankelde de deur door, regelrecht in haar armen, en hij klampte zich aan haar vast terwijl de wind probeerde hen uiteen te rukken. Ze sloeg de deur dicht en schoof de grendel ervoor, liet hem op het matras plaatsnemen en stak een kaars aan, die flakkerde en sputterde in de vochtige lucht maar voldoende licht gaf om Flynn te kunnen bekijken.

'Alles is goed met me,' zei hij. Zijn stem klonk gesmoord.

'Volgens mij niet.'

'Kom gewoon bij me zitten.'

Ze ging zitten en sloeg haar armen om hem heen. Hij was doorweekt en de zijkant van zijn hoofd bloedde, maar ze drukte hem stevig tegen zich aan met haar wang tegen zijn natte haar. Ze kon zijn geluiden horen, zijn snelle ademhaling, zijn tanden die opeengeklemd waren, en de barst die ergens diep in zijn borst openging.

'Wat is er gebeurd?'

'Sir Harry Oakes is dood.'

De schok maakte dat Dodies handen stilhielden. Ze was begonnen de wond op zijn hoofd schoon te maken en ze had zijn kleren uitgetrokken. Hij lag onder het laken en staarde naar de deur, maar ze dacht geen moment dat hij iets zag.

'Vertel het me,' zei ze. Wanneer ze de wond aanraakte, leek hij het niet eens te merken.

'Ik ben naar Westbourne House gegaan om met Oakes te spreken.

Ik hing zoals gewoonlijk op het terrein rond, wachtend tot hij rond middernacht over de buitentrap naar beneden zou komen, en toen hij niet kwam, dacht ik dat het vanwege de storm was.' Flynn wreef over zijn ogen. 'Na een tijdje ben ik het terrein van het landgoed gaan doorzoeken. Ik vond hem een eindje voorbij het zwembad.'

Dodie bleef stilzitten. 'Was hij dood?'

'Zo dood als een pier.'

'Weet je het zeker?'

Hij keek haar aan met glazige ogen. 'Ik heb in mijn leven meer doden gezien dan me lief is, Dodie. Zijn zaklantaarn lag in het gras, uitgeschakeld. Ik heb hem bekeken. Vier kleine kogelgaten in de zijkant van zijn hoofd. Waarschijnlijk een Colt.22. Iemand heeft heel dichtbij kunnen komen.'

De woorden stokten. Hij liet zijn hoofd in zijn handen zakken en er ging een huivering door hem heen. Dodie besefte dat Oakes voor Flynn een vaderfiguur was geworden door over hem te waken, hem te gebruiken en hem nodig te hebben, tot aan het punt waar hij zijn echte vader had vervangen. En nu had Flynn beide vaders aan kogels moeten verliezen. Ze legde haar schouder tegen de zijne, zodat haar warmte in hem kon stromen, en ze kon haar haat jegens Oakes niet van zich af zetten. Ze haatte hem om wat hij Flynn had aangedaan. Ze was blij dat hij dood was. Ze groef haar vingers in Flynns haar en voelde zich een verrader omdat ze wenste dat Flynn ook blij zou zijn.

De klap was volslagen onverwacht gekomen, vertelde Flynn haar. Het had hem overvallen toen hij overeind was gekomen nadat hij gehurkt bij Oakes had gezeten. Toen hij weer bijkwam had hij een vreselijke hoofdpijn en bleek vier uur kwijt te zijn, evenals zijn revolver. Erger nog, hij was aan de andere kant van het eiland beland. Op de een of andere manier, met behulp van een paard-en-wagen van een boer op weg naar de markt, had hij voor het aanbreken van de dag Westbourne House weer weten te bereiken. Daar was niets veranderd. Op één ding na: Oakes was verdwenen. Geen spoor van te vinden, geen bloed, het gras drijfnat van de regen. De ramen in het huis waren inktzwart. Hij doorzocht het terrein. Geen enkel geluid. Geen enkele beweging. Ten slotte wankelde hij naar Bain Town terug.

'Alsjeblieft, drink dit op.'

Dodie gaf Flynn een geëmailleerde kroes met gloeiend hete thee en zette hem op het matras rechtop tegen de muur. Het was vochtig en ongezond in de hut, maar dat leek hem niet te deren. Ze bood aan hem naar zijn eigen kamer in de stad te brengen, omdat het daar comfortabeler en in elk geval droger zou zijn, maar hij wees dit af met een flauw hoofdschudden. Ze had hem wat kruiden van mama Keel gegeven, maar daarna wilde hij niet dat ze nog meer deed.

'Wat nu?' vroeg ze zacht.

Zijn ogen waren half dicht, vaag zichtbaar in de schemering. 'Nu,' zei hij, 'zal de hel pas goed losbreken.'

Om negen uur die morgen gonsde Bain Town van de geruchten. Dodie kon hen buiten horen, de vrouwen die over de straat naar elkaar riepen, de mannen die op gedempte toon bij hun sigaret zaten te mompelen, allemaal in het besef van wat dit betekende. Er heerste een gevoel van wanhoop in de straat, en van oprechte rouw die gepaard ging met witte zakdoeken en zacht ritmisch geneurie van gezangen.

Dodie liep de hut uit. Binnen sliep Flynn eindelijk, dankzij de brouwsels van mama Keel, maar het was een onrustige slaap, doortrokken van akelige dromen. Ze wilde hem eigenlijk niet alleen laten, zelfs niet voor een paar minuten, maar ze pakte de geëmailleerde kan en ging op weg naar de gezamenlijke kraan, verderop in de straat. In de lucht dreven loodgrijze wolken, als laatste flarden van de storm van die nacht, en de weg was bezaaid met palmbladeren die in de modder waren blijven steken.

Dodie groette de zwarte gezichten die rond de kraan stonden. Hun blik was ernstig, een van hen huilde.

'Goedemorgen.'

'Er is niets goeds aan deze morgen, kind,' antwoordde een vrouw met wit haar en met oorlellen die werden uitgerekt door houten klosjes. 'Helemaal niets.'

'Waarom? Wat is er gebeurd?'

'Heb je het dan niet gehoord?'

'Kind, het gaat rond als een bosbrand in de zomer. Ze proberen het geheim te houden, maar de Heer weet dat het ons ook moet worden verteld.'

'God zegene de ziel van de arme man.'

'Amen.'

Ze barstten weer in gezang los, en de vrouw met het witte haar veegde langs haar ogen. 'Moge zijn barmhartige ziel voor altijd vrede en verlossing vinden in de armen van onze Heer.'

Dodie was bij de kraan aan de beurt. 'De ziel van wie?' vroeg ze. 'Wie is er gestorven?'

'Sir Harry Oakes. Heb je het niet gehoord?'

Dodie schudde haar hoofd.

Een vrouw met vlechtjes in haar haar en een kind op elke heup begon luidkeels te jammeren van verdriet. 'Lieve Jezus, bescherm ons. Deze eilanden zullen het heel zwaar krijgen zonder de goedheid van sir Harry, God hebbe zijn ziel. Jullie blanken weten niet hoeveel hij voor ons heeft gedaan.'

'En niet alleen wij,' vulde een zachtere stem aan. 'Jake van mij zweert dat iedereen op de Bahama's het nu zwaar zal krijgen, jullie blanken ook, want de miljoenen van sir Harry zijn hard nodig om alles draaiende te houden.'

Dodie zette haar kan neer. 'Wat is er gebeurd? Hoe is hij gestorven?'

Alle stemmen begonnen tegelijk te praten. Er werd met ogen gedraaid, er werd met handen op boezems geslagen dat ze trilden, en er gleden tranen over wangen in uitingen van verdriet die maakten dat Dodie zich daarbij vergeleken heel harteloos voelde. Geen van deze vrouwen kende persoonlijk de man wiens dood ze betreurden, en toch gaven ze om hem alsof hij een van hen was. Dodie kon zich niet voorstellen dat de blanke gemeenschap van Nassau ook maar half zoveel om hem zou geven. Of zijn ziel zou zegenen met ook maar een fractie van deze hartstocht.

'Wat is er gebeurd?' vroeg ze weer.

'Hij is levend verbrand in zijn bed.'

'Wat?'

'Nee.' Dit was een mannenstem. Hij behoorde toe aan een lange man met een vierkant hoofd, die de knappe vrouw met de vlechtjes in het oog hield. Hij wachtte tot hij ieders aandacht had. 'Ga nou geen rare geruchten verspreiden, Josie. Sir Harry is doodgeknuppeld.'

'Ik heb gehoord dat hij was doodgeschoten,' riep een mager meisje dat kauwgum stond te kauwen.

'Dan heb je het verkeerd gehoord. Neem dat maar van me aan. Maar wat er ook is gebeurd, de moordenaar zal worden gepakt.' Hij glimlachte met een volmaakt gebit naar de verzameling vrouwen. 'Zo niet,' zei hij, en hij keek Dodie onderzoekend aan, 'dan zullen er koppen rollen. Ik zit bij de politie, dus ik weet hoe die dingen in hun werk gaan.'

Dodie perste er een dankbare glimlach uit. Haar beverige handen drukten de kan water tegen haar borst, maar ze had later geen idee hoe ze haar voeten had weten te dwingen langzaam naar de hut terug te lopen zonder ook maar één druppel te verliezen.

Als er iets was waar de Bahamanen goed in waren, dan was het wel in het verspreiden van geruchten. Tegen het middaguur hadden ze zich als een lopend vuurtje verspreid: sir Harry was in zijn eigen bed vermoord, hij was doodgeschoten, doodgeslagen, onthoofd, hij was in zijn eigen bed verdronken. Zijn huis was in brand gestoken. Een gemaskerde moordenaar had zijn keel doorgesneden en van zijn bloed gedronken. Hij had zich doodgeschoten.

Dodie hoorde alles en huiverde.

'Het is een rituele moord, reken maar.'

Dat was de mening van de koetsier van het rijtuigje dat Dodie en Flynn naar de stad bracht. Flynn was bleek en zwijgzaam, maar nu hief hij zijn hoofd op.

'Een rituele moord?'

'Jawel, geen twijfel over mogelijk, man. Hij zat onder de veren en het bloed, heb ik gehoord. Ik verzeker je dat het obeah is. Dat is wat jullie blanken voodoo noemen.' Hij keek snel achterom, zodat het wit van zijn ogen te zien was, en hij klapte met de teugels om het vermoeide oude paard voort te drijven.

'Dat is heel sterk, reken maar,' voegde hij eraan toe. 'Daar moet je geen geintjes over maken, hè!'

Dodie legde haar hand in Flynns hand.

'Verdomme, Dodie, laten we hopen dat hij gelijk heeft. Want al het andere is erger. Veel erger.'

Dodie hoorde het zodra ze het huis binnen ging waar Flynn zijn kamer had: een soort zacht gezoem. Alsof er een vlieg in een vitrage zat en probeerde zijn vleugels te bevrijden. Ze had geen idee waar het geluid vandaan kwam. Pas toen ze de armoedige trap op liep en het geluid met haar mee bewoog, besefte ze dat het misschien in haar eigen hoofd zat. Toch kon ze het duidelijk horen, net zo goed als dat ze hun voetstappen op de vloerplanken kon horen. Het leek net een waarschuwing.

Flynn maakte de deur van zijn kamer open en keek onder het bed, in de kast, bij de ramen, de muren, zelfs achter de deur. Pas toen mocht zij ook binnenkomen. Vreemd genoeg werd het gezoem binnen erger, en Dodie keek onderzoekend naar Flynn om te zien of hij het ook hoorde, maar zijn gezicht stond gesloten. Hij leek ver weg te zijn. Van beneden steeg de lucht van gebakken vis op en verderop in de straat jengelde wat muziek op een steeldrum, maar Flynn besteedde er geen aandacht aan. Er was iets in hem veranderd. Dodie kon het zien, maar ze wist niet wat het betekende. Zijn bewegingen waren scherper, zijn lichaam was gespannen, hij bewoog snel met zijn hoofd. Maar zijn mond was slap, alsof hij er een klap op had gehad.

'Flynn, ga toch zitten. Kom eens hier.' Ze zat op de rand van het bed, maar in plaats van te gaan zitten knielde hij voor haar op de vloer, en ze kon zien dat er bloed uit de wond aan zijn hoofd stroomde. Ze was zo verstandig er niets over te zeggen.

'Wees erop voorbereid,' zei hij, 'dat de hele wereld als een ton bakstenen over deze plek heen kan komen. Jij en ik moeten zorgen dat we er niet door verpletterd zullen worden.'

Ze fronste haar wenkbrauwen. 'Waarom zou de wereld zich om ons bekommeren?'

'Omdat degene die dit heeft gedaan, naar zondebokken zal zoeken en wij bevinden ons allebei in de vuurlinie.'

Haar hart begon hevig te bonzen. 'Ik weet dat de politie mijn naam op de lijst van verdachten heeft staan omdat ik Morrell heb gevonden, maar waarom jij?'

'We hebben het nu over sir Harry Oakes. Deze moord zal alle nieuwsjagers van over de hele wereld achter ons aan sturen. Om alle geheimen op het eiland op te sporen, inclusief die van ons, daar kun je je lieve leven onder verwedden.'

'Maak me niet bang.'

Voor het eerst glimlachte hij. 'Ik wíl je juist bang maken, Dodie, liefste. Ik wil dat je zo bang wordt dat je weg zult gaan.'

'Nee.' Ze greep zijn kin en bewoog die heen en weer. 'Niet zonder jou.'

'Luister goed, Dodie, de dood van Oakes verandert alles.' Hij ging staan en trok haar overeind. 'Als het de maffia was die hem te grazen heeft genomen omdat hij het spelletje niet mee wilde spelen – geen druk op de gouverneur wilde uitoefenen om de wetten op de kansspelen te veranderen – dan is de kans groot dat ze ook achter mij aan zullen gaan, als ze te weten zijn gekomen dat ik voor Oakes werkte. We weten gewoon niet wat er gaande is. Daarom moet ik eropuit om snel wat geruchten op te pikken.'

'Wie anders?'

'Wie hem anders vermoord kan hebben?'

'Ja.'

'Iemand die de grond wilde hebben die Oakes niet wilde verkopen.' Hij haalde zijn schouders op. 'Ik gis maar wat, Dodie, maar het zou kunnen kloppen.'

'Wie dan? Christie?'

'Wie weet. Het is een mogelijkheid, ja.'

'Je moet hier weg, Flynn. Alsjeblieft. Het is nu te gevaarlijk.' Ze was verbaasd dat haar stem zo kalm kon klinken terwijl alles in haar binnenste instortte. 'Snel.'

Ze zag in gedachten al maffiosi naar binnen stormen, met hun chique double-breasted pakken, hun revolvers en hun haaiengrijns.

'Snel,' drong ze opnieuw aan.

Hij trok een reistas onder het bed vandaan. 'Dan gaan we samen,' verklaarde hij en hij begon spullen in de tas te stoppen.

Ze voelde een golf van opwinding en hij lachte om haar gezicht, toen hij zijn hoofd omdraaide, met ogen vol pret. Of was het liefde? Ze wist het niet. Maar dat was hoe ze zich hem na afloop herinnerde, dat was het beeld dat ze in haar hoofd van hem meedroeg. Met zijn haar dat over zijn voorhoofd viel terwijl hij zich over de tas boog. Zijn lippen gekruld in een stoutmoedige glimlach die haar duidelijk vertelde dat zijn besluit vaststond. Hij zou niet naar de politie gaan met informatie over wat hij de vorige avond bij Westbourne House had aangetroffen.

Beneden werd de voordeur dichtgeslagen.

Vaag herinnerde Dodie zich dat ze een auto in de stille straat had gehoord. Het moment bevroor, sleepte met zijn voeten door het zand, om vervolgens zo snel voor haar uit te sprinten dat ze het niet meer bij kon houden. Flynn reageerde bliksemsnel toen er zware voetstappen de trap op daverden, zodat hij tegen de tijd dat er woest op de deur werd geklopt zijn revolver in zijn hand hield. Hij duwde Dodie naar de verste hoek en stond achter de deur te wachten, platgedrukt tegen de muur.

'Wie is daar?' snauwde hij.

Toen pas kwam het in Dodie op zich te verbazen over het geklop. Klopte de maffia ook op de deur? Wanneer die plannen had om je te vermoorden?

'Flynn,' fluisterde ze.

Hij keek haar recht aan, en in die seconde begreep ze dat hij geloofde dat dit hun dood ging worden. Hij liet zijn revolver zakken en deed twee snelle stappen naar haar toe.

'Doe open! Politie!'

De drie politieagenten haalden de kamer overhoop met de precieze wreedheid van een kind dat een spin de poten uittrekt. Ze leegden laden, bekeken de achterkant ervan, de onderkant, en haalden het bed af, keken onder het matras. Met hun grote vingers zochten ze in de zakken van de kleren, boven op de gordijnen, groeven in scheerzeep en draaiden de metalen bollen op de hoeken van het bed los. Ze trokken het gebarsten linoleum van de vloer en doorzochten de planken eronder naar schuilplaatsen.

Dodie kon het niet aanzien. Ze stond naast Flynn bij het raam, met haar arm tegen de zijne, en staarde naar buiten, de straat in, waar een hond op een halve kokosnoot kauwde en een vrouw een ton over het midden van de straat rolde. En al die tijd kon Dodie de spanning bij Flynn voelen.

'Het is in orde,' zei hij. 'Ze zullen niets vinden, want er valt hier niets te vinden.'

Zijn revolver zat in zijn broeksband, onder zijn overhemd. Maar hij kneep zijn ogen een eindje dicht toen de zwarte brigadier, die de leiding van de huiszoeking had, een mes tevoorschijn haalde om een rij grove steken in de zijkant van het matras open te snijden. Hij stak zijn hand in de paardenharen vulling en grijnsde grimmig. Dodie hoorde Flynn naar lucht happen, en ze draaide zich bijtijds om om te zien hoe de brigadier zijn hand terugtrok. In de hand lag een geelbruine portefeuille. Er zaten vegen opgedroogd bloed op. Hij klapte hem open en las de naam die erin stond.

Dodie keek naar Flynn, en haar enige gedachte was dat ze hem door het open raam naar buiten wilde trekken. Om weg te rennen en nooit meer om te kijken. Op die manier had hij tenminste nog een kans. Alle kleur was uit zijn gezicht weggetrokken en zijn hand klemde zich om haar pols.

'Flynn Hudson, ik arresteer je onder verdenking van de moord op...'

'Brigadier!' onderbrak de opgewonden stem van een van de agenten hem.

Het uitgestreken gezicht van de brigadier vertrok nijdig. 'Wat is er?'

'Moet je eens kijken, brigges, wat ik hier heb.'

Hij had iets tevoorschijn gehaald uit de zoom van Flynns jasje dat aan de haak aan de deur hing. Hij deed zijn hand open om het aan zijn baas te laten zien. In zijn hand lagen vier gouden munten te blinken.

Dodie rende door de straten van Nassau. De trottoirs waren vol mensen die in groepjes bij elkaar stonden om te wijzen naar de vreemdelingen die met elk vliegtuig uit Miami arriveerden, met camera's om de nek en notitieboekjes in de hand. Een ebbenhoutkleurige vrouw die sponzen verkocht schreeuwde tegen een van de vreemdelingen: 'Hij was een van ons, die sir Harry, God hebbe zijn ziel. Een godvrezende man. Je mag geen slechte dingen over hem schrijven, hoor je me?'

Dodie rende over Rawson Square en baande zich een weg door de deuren van het politiebureau. Daar was alles net als eerst. Dezelfde ventilator aan het plafond, die de klamme lucht ronddraaide, dezelfde vliegen die er rondvlogen, dezelfde rij stoelen die door mensen met bekommerde gezichten werden bezet, maar Dodie was deze keer anders. Ze wachtte niet beleefd op haar beurt. Ze liep haastig naar de balie waar de jonge agent bezig was voor een oude man een formulier in te vullen over een weggelopen hond.

'Neemt u me niet kwalijk,' onderbrak Dodie hem, 'ik moet rechercheur Calder spreken. Het is dringend.'

'Sorry juffie, maar ik ben met deze heer in gesprek. Als u even wilt gaan zitten, zal ik…'

'Ik wil niet gaan zitten. Hebt u me niet gehoord? Het is dringend. Ik moet hem nu meteen spreken.' Ze sloeg met haar knokkels op de balie. Het was een hard geluid in de plotselinge stilte van het bureau.

De jonge agent aarzelde. Hij zag eruit als een groentje, en hij keek ongemakkelijk naar de gang rechts van hem. 'Het spijt me, juffrouw, maar rechercheur Calder is op dit moment bezet. Als u even wilt wachten, dan…'

'Ik kán niet wachten. Begrijpt u dat niet?'

De natuurlijke neiging van de agent was nog niet afgestompt door de ervaring van jaren. 'Wilt u me even excuseren, meneer,' zei hij tegen de oude man, 'ik ben zo weer terug.' Hij liep de gang in. 'Wacht hier,' zei hij tegen Dodie. Hij verdween in Verhoorkamer 3 en kwam vijf seconden later weer tevoorschijn. 'Hij kan u zo ontvangen, als u even in de…'

Dodie stapte pardoes langs hem heen Verhoorkamer 3 binnen. Ze verwachtte de rechercheur daar iemand te zien verhoren, of misschien enkele politiemensen in gesprek over de moord op sir Harry Oakes. Maar toen ze zonder kloppen naar binnen rende, trof ze daar rechercheur Calder midden in de kamer aan, waar hij op gedempte toon tegen een vrouw stond te praten. Ze had haar rug naar de deur en zijn hand lag op haar schouder. De vrouw had dik blond haar en slanke heupen in een lichtbruine plooirok. Ze draaide zich snel om, stapte bij de rechercheur vandaan en keek Dodie recht aan.

'Juffrouw Wyatt!'

'Mevrouw Sanford.' Dodie knikte, maar ze richtte zich meteen tot rechercheur Calder, die eerder verlegen dan boos leek bij deze onderbreking.

'Rechercheur Calder, ik heb uw hulp nodig.'

Hij herwon zijn zelfbeheersing en werd op slag formeel.

'Wat kan ik voor u doen, juffrouw Wyatt?'

'Er is een vreselijke vergissing gemaakt. Flynn Hudson is gearresteerd wegens moord, maar hij is onschuldig. U moet iets doen, u moet hen laten begrijpen dat hij niet wist dat die portefeuille daar was, dat iemand anders hem in zijn matras moet hebben gestopt om hem verdacht te maken, u moet...' Haar stem trilde. Haar handen beefden. 'Flynn Hudson is gearresteerd voor moord,' zei ze meer samenhangend. 'Maar het is een vergissing. Hij is onschuldig.'

Ik heb het niet gedaan, Dodie. Laat je niet wijsmaken dat ik het heb gedaan.

Zijn laatste woorden tegen haar terwijl ze hem in handboeien wegsleepten, de politieauto in.

'Gearresteerd wegens de moord op Morrell?' zei Calder met gefronste wenkbrauwen.

'Ja natuurlijk. Wie anders zou het...' En toen besefte ze het. Ze schudde haar hoofd. 'Nee, nee...'

Ella Sanford stapte naar voren. 'Stil maar, Dodie, we zullen dit uitzoeken. Als je vriend onschuldig is, weet ik zeker dat rechercheur Calder het misverstand zal weten op te helderen. Dan,' ging ze op gedempte toon verder, 'weet jij iets over deze arrestatie?'

'Nee. Trench heeft de zaak behandeld toen ik andere taken had.'

'Kun je zien of je iets te weten kunt komen?'

Heel even dacht Dodie dat hij ging weigeren, maar hij wierp een blik op mevrouw Sanford en leek van gedachten te veranderen.

'Goed. Maar iedereen verkeert vandaag in opperste staat van verwarring. Kolonel Lindop heeft een vreselijk humeur. Dit gedoe met sir Harry is...' Hij zweeg abrupt, niet bereid, besefte ze, om meer te zeggen waar zij bij was. Hij liep naar de deur.

'Dank u wel,' zei Dodie.

'En zorg in hemelsnaam dat iemand haar een kop thee brengt voordat ze van haar stokje gaat,' riep mevrouw Sanford hem na.

Ze zette Dodie op een van de harde stoelen neer. 'Je ziet zo wit als een doek,' zei ze zacht.

Dodie wist dat ze dankbaar hoorde te zijn, maar op dit moment voelde ze alleen maar angst. Ze greep de hand van de vrouw. Niet om troost te zoeken, maar om zeker te weten dat ze luisterde.

'Ik moet weten of hij hier is. Of ze Flynn Hudson naar het politie-bureau hebben gebracht of dat hij in de gevangenis zit.' Ze hoorde zelf hoe moeizaam haar stem klonk, maar ze prentte zich in dat ze deze vrouw niet moest afschrikken. Ze had haar nodig. 'Alstublieft, mevrouw Sanford, ze zullen naar u luisteren. Ze zullen u antwoord geven.'

De hand die ze vasthield probeerde niet te ontsnappen. De blauwe ogen stonden heel bezorgd.

'Is deze Flynn Hudson zo belangrijk voor je?' vroeg Ella Sanford zacht. 'Zo belangrijk dat zijn arrestatie betekent dat je nauwelijks een woord kunt uitbrengen?'

Dodie knikte, en het gezicht van mevrouw Sanford werd zachter. Toen schudde ze haar hoofd en riep luid: 'Waar blijft die verhipte thee in hemelsnaam?'

Er kwam een jonge zwarte agent haastig met een dienblad binnen en hij knikte hen beleefd toe voor hij zich weer naar buiten haastte. Dodie begreep dat dit niet voor haar was. In haar eentje zou ze nooit zo'n behandeling krijgen. Ze keek de vrouw aan die zo ruimhartig hulp en begrip bood, en ze deed haar mond open omdat ze wilde zeg-gen: *Dank u wel. U bent erg vriendelijk en ik ben u heel dankbaar, ook al zie ik er misschien niet zo uit omdat ik aan niets anders kan denken dan aan het gevaar waarin Flynn verkeert.*

Maar voordat de woorden in haar mond werden gevormd, duwde Ella Sanford haar een kop-en-schotel in de hand en vroeg: 'En wat is dan wel de band van jouw meneer Hudson met Morrell?'

Het rolde er bijna uit. Het barstte er bijna uit in een wilde woor-denstroom. De woorden lagen op het puntje van haar tong klaar voor de eerste de beste persoon die ernaar vroeg. Slechts de herinnering aan Flynns gezicht achter het raampje van de politieauto kon ze be-dwingen.

'Ik weet het niet. Maar iemand heeft de vermiste portefeuille van Morrell in Flynns kamer gelegd.' Ze nam een slok thee om te voor-komen dat er nog meer woorden naar buiten kwamen.

'O ja? Waarom zou iemand dat willen doen?'

Dodie werd gered door de komst van rechercheur Calder. Eén blik op zijn gezicht, en de moed zonk haar in de schoenen.

'Goed, juffrouw Wyatt, de situatie is aldus. Flynn Hudson is hier. Ik heb hem gesproken en hij wordt op dit moment verhoord.'

Verhoord.

'Dus hij is niet gewond?'

'Gewond? Nee, natuurlijk is hij niet gewond. Hij wordt alleen maar verhoord. Als hij onschuldig is, zal dat ongetwijfeld worden vastgesteld.'

'Wanneer kan ik naar hem toe?'

'Voorlopig helaas niet.'

'Waarom is het arrestatieteam eigenlijk naar zijn huis gegaan?' vroeg Ella Sanford. 'Wat heeft gemaakt dat ze hem verdenken?'

Dodie verwachtte dat Calder zou weigeren zo'n vraag te beantwoorden, maar dat was niet het geval.

'Ze hadden een tip gehad. Een telefoontje.'

'Van wie?'

'Het was anoniem. Dat is meestal niet de manier waarop wij te werk wensen te gaan, maar brigadier Trench had uitermate weinig aanwijzingen, dus besloot hij dit na te trekken.' Hij keek even naar Dodie, en zijn blik werd scherp. 'U zult uiteraard ook worden verhoord, juffrouw Wyatt, als getuige bij het vinden van de portefeuille. En de munten.'

'Ze liegen,' zei ze resoluut. 'Degene die dat telefoontje heeft gepleegd, liegt.'

Opeens dook Ella Sanford naar Dodies theekop, ze zette het vol afkeer op het bureau en liep naar de deur.

'Kom mee, Dodie. Ik weet een goede advocaat.'

43

Ella

Het kantoor van Hector Latcham was ontworpen om indruk te maken. De wanden waren met notenhout betimmerd en het antieke bureau met leren bovenblad bezat de afmetingen van een klein poloveld. Maar Ella kon zien dat dit alles niet aan Dodie besteed was. Het meisje bezat de eigenschap zich volledig te concentreren op wat belangrijk was, en de omgeving te negeren. Ella benijdde haar om dat vermogen één ding tegelijk te zien.

Hector legde haar alle procedures uit, vertelde dat na het verhoor, als de politie Flynn in staat van beschuldiging stelde, het gezien de ernst van het misdrijf niet waarschijnlijk was dat hij op borgtocht zou worden vrijgelaten en dat hij tot de eerste rechtszitting in hechtenis zou blijven. Dodie was snel, ze stelde vragen, drong aan op uitleg, en Hector was minzaam en hoffelijk.

'Het heeft geen enkel nut alleen maar te zeggen dat hij onschuldig is, juffrouw Wyatt,' zei hij meelevend. 'Het moet worden bewezen. En op dit moment is het bewijs heel erg tégen hem.'

'Dat begrijp ik. Maar de portefeuille was door iemand anders in zijn kamer verstopt.' Dodie was kalm en rationeel geworden. 'Ik weet dat hij het niet heeft gedaan.'

'Helaas geldt iets weten niet als bewijs.' Hector wierp een beroepsmatige glimlach in Ella's richting. 'Ik heb brigadier Trench via de telefoon gesproken en ik heb de jonge Gordon Parfury erheen gestuurd om aanwezig te zijn bij de verhoren.' Hij knikte vol trots bij het noemen van het jonge zwarte lid van zijn kantoor. 'Parfury is echt uitstekend, dat verzeker ik je. Je kunt op hem vertrouwen.'

'Dank je, Hector,' zei Ella. 'Ik stel dit bijzonder op prijs.'

Hector was op en top een advocaat. Er was iets soepels en betrouwbaars aan hem dat heel geruststellend was. Zijn bruine haar was netjes uit zijn gezicht naar achteren gekamd en dat versterkte de indruk van eerlijkheid en openheid die zijn cliënten prettig vonden. Hij was niet echt knap, zijn ogen en gezicht waren daar te smal voor, maar hij straalde een aura van succes uit dat heel aantrekkelijk was, en hij bezat de gezonde gelaatskleur van een enthousiast zeiler.

'Wanneer kan ik dan naar Flynn toe?' vroeg het meisje.

Hector kwam achter zijn bureau vandaan met de houding van iemand die als dat mogelijk was zelfs bereid was met haar te ruilen. 'Juffrouw Wyatt,' zei hij, haar beide handen in de zijne nemend, 'deze moord op Morrell is een afschuwelijke zaak en de verschrikking van een tweede moord op een groot man als sir Harry heeft iedereen in een staat van shock gebracht. Maar ik beloof u dat ik alles zal doen wat in mijn vermogen ligt om de onschuld van uw vriend te bewijzen, als wat u zegt waar is. U kunt op mij vertrouwen.'

Dodie staarde naar zijn handen. Ella kon zien dat ze wilde dat hij losliet. 'Wat gebeurt er als mijn vriend schuldig wordt verklaard?' vroeg Dodie.

Het was een pijnlijke vraag. Ze wisten allemaal wat het antwoord was.

'Ik vrees dat hij dan de doodstraf zal krijgen. Maar, mijn lieve juffrouw Wyatt, als hij onschuldig is, zal ik dat niet laten gebeuren, weest u daar maar van verzekerd.'

Dodie zei niets, en Ella probeerde zich voor te stellen hoe het moest zijn als iemand van wie je hield moest sterven.

'Dodie.'

Ella had Dodie afgezet voor het onderkomen van Flynn Hudson, en het meisje bukte zich naar het open raampje van de auto.

'Ja?' De zon viel op haar haar en er schitterden gouden strepen tussen de donkere krullen.

'Weet je zeker dat je niet wilt dat ik mee naar binnen ga?'

'Nee, dank u.' Het strakke gezicht werd verzacht door een poging tot een glimlach. 'U zou hen maar laten schrikken.'

Ella ging er niet tegenin. Dit was een arme wijk en ze wist dat ze hier niet thuishoorde. 'Dodie, wat weet jij over de gouden munten die in zijn jasje zijn gevonden?'

'Flynn heeft ze er niet in gedaan.' Het klonk scherp. Defensief.

Ella was geschokt geweest toen ze Hector hoorde spreken over de vier gouden munten die de politie had gevonden. Het was net of er iets donkers de kamer was binnen geslopen en ergens in een hoek neerhurkte.

'Maar Dodie, die vormen wel een verband.'

'Een verband met Morrell, dat weet ik. Hebt u het aan de politie verteld?' Haar vingers kromden zich om de rand van het raampje. 'Van die munt die hij me voor u heeft gegeven?'

'Nee, dat heb ik niet genoemd. Maar het verband dat ik bedoel is met sir Harry Oakes. Hij was een verzamelaar van goud en de politie zal dat snel weten vast te stellen. En nu zijn Morrell en sir Harry allebei dood. Een van de dwarsverbanden tussen hen moet Flynn Hudson zijn.' Ze boog zich dichterbij en ze zag hoe de ader naast het oog van het meisje sneller begon te kloppen. 'Waar was Flynn vannacht?'

Het gezicht van het meisje veranderde niet, maar haar ene wang werd opeens vuurrood, alsof ze een klap had gekregen.

'Hij is de hele nacht bij mij geweest,' zei Dodie.

'Je zult beter moeten leren liegen, mijn beste Dodie.'

'Hoe bedoelt u?'

'Ik bedoel dat als de politie jou gaat ondervragen – en we weten allebei dat ze dat gaan doen – je verdraaid veel overtuigender zult moeten zijn.' Ze legde haar vingertoppen op de rug van de hand van het meisje. 'Kom, kom, juffrouw Wyatt,' imiteerde ze de lage stem van een politieagent, 'waar heeft de heer Hudson de afgelopen nacht doorgebracht?'

Dodie trok haar slanke schouders naar achteren en keek Ella recht in de ogen. 'Hij heeft de nacht bij mij doorgebracht.'

'De hele nacht?'

Ze schonk Ella een vage glimlach, alsof ze terugdacht aan de uren van duisternis in de hut. 'Hij had geen haast om weg te gaan,' zei ze, en ze sloeg haar ogen neer, opeens verlegen.

Ella glimlachte. 'Ik ben overtuigd.'

Dodie keek naar hun handen die op elkaar lagen. 'Dank u wel. U bent heel vriendelijk,' zei ze zacht. 'Maar waarom doet u dit?' Ze wachtte even toen er een man met een bamboekooi vol krabben voorbijslenterde, gevolgd door een jongen met een voorraad vissenkoppen. 'Waarom helpt u me?'

'Misschien omdat ik in jou iets zie wat ook in mezelf zit.'

Dodie keek haar onderzoekend aan. Ella verwachtte dat ze zou vragen wat dat iets was, maar dat deed ze niet. In plaats daarvan zei Dodie: 'Degene die de portefeuille in Flynns matras heeft gestopt, en de munten in zijn jasje, moet de moordenaar zijn.'

Het woord klonk hard in het stille achterafstraatje. Er rukte een windvlaag – een restant van de storm van de vorige nacht – aan het lange haar van het meisje, als om haar weg te trekken van de auto, maar ze hield het warme metaal stevig vast.

'Mevrouw Sanford…'

'Zeg maar Ella.'

'Ella, hij heeft het niet gedaan.'

'Weet je dat heel zeker?'

'Ja.'

'Dan geloof ik je. Maar wees voorzichtig wanneer je deze mensen ondervraagt over wat er zich in het huis heeft afgespeeld.'

'Ik zal voorzichtig zijn, dat beloof ik.' Ze zweeg even. 'Uw vriend de rechercheur zal vast meer weten over de dood van sir Harry.'

Het werd niet als vraag gebracht, maar Ella kon de vraag er impliciet in horen. Ze knikte. 'Dat is waar. Ik zal zien wat ik te weten kan komen, als jij dat wilt.'

'Dank u.'

Ella startte de auto en zette hem in de versnelling. Nu had ze een reden om Dan weer te ontmoeten.

44

Dodie

*D*e man en de vrouw van het huis met de paarse deur keken Dodie achterdochtig aan. Ze waren allebei zwart en bedwongen hun woede achter een ondoordringbare muur van zwijgen. Ze hadden hun stoelen naast elkaar voor het keukenfornuis gezet en zaten met hun armen over elkaar geslagen. Dodie had hen het liefst door elkaar gerammeld om hen uit hun weigering om meer dan één woord tegelijk te zeggen los te schudden.

'Meneer Hudson heeft uw kamer boven gebruikt?'

'Ja.'

'Hebt u nog andere huurders?'

'Nee.'

'Woont hier nog iemand anders, afgezien van de heer Hudson en u?'

'Nee.'

'Heeft de politie u ondervraagd?'

'Ja.'

'Wat hebt u hun verteld?'

'Niets.'

'Heeft meneer Hudson nog bezoek gehad in de tijd dat hij hier was?'

'Ja.'

Dodie schoof naar voren in haar stoel. 'Van wie?'

'U.'

Ze slaakte een ongeduldige zucht. 'Nog iemand anders?'

'Nee.'

'Weet u het zeker?'

'Ja.'

'Kan er iemand anders in deze kamer zijn geweest terwijl u er misschien even niet was?'

'Nee.'

'Doet u uw voordeur op slot?'

'Ja.'

Het klonk niet als een leugen, maar het voelde wel zo. De meeste Bahamanen deden hun deur niet op slot. Ze keek in de kleine keuken om zich heen. Potten en pannen. Een mand met houtblokken. Een foto van een zwarte jongeman in marine-uniform, op de deur van een kast geprikt. Niets om te stelen.

'Mag ik alstublieft even in de kamer van meneer Hudson kijken?'

Een strakke blik. 'Nee.'

Dodie greep in haar zak, haalde er een briefje van een pond uit en legde dit plat op de tafel. 'Mag ik alstublieft even in de kamer van meneer Hudson kijken?'

De man haalde zijn schouders op. De vrouw keek hem woest aan.

'Ga je gang,' zei hij. Zomaar drie woorden. Dodie boekte vooruitgang.

Ze holde de trap met twee treden tegelijk op, voor het geval hij van mening zou veranderen voordat ze boven was, en liep haastig de kamer in. Die was niet op slot, maar dat hoefde ook niet. Op het bed, de ladekast en de stoel na was hij leeg. De politie had kennelijk alle spullen van Flynn meegenomen want de laden waren leeg en er hing niets meer aan de haak van de deur. Het matras was ook weg. Misschien was de hospita daarom zo chagrijnig: ze kon de kamer niet verhuren voordat ze haar matras terug had. Dodie ging op het kale metalen spiraal zitten, haar rug nog steeds pijnlijk, en inspecteerde de kamer centimeter voor centimeter, de muren en de vloer, het plafond en het kozijn.

Ze keek ernaar met zíjn ogen, niet met politieogen.

Ze zag dat de plinten verveloos en hier en daar los van de muur waren en naar voren hingen. Dodie liet zich op haar knieën zakken en trok aan een stuk dat er stevig uitzag. Zoals ze had verwacht gaf het niet mee. Ze kroop wat verder en trok aan een loszittend stuk dat afbrokkelde in haar hand, zodat er onder aan de muur een zwart gat te zien was. Ze stak haar hand erin en tastte voorzichtig rond.

'Flynn, help me.'

Door de open deur klonk het geluid van voetstappen op de trap.

Dodie trok haar hand met een ruk terug. Er zaten stofraggen op, en op haar pols zat roerloos een gespikkelde spin, maar in haar vingers hield ze een canvaszakje geklemd. Haastig zette ze het afgebroken stuk plint rechtop, deed de deur dicht en ging er met haar rug tegenaan staan voordat ze het trekkoordje rond de opening van het zakje openmaakte.

'Flynn,' fluisterde ze, 'zeg iets tegen me.'

In het zakje zaten twee dingen die ze er stuk voor stuk uit haalde. Eerst kwam er een stevige rol met Amerikaanse dollars. Dodie nam niet de tijd om ze te tellen maar stopte ze in haar zak. Het volgende voorwerp was klein opgevouwen, maar bleek een dunne luchtpostenvelop te zijn met een blanco lichtblauw oppervlak. Erin zaten twee velletjes luchtpostpapier die aan beide zijden waren beschreven. Ze keek naar de handtekening onderaan, een grote en agressieve krabbel: *Oakes.* Het was alsof ze zijn koude vingers in haar nek voelde. Snel begon ze te lezen.

Flynn, jij bent de enige die ik vertrouw. Misschien haat je me, ik weet het niet, je bent nogal gesloten, maar je bent altijd eerlijk tegenover me geweest.

Goud bederft de ziel van een mens. Niet van de mens die het goud bezit, maar de zielen van degenen die toekijken en kwijlen en smachten naar de gouden kruimels die hij laat vallen. Zorg dat je nooit rijk wordt, Flynn. Iedereen haat een rijke man. Vooral zijn zonen. Er zijn veel mensen die me hebben gehaat en ik heb hen vertrapt, maar ik zet deze woorden op papier zodat je weet waar je moet zoeken. Ik kan ruiken dat het gevaar dichterbij komt, net zo goed als dat ik goud onder water kon ruiken.

Je maffiabaas, Meyer Lansky, is de hoofdverdachte. Hij haat me intens. Misschien ben jij wel degene die de revolver zal hanteren wanneer mijn tijd is gekomen. Is dat de reden waarom je met Morrell hierheen bent gekomen? Maar ik heb zo'n vermoeden dat je Lansky eerder een kogel door zijn kop zou willen jagen dan mij. Zeg het als ik me vergis, Flynn, maar meestal kloppen mijn vermoedens.

Op dit eiland heb ik twee vrienden die verdomd graag op mijn graf zouden willen dansen. De ene is Harold Christie. Een geweldige kerel. Echt, ik meen het. Een rijke man, maar wel een die nog steeds begerig is naar meer en meer goud. Zijn ingewanden knagen wanneer hij mijn lelijke smoel ziet en nadenkt over hoeveel meer ik heb dan hij. Nu wil hij dingen met dit eiland doen die ik blokkeer. Ik zal hem desnoods vernietigen.

Mijn tweede golfmakker die op mijn graf zou willen kraaien – als de haan die hij niet is – is de hertog. Ons treurige gouverneurtje. Vergis je niet in hoe sluw hij is. Zijn titel betekent niets. Hij heeft water in zijn slappe aderen in plaats van koningsblauw bloed. Als hij die vrouw niet had, zou hij bij het eerste het beste zuchtje wind omver worden geblazen. Maar hij is begerig. Naar goud. Naar macht. Als een slang glijdt hij ongezien naar het nest. Ik bezit godallemachtig alles wat hij niet heeft, en ik zal hem MIJN eiland NIET laten verpesten. Maar hij bezit machtige vrienden, dus kijk uit voor die man.

Laat me niet in de steek, Flynn. Dood de man die mij vermoordt. Neem van mijn spullen mee wat je kunt, en vertrek. Maar voordat je weggaat moet je me wreken. Je moet me wreken, Flynn. Wat een goed team hadden wij kunnen vormen.

Oakes

'Hela!'

De stem kwam van de andere kant van de deur en er werd met de kruk gerammeld.

'Wegwezen!'

Dodie probeerde zich voor te stellen welke emoties Flynn ertoe hadden gedreven deze brief zo zorgvuldig uit het zicht op te bergen in plaats van hem te vernietigen. Wat doet het met je als een man als Oakes zegt: *Wat een goed team hadden we kunnen vormen?* Geen wonder dat hij hem had bewaard in plaats van verbrand.

'Hela!' De deurknop rammelde weer. 'Wat doe je daar?'

Dodie stapte bij de deur vandaan en hij vloog met een klap open en sloeg tegen de muur. De man daverde naar binnen, waarbij zijn ogen razendsnel de kamer rondgingen op zoek naar mogelijk kattenkwaad dat ze had uitgespookt. Hij droeg een schreeuwerig-geruite broek en een donkeroranje shirt, en hij gedroeg zich net zo rusteloos als een bokser in de ring.

'Wat is hier aan de hand?' gromde hij.

'Dat wil ik nou juist weten,' siste ze hem zacht in zijn gezicht. 'Vertelt u me eens hoe die portefeuille in meneer Hudsons matras terecht is gekomen.'

'Die heeft die nietsnut van een Hudson er zelf in gestopt, dame.'

Dodies vingers betastten de stevige rol dollars in haar zak. 'Wat ze u ook mogen betalen,' zei ze tegen hem, 'ík betaal u meer.'

De politie verhoorde haar. Natuurlijk deden ze dat, daar had Ella gelijk in gehad. Ze namen haar mee naar het politiebureau om haar beleefd maar resoluut te ondervragen. Ze had zich echter voorbereid.

'Waar heeft de heer Hudson de afgelopen nacht doorgebracht?'

'Bij mij.'

'De hele nacht?'

'Ja.' Ze sloeg haar ogen neer in een goede imitatie van verlegenheid. 'Hij is de hele nacht bij mij geweest. Tot zes uur vanmorgen.'

'Weet u zeker dat hij niet is weggeglipt terwijl u sliep?'

Ze streek over haar hals en zag hoe hun blik haar hand volgde. Ze legde de palm van haar hand tegen een wang, bedremmeld en ongemakkelijk.

'Ik weet het zeker. Ik zou het meteen hebben gemerkt.' Niet meer dan een fluistering. 'Het is een erg smal bed.'

Het was de lange rechercheur Calder die de vragen stelde. Ze dwong zich hem recht aan te kijken, zodat hij niet zou denken dat ze loog of zijn scherpe blik probeerde te vermijden, maar hoe kijk je naar een man die jou op de grond heeft gegooid en je daar heeft vastgehouden? Hoe kijk je hem aan zonder in zijn gezicht te spuwen?

De vragen draaiden in kringetjes rond tot haar tong begon te struikelen en haar woorden er niet goed meer uit wilden komen.

'Hoe hebt u Hudson ontmoet, juffrouw Wyatt?'

'Wat weet u over hem?'

'Waarom heeft hij na de brand een huis voor u gezocht?'

'Zocht hij een plek om zich ergens schuil te houden?'

'Heeft hij het ooit over sir Harry Oakes gehad?'

'Was u op de hoogte van de gouden munten?'

'Heeft hij het ooit over Morrell gehad?'

En dan weer van voren af aan. Steeds opnieuw.

'Hoe hebt u Hudson ontmoet?'

'Weet u dat hij een revolver bezit?'

Er zat een jonge agent naast Calder aantekeningen te maken. Hij droeg een perfect geperst pak dat zijn ambities uitschreeuwde en Calders pak eruit deed zien alsof hij erin had geslapen. Maar Calder was degene wiens vragen vlijmscherp waren. Ze beperkte haar leugens tot het minimum. Blijf zo dicht mogelijk bij de waarheid. Onthoud elke leugen. Maar het begon haar te duizelen. Het was erg warm in de kamer en haar ogen prikten. Hij bood haar geen glas water aan, geen enkel respijt, geen moment om haar gedachten op een rijtje te zetten.

'Hudson zei dat u meer over Morrell weet dan u ons vertelt,' zei Calder opeens.

Ze verstijfde. Dat kon niet. Zoiets zou Flynn vast niet doen.

'Hij vertelde ons dat hij gelooft dat u de portefeuille in zijn matras hebt genaaid. U was de enige, zei hij, die daar de gelegenheid voor had.'

Ze sloeg met haar vlakke hand op de tafel. 'Daar geloof ik niets van. Dat is een leugen.'

Calder reageerde niet. Zijn grijze ogen keken haar strak aan en hij zuchtte ontmoedigd, wat erger was dan een leugen.

Het moest een leugen zijn. Dat kon niet anders.

'Alstublieft, rechercheur Calder, mag ik hem nu bezoeken in zijn cel?'

Hij schudde langzaam zijn hoofd, en in een korte flits zag ze hem weer met Ella Sanford, toen ze hen samen aantrof, met zijn brede hand op haar schouder.

'Nee, juffrouw Wyatt, nog niet.'

'Wanneer dan wel?'

'Wanneer ik het zeg. Op dit moment mag hij buiten zijn advocaat niemand ontvangen.'

Dodie legde haar gezicht in haar handen. Flynn zat helemaal alleen in een politiecel, niet bij machte zichzelf te helpen. Zijn lopers en zijn revolver waren hem afgenomen, samen met zijn koppige trots over zijn eigen kracht. Hij had nu helemaal niets. Behalve dat wat in zijn hoofd zat. In zijn hart. In zijn ingewikkelde binnenste. Met de mogelijkheid van een terechtstelling voor ogen voor een misdrijf dat hij niet had gepleegd. Wat deed zoiets met je? Er ontsnapte haar een enkele snik, maar toen ze de rechercheur zijn stoel naar achteren hoorde schuiven, keek ze achterdochtig op.

Hou vol, Flynn. Hou je aan mij vast.

Calder stond naast haar, een lange gestalte vlakbij, maar zijn ogen waren veranderd. Het waren de zilverachtige grijze ogen die ze in de keuken van Ella Sanford had gezien, de ogen van een echt mens, in plaats van de ogen die bij de standaarduitrusting van politieagenten schenen te horen, samen met hun uniform.

'Gaat u nu maar naar huis, juffrouw Wyatt.' Zijn toon paste bij zijn ogen. 'Ik zal het u laten weten wanneer u de heer Hudson kunt bezoeken.'

Ze wendde haar gezicht van hem af en staarde naar een poster aan de muur. Er stond een afbeelding op van een vliegenier, met de woorden: HOUD ONS IN DE LUCHT. KOOP OORLOGSOBLIGATIES.

'De huisbaas liegt,' verklaarde ze. Hij had haar aanbod van geld botweg afgeslagen, maar ze had de angst in zijn ogen gezien. Hij moest zijn bedreigd. 'Ondervraag hem nog maar eens.'

'U hoort niet met getuigen te praten.'

'Als ik het niet doe, wie doet het dan wel?'

'Het is ons werk om het te doen,' zei de jonge agent gewichtig. 'Laat dat aan de politie over. U weet niet wat u doet.'

'Nee, dat weet ik niet.' Dodie draaide zich met een ruk naar hem om. 'Maar ik doe ten minste iets, en dat is meer dan…'

'Juffrouw Wyatt,' viel rechercheur Calder haar in de rede, 'u bent vrij om te gaan.'

Zonder nog iets te zeggen stond ze op en vertrok.

45

Ella

'Je eet helemaal niets. Ik maak me zorgen over je, liefste.'
Ella keek op van het heen en weer schuiven van eten over
haar bord. Het was een champignonomelet, een van haar lievelings-
gerechten. Het was iets wat Emerald altijd voor haar maakte wanneer
ze dacht dat Ella ziek was. Haar vork bleef pardoes in de lucht steken.
Hoe lang had ze niet gegeten?

'O, Reggie, doe niet zo mal. Ik voel me prima. Ik heb alleen niet
zo'n trek, dat is alles.'

'Je hebt gisteren ook al niets gegeten.' Zijn blik bleef op haar jukbeenderen rusten. 'Je wordt toch niet ziek, hè?'

'Nee, natuurlijk niet. Geen eetlust, dat is alles.'

Dat was niet helemaal waar. Nu ze erover nadacht, rammelde ze.
Maar ze kon zich er niet toe brengen eten in haar mond te stoppen,
omdat… Ze legde abrupt haar vork neer en nam een slokje water. Er
ging een huivering over haar ruggengraat. Ze strafte zichzelf, daarom
at ze niet, ze strafte zichzelf omdat ze zich zo schandelijk gedroeg.
Zo zondig. Zo ontrouw. Er waren andere woorden voor. Liederlijk,
immoreel, schandalig. Ze voelde haar wangen kleuren bij de beelden
in haar hoofd van de dingen die ze had gedaan.

*Haar handen vastgemaakt aan het koperen ledikant. Plat op haar rug
op het heldere witte laken, Dans gezicht tussen haar benen, zijn tong heet,
haar heupen die van wellust steigerden. Haar lippen open in een kreun die
overging in een gil toen ze om meer riep. Haar hele lichaam bevend van
verlangen naar hem.*

'Je ziet er verhit uit, Ella. Weet je zeker dat je geen koorts hebt?'

'Nee, Reggie, ik voel me echt uitstekend. Ik ben alleen geschokt
door deze vreselijke tragedie. Arme Eleanor.'

Eleanor was de Australische weduwe van sir Harry Oakes, half zo oud als hij toen ze met hem trouwde, en op dat moment zat ze nog steeds in hun huis in Maine.

'Ze vliegt met Nancy hierheen.' Nancy was de achttienjarige dochter van Oakes.

Ella probeerde zich diep in haar binnenste voor te stellen hoe Eleanor zich moest voelen. Ze riep een beeld op van Reggie met een kogelwond in zijn hoofd, een straaltje bloed dat op zijn schone witte boord sijpelde, en tot haar ontzetting begon ze te huilen. Op slag was Reggie uit zijn stoel en naast haar, juist toen Emerald de kamer binnen zeilde met een dienblad met koffie.

'Liefste,' suste Reggie, zijn arm om haar schouders leggend, 'huil nou niet.' Hij kuste haar haar. 'Ga naar bed om wat te rusten. Je bent echt te goedhartig geweest en daardoor heb je te veel van jezelf gevergd.'

'Meneer Reggie heeft gelijk, mevrouw. Uwes is helemaal van slag. Ik zal wat bouillon voor u maken en u naar bed brengen.'

Vriendelijk maar resoluut maakte Ella zich los uit de omhelzing van haar man. 'Dank jullie allebei, maar nee. Ik wil graag wat koffie, Emerald.'

'Weet u het zeker?'

'Ja. Reggie, ga nu eens zitten en vertel me wat er allemaal gaande is. De hertog zal wel in alle staten zijn. Jij zult tot over je oren in het werk zitten. Vergeet dat dwaze gedoe van mij maar.' Ze glimlachte geruststellend naar hem en keek hoe hij weer ging zitten, maar ze voelde zich schuldig dat ze niet eerder de vermoeide houding van zijn schouders had opgemerkt, en de rimpels van spanning die in zijn anders zo gladde huid waren ontstaan toen zij even niet had gekeken.

'Freddie de Marigny is gearresteerd.'

'Wat?'

'Voor de moord op zijn schoonvader.'

'Ik kan het gewoon niet geloven.'

'Het is waar.'

'Freddie mag dan een beetje een losbol zijn, hij is geen moordenaar. Kolonel Lindop weet wel beter dan...'

'De hertog heeft Lindop de zaak uit handen genomen.'

Ella's mond viel open. 'Wat?'

Reggie streek vermoeid met een hand over zijn voorhoofd. 'De hertog heeft de leiding over het onderzoek volledig in eigen hand genomen. Hij probeerde censuur af te dwingen, maar daar was het te laat voor, het nieuws over de moord op sir Harry was al bekend geworden. Dus heeft hij twee Amerikaanse rechercheurs van de politie in Miami over laten komen om deze zaak te behandelen, een zekere hoofd-inspecteur Melchen en een hoofdinspecteur Barker.'

'Waarom zou hij dat in hemelsnaam doen?'

'Hij zegt dat het onze plaatselijke politie aan de noodzakelijke exper-tise ontbreekt om zo'n misdrijf te onderzoeken. Onder normale om-standigheden zouden er in een geval als dit rechercheurs van Scotland Yard uit Londen komen, maar...' Hij zuchtte discreet. '... door deze el-lendige oorlog is het onmogelijk om iets normaal te laten verlopen.'

Ella schoof haar koffie opzij. 'O, Reggie, wat akelig.'

'Alles is op zijn kop gezet door de halsstarrigheid van de hertog, net nu we zoveel aandacht van alle mondiale media hebben. Ik begrijp niet wat hem bezielt.'

Ella hoorde Emerald naast zich en keek snel op. Het dienstmeisje stond met een driehoekje beboterde toast op een bordje in haar hand, haar brede lippen tot een hoopvolle glimlach geplooid.

'Toe, mevrouw Ella, eet u toch alstublieft iets.' Ze bood Ella het bordje aan. 'Een heel klein hapje, al is het maar om de ouwe Emmie een plezier te doen, ja?'

Ella aarzelde. Maar ze zag de ogen van haar man opklaren bij dit vooruitzicht, dus dwong ze zich de toast naar haar mond te brengen en er een klein hapje van te nemen. Reggie en Emerald glimlachten goedkeurend.

'Is het niet vreemd,' zei ze, zonder te kauwen, 'dat de hertog zoiets doet: de leiding nemen over zo'n belangrijk onderzoek?'

De doffe vermoeidheid verscheen opnieuw in Reggies ogen, maar hij zette zijn beleefde diplomatenglimlach op. 'Dat is inderdaad uiter-mate vreemd, maar leden van het Koninklijk Huis houden zich niet aan dezelfde regels als wij gewone stervelingen.' Hij wist zelfs een klein lachje tevoorschijn te toveren.

Het was nu achtenveertig uur na de moord op sir Harry Oakes, en Ella besefte dat ze niet langer kon uitstellen wat ze moest doen. Ze pakte haar handschoenen en autosleutels en wilde het huis uit lopen, toen de telefoon ging. Eén dwaas moment vroeg ze zich af of het Dan zou zijn.

'Hallo? Met mevrouw Sanford.'

'Ella. Wat klink jij vanmorgen vreselijk down!'

'Tilly? O, alles is vandaag echt afschuwelijk. Ik maak me zorgen over Reggie en over wat de hertog in hemelsnaam in zijn schild voert, dat hij het leven van mijn man tot een hel maakt.'

'Hemeltjelief, zeg, kom koffie bij me drinken, dan kun je me alles vertellen.'

'Dat gaat niet, ik heb nog iets af te handelen. Maar ik kan rond twaalf uur bij de zeilclub iets met je drinken.'

'Prima. O, Ella, nog één ding...'

'Ik moet echt weg, Tilly. Zeg het snel.'

'Ik wilde alleen maar vragen of je nog steeds goede maatjes bent met die rechercheur van je?'

Ella herhaalde die zin in haar hoofd. Ze kon geen ondertoon horen, geen insinuatie in de zin.

'Niet echt goede maatjes,' antwoordde ze opgewekt. 'Hoe dat zo?'

'Iedereen doet zo verdraaid geheimzinnig over alles rond die moord op Oakes. Ik vroeg me af of jij hem wat informatie kon aftroggelen.' Ze lachte, maar het klonk niet echt vrolijk. 'Gebruik je charmes bij hem.'

'Waarom interesseer jij je daar zo voor? Je hebt sir Harry nooit gemogen. Je liep altijd op hem te mopperen.'

'Net als veel andere mensen, Ella. Jij af en toe ook. Ik vroeg me gewoon af of dit voor Hector nog extra juridisch werk zal geven. Kijk eens wat je uit meneer de rechercheur los kunt krijgen.'

'Ik zal het proberen. Maar nu moet ik echt gaan.'

Ella hing op. In haar zak vouwde ze haar vingers rond de gouden munt die Dodie haar van Morrell had gegeven. Hij brandde een gat in haar zak.

'Ik ben niet in de stemming, Ella.'

'Ik denk dat we moeten praten, mevrouw.'

'Niet nu.'

'Ik denk hoe eerder hoe beter.'

'Ella, ik ben niet gewend in mijn eigen huis de wet voorgeschreven te krijgen.'

Ze zaten in de kleine zitkamer van de hertogin. Deze ruimte was even weelderig en rijkversierd als de rest van de verbouwing die de hertog en hertogin van Windsor op kosten van de belastingbetaler aan het oude gouvernementshuis hadden laten uitvoeren, maar hier waren de kleuren zachter, waren de spiegels met vergulde lijsten niet zo enorm. Gedurende de afgelopen drie jaar hadden de Windsors op de Bahama's moeten zitten, ver weg van alles wat de hertog lief was. Het was een besluit dat hun was opgelegd door premier Winston Churchill en koning George VI, gesteund door diens vastbesloten vrouw. Het doel was de Windsors zo ver mogelijk bij hun nazivrienden in Berlijn vandaan te houden als het decorum toeliet, maar ze hadden allebei hun zinnen gezet op iets grootsers in de toekomst.

Ella bleef op een eerbiedige afstand staan en vroeg: 'Hoe voelt u zich, mevrouw?'

'Met mij is alles goed.' De ogen van de hertogin waren roodomrand en in haar slaap klopte een ader. 'Ga alsjeblieft weg, Ella. Ik weet dat je het goed bedoelt.'

'Ik heb u gezien, mevrouw.'

Wallis fronste haar wenkbrauwen. 'Waar?'

'In het huis van sir Harry. Op Westbourne. De avond dat ik langs-kwam om voor het Rode Kruis te collecteren. Hij had daar al een gast – meneer Morrell, de man die werd doodgestoken – maar ik heb u daar ook gezien.'

'Je vergist je.'

Ella ging er niet tegenin. 'Ik dacht dat u nu misschien wat steun kon gebruiken. De dood van sir Harry moet een klap voor u zijn geweest.'

De hertogin ging moeizaam op een met zijde beklede chaise longue zitten. Ze legde een hand over haar ogen, hield die daar even, en toen ze hem weghaalde waren ze nat.

'Doe niet te aardig tegen me, Ella, anders ben ik in tranen.'

'Dat zal u misschien goeddoen.'

'Nee, dat kan ik me niet veroorloven.'

'Ik hoor dat ze zijn schoonzoon hebben gearresteerd.'

'Ja, arme Freddie. Hij zal wel doodsbang zijn. Vooral omdat de officier van justitie zich heeft verzekerd van de steun van onze beste jurist, sir Alfred Adderley, dus gebruikt Freddie Higgs om zijn verdediging te leiden.'

'Higgs is erg goed, mevrouw.'

'Goed genoeg om hem vrij te krijgen?'

Ella ging zitten in een fauteuil die haar een weids uitzicht over de daken van Nassau gaf, tot aan de kade beneden, waar twee mijnenvegers voor anker lagen. 'Ik hoorde geruchten dat Harold Christie er die avond ook bij betrokken was.'

'Ach ja, de goede vriend van sir Harry.' De hertogin liet een lachje horen dat alle zonlicht uit de kamer leek weg te trekken. 'Christie dineerde die avond bij sir Harry op Westbourne en hij heeft de nacht daar doorgebracht in een kamer op slechts twee deuren afstand van de slaapkamer van sir Harry.' Haar stem klonk broos. 'En toch heeft hij niets gehoord. De hele nacht niets.'

'Er stond een zware storm,' verklaarde Ella. 'De wind loeide.'

De hertogin schudde hevig haar hoofd. 'Doe dat niet. Neem het niet voor hem op.'

'Ik neem het niet voor hem op. Maar niemand weet voldoende om te kunnen beslissen wie er schuldig is, en sir Harry kon…' Ze aarzelde.

'Lastig zijn? Ja, natuurlijk kon hij lastig zijn.' Tot Ella's verbazing glimlachte Wallis breed. 'Natuurlijk kon hij lastig zijn. Harry Oakes had veel vijanden want hij was een machtige man die voor zijn mening uitkwam en zijn eigen pad koos, en daar haatten mensen hem om. Maar hij trok zich daar geen donder van aan.' Haar ogen schitterden licht indigokleurig toen ze herhaalde: 'Geen donder.'

'Dat weet ik. Maar ik ben hierheen gekomen om te zien of alles goed is met u.'

'O, Ella! Hoeveel heb jij precies gezien, die avond dat jij met je collectebus voor het Rode Kruis kwam rammelen?'

'Eigenlijk niets.' Maar Wallis' dunne wenkbrauwen gingen vragend omhoog, dus voegde ze er schouderophalend aan toe: 'Genoeg.'

Ella was 's avonds op Westbourne gearriveerd. Ze was er toevallig voorbijgereden en had besloten op goed geluk even langs te gaan om nog wat voor het Rode Kruis te bedelen. Het was voor een project om een paar huizen naast het ziekenhuis aan te kopen om een kamer te verschaffen aan familieleden van patiënten van afgelegen eilanden.

Er stond geen bewaker bij de poort. Ze had de auto geparkeerd en was over de halvemaanvormige oprit naar het huis gelopen. Er brandde licht in een van de kamers beneden, waar de tuindeuren naar het terras openstonden. Ella had zich niet om de voordeur bekommerd maar was rechtstreeks naar de terrasdeuren gelopen. Toen ze echter langs een van de andere kamers kwam, werd haar aandacht getrokken doordat er binnen een bureaulamp brandde. Deze gaf voldoende licht om twee gestalten in de deuropening te onthullen. De ene was de bekende forse gestalte van sir Harry, en de andere was van een vrouw. Onmiskenbaar de hertogin van Windsor.

Hij was bezig haar te kussen. Haar te strelen. Zijn hand greep haar kleine billen vast met een gebaar waaruit gewoonte sprak. De gestalten maakten zich van elkaar los en de hertogin bewoog zich in de ene richting terwijl sir Harry een andere kant uitging. Ella begon voorzichtig weg te lopen over het vochtige gras, maar ze ving het geluid op van sir Harry's ruwe lach die nu uit de open terrasdeuren klonk, en het lage gebrom van de stem van een andere man.

Nog steeds in de hoop een cheque los te kunnen peuteren was ze weer op haar tenen naar voren gelopen, maar bij de terrasdeuren aarzelde ze en gluurde de kamer in. Binnen stonden sir Harry en een grote andere man aan weerszijden van een ingelegde tafel met elkaar te praten. Tussen hen in stond een klein kistje van ivoor met parelmoer open op de tafel, oplichtend in het lamplicht. Wat het kistje bevatte lichtte eveneens vurig op. Het waren gouden munten.

'En Morrell, kan ik je overhalen?' zei sir Harry nu.

Ze zag hoe de andere man het kistje voorzichtig met zijn hand aanraakte. 'Het is gevaarlijk.'

'Het hele leven is gevaarlijk,' vertelde Oakes hem.

Morrell kon zijn blik niet van het kistje afhouden.

'Soms,' zei sir Harry zacht, 'krijgt een mens één kans in zijn leven. Dit zou jouw kans kunnen zijn.'

'Ze zullen me vermoorden.'

'Doe niet zo stom. Je zou hiermee een heel nieuw leven kunnen kopen.'

Ella voelde de aarzeling van de man. Hij trok zijn hand terug. Maar sir Harry liet zich niet zomaar afschepen. Hij sloeg een arm rond de forse schouders van de man, een vriendelijk gebaar, dat hem daar echter vasthield, dicht bij het goud. Ella kon de begeerte door de open deuren naar buiten voelen golven.

'Kijk er eens goed naar, Morrell. Dat is het nou eenmaal met goud, het is fantastisch.' Oakes gleed met zijn vingers door de munten. 'Het corrumpeert de ziel. Het hypnotiseert de geest.' Hij gooide een munt in de lucht en ving hem op in zijn hand. 'De munt van de duivel. Toch versiert goud alle kerken over de hele wereld.'

Hij wierp de munt naar Morrell, die hem opving en erop beet om hem te testen. Oakes lachte.

'Ik beloof je dit, Morrell, ik zal geen deal met je bazen sluiten, maar met jou.'

Ella besloot dat het tijd werd dat ze zich terugtrok, maar ze bleef met haar voet achter een ligstoel op het terras haken, en ze hoorde hem over de stenen schrapen. Ze had onmiddellijk het benul om te roepen.

'Goedenavond, sir Harry, bent u daar?'

Hij kwam naar de open terrasdeur terwijl Morrell zijn jasje uittrok en dit over het kistje liet vallen.

'Mevrouw Sanford,' zei Oakes, 'wat leuk van u om langs te komen.' Maar zijn ogen waren donker van achterdocht.

'Neemt u me niet kwalijk dat ik u kom storen,' verontschuldigde ze zich opgewekt. 'Ik ben hier alleen maar om u weer geld afhandig te maken.' Ze lachte even. 'Maar ik zie dat u een gast hebt. Ik zal een andere keer terugkomen.'

'Ik verzeker u dat u absoluut niet stoort. Komt u vooral binnen, lieve mevrouw.' Hij pakte haar bij haar arm en trok haar naar binnen. 'Ik ben juist klaar met een zakelijke bespreking met mijn compagnon hier.' Hij noemde expres geen naam.

Ze was niet meer dan tien minuten gebleven en vertrok met een ruimhartige cheque van sir Harry en een stapel dollarbiljetten uit Morrells portefeuille. Ze sloeg het aanbod om een glaasje te blijven drinken af en wilde juist door de terrasdeuren vertrekken toen sir Harry een zware hand op haar schouder legde. 'Ella, het was me een genoeg je te zien, maar...' Zijn vingers verstrakten bijna onmerkbaar. '... soms is een beetje kennis gevaarlijk.' Hij liet het woord 'gevaarlijk' lang doorklinken. 'Soms is het beter om te vergeten wat je denkt te hebben gehoord of gezien. Veiliger voor iedereen.'

Ella maakte haar schouder uit zijn greep los. 'Goedenavond, sir Harry.'

Ze liep snel de avond in, zonder om te kijken.

Ja, ze had genoeg gezien.

'Het eiland zal hem missen,' zei ze nu tegen Wallis, en ze meende het.

'Het eiland niet alleen.'

Het was een treurige opmerking. Een eenzame uitdrukking van verdriet.

'Hebt u de gouden munten van sir Harry ooit gezien?'

Wallis glimlachte vertederd. 'Ja, hij vond het leuk om er tegenover mij mee te pronken.'

'Denkt u dat hij ze ooit zou hebben weggegeven?'

'Allemachtig, nee.' De zuidelijke glimlach werd breder. 'Tenzij hij van plan was ze op een listige manier terug te krijgen.' Ze keek even naar de Franse ormolu-klok op de schoorsteenmantel. 'Ik weet dat het nog vroeg is, Ella, maar voor mij gaat de zon vandaag vroeger onder. Schenk alsjeblieft voor jou en mij een martini in.' Ze gebaarde naar een kastje en stak zelf een sigaret op.

Toen Ella de drankjes had gemixt en haar een glas aanreikte, stond de hertogin op, hief haar martini en zei zwierig: 'Op sir Harry Oakes! Moge God zijn piratenziel hebben.'

'Op sir Harry.'

46

Dodie

e gevangenis van Nassau was ontworpen om iedereen van alle hoop te beroven. Het was een grimmig natuurstenen fort in een straat die Prison Lane heette, aan de zuidelijke rand van de stad, met hoge muren die de zon buitenhielden. Gordon Parfury – Flynns advocaat die hem door Hector was toegewezen – had Dodie erop voorbereid. Hij had haar gewaarschuwd voor de klamme atmosfeer binnen, voor de donkere gangen en de stank, voor de felle lampen in de cellen, die nooit uitgingen. Ze had geknikt. Ja, het enige wat ze wilde was erheen gaan. Maar toen de zware metalen deur naar de cel openzwaaide, was ze niet voorbereid op het gevoel van eenzaamheid dat haar trof, de wanhoop die de muren als slijm bedekte.

Zodra ze over de drempel was stapte Dodie regelrecht in Flynns armen. Dat had ze niet verwacht. Ze had gedacht dat een cipier hen uit elkaar zou houden, maar nee. Zodra Parfury en zij in de cel waren, werd de deur achter hen dichtgesmeten en op slot gedaan, en kon ze voor het eerst sinds de politie hem in het huis met de paarse voordeur was komen halen, weer normaal ademhalen.

'En,' zei Parfury met opgewekte bezorgdheid, 'hoe is het vandaag met u, meneer Hudson?'

'Kon niet beter.'

Parfury glimlachte zuur. Dodie wilde dat hij in een hoek ging staan en zijn mond hield.

'Ik heb sigaretten voor je meegebracht,' zei ze. Ze gaf Flynn een pakje Lucky Strike.

'Dank je. Wil je niet gaan zitten?'

'Je hoeft echt niet beleefd te doen, Flynn. Niet tegen mij.'

Maar ze ging zitten op het smalle bed tegen de muur en keek om zich heen, want als ze te lang naar Flynn keek, zou ze misschien vergeten dat er nog iemand anders aanwezig was. De cel was ongeveer drie bij vier meter, wat groter dan ze had verwacht, en hoog in de muur tegenover de deur was een open raam met tralies, waardoor er een verkoelend zeebriesje naar binnen waaide. De inhoud van de cel was heel basaal: een bed, een kruk, een geëmailleerde wasbak en een zinken emmer die stonk.

Flynn ging op het bed zitten, een eindje bij haar vandaan. Hij raakte haar niet aan, niet na dat eerste moment toen hij haar had gekust, haar stijf tegen zich aan had gedrukt en de geur van haar haar had ingeademd.

'Ik wist dat je zou komen,' zei hij zacht. 'Maar dat moet je niet meer doen. Je moet nu weggaan.'

'Ik ben er net.'

'Ik bedoel dat je weg moet gaan van het eiland.'

'Nee, Flynn.'

Zijn blik bleef op haar gezicht gericht en het enige geluid in de cel kwam van Parfury die op de kruk met zijn papieren zat te ritselen. Dodie wilde tegen Flynn zeggen wat weggaan voor haar zou betekenen, maar dat wilde ze niet doen waar de advocaat bij was, dus schudde ze alleen maar haar hoofd naar hem en zag hoe zijn ogen de beweging van haar haar over haar schouders volgde. Ze wilde vragen hoe het met hem ging, ze wilde naar de wond op zijn hoofd kijken, om te zien of die genas, ze wilde hem aanraken, zijn hand in de hare nemen. Maar ze deed niets.

Hij schoof dichter naar haar toe. 'Oké, vertel me wat je weet.'

'Ik heb met je huisbaas gesproken.'

'En?' Ze zag een glimp van hoop.

'Zijn vrouw en hij willen niets zeggen. Hij beweert dat het huis altijd op slot is en dat er niemand binnen is geweest. Dat heeft hij tegen de politie gezegd.'

Flynn wendde zijn blik af naar het kleine raam dat te hoog was om erdoor naar buiten te kunnen kijken. 'Hij liegt,' zei hij.

'Natuurlijk liegt hij. De vraag is, Flynn, wie heeft hem betaald om te liegen? Wie wil jou dood hebben zonder bloed aan zijn handen? Er is iemand die een anoniem telefoontje naar de politie heeft gepleegd om te vertellen waar ze moesten zoeken.'

Hij knikte, maar zei niets.

'Wie zou zoiets kunnen doen? Naar wie moet ik op zoek?'

Hij staarde niets ziend naar de muur tegenover zich. 'Jij moet naar niemand op zoek gaan.'

'Flynn...'

Ze raakte zijn hand op de ruwe deken aan, maar hij haalde hem weg en begon omslachtig een sigaret uit het nieuwe pakje op te steken. Geen van beiden keek naar de advocaat.

Dodie hield zich in. Liet haar stem zakelijk klinken. 'Laat me je vertellen wat ik tot dusver over de dood van sir Harry te weten ben gekomen.'

Ze gebruikte het woord 'moord' niet. Dat was te groot voor deze kleine cel.

Nu keek hij haar recht aan.

'Het lichaam van sir Harry is in zijn eigen bed gevonden,' vertelde ze hem. 'Ze zeggen dat hij in het hoofd is geschoten. Christie heeft hem gevonden. Hij had de avond ervoor bij sir Harry gedineerd en was die nacht op Westbourne gebleven. Door de storm heeft hij de hele nacht niets gehoord, en hij heeft hem 's ochtends om zeven uur gevonden, toen hij zijn slaapkamer binnen ging om hem wakker te maken.'

Flynn luisterde aandachtig en keek steeds naar haar mond. Ze had geen idee hoeveel Parfury hem al had verteld, maar ze kon zien dat zijn ogen grauw werden bij het noemen van sir Harry's naam.

Ze liet haar stem dalen. 'Zijn lichaam en de kamer waren in brand gestoken.'

Dat schokte hem hevig. 'In brand?' fluisterde hij.

'Ik vind het heel erg, Flynn.'

Ze keek in de richting van de advocaat die zich over zijn papieren had gebogen en deed of hij niet luisterde.

'Is hij verbrand?' zei Flynn verbijsterd.

Dodie legde haar hand stilletjes over zijn mond. Ze was bang dat hij in zijn wanhoop te veel zou zeggen.

'En er is nog meer.'

'Vertel op.'

'Ze hebben zijn hoofdkussen opengesneden en de veren over hem heen gestrooid voordat ze hem in brand staken.'

Zijn ogen werden groot. 'Obeah?'

Dodie knikte.

'Er is iemand die probeert het eruit te laten zien als een rituele obeah-moord.' Hij slaakte een smalend, blaffend geluid dat de advocaat deed opkijken. 'Dat slaat gewoon nergens op. Iedereen weet dat de Bahamanen dol op hem zijn.'

'Diezelfde iemand doet hevig zijn best de politie in verwarring te brengen en zijn sporen te verdoezelen.'

Flynns gezicht stond bleek en vermoeid. 'Wat nu?'

'Ze hebben zijn schoonzoon, graaf De Marigny, gearresteerd.'

Er vonkte woede in zijn ogen. 'Een gemakkelijk doelwit,' smaalde hij. 'En ook handig.'

'Hij is hier. In deze gevangenis.'

'De arme drommel. Hij heeft geen schijn van kans. Net zomin als ik. De grote jongens smijten ons in de leeuwenkuil.'

In de hoek schraapte Parfury zijn keel. 'Meneer Hudson, ik zal mijn uiterste best doen voor uw verdediging, en graaf De Marigny wordt op bekwame wijze verdedigd door de heer Higgs. U zult beiden een eerlijk proces krijgen, dat verzeker ik u.'

Flynn lachte scherp. 'U wedt op een eerlijk proces voor die De Marigny, meneer Parfury, ook al lag er in de kamer ernaast een waarschijnlijker verdachte, die zogenaamd door een moord, een brand en een storm heen is geslapen?' Hij hief twee vingers in een saluut naar de advocaat. 'Verdraaid, meneer Parfury, u bezit meer fantasie dan ik.'

Flynn stond abrupt op. Hij liep naar de deur en timmerde er met zijn vuist op. Met een schok besefte Dodie wat hij deed. Ze sprong overeind en greep hem bij zijn mouw.

'Nee, Flynn, alsjeblieft!'

Hij draaide zich om en greep haar handen. 'Dodie,' zei hij op heftige toon, 'ik ben rechtstreeks op weg naar de strop.'

'Nee! Hoe zit het met die vier munten in je jasje? Waar kunnen die vandaan zijn gekomen? Ik zal proberen...'

'Vergeet die munten.' Hij liet haar handen los en stapte achteruit. 'Vergeet mij.'

'Nee, Flynn, je bent...'

'Ga nu weg, Dodie.' Zijn ogen waren onverzoenlijk. 'Ik wil dat je weggaat.'

Dodie liep snel. Boven haar strekte de blauwe lucht zich zuiver en schoon en eindeloos uit na de klamme beklemming van de gevangenis, en ze ademde die kristalheldere lucht diep in. Ze begreep heel goed waarom Flynn zo had gedaan, maar dat maakte het er niet gemakkelijker op. Besefte hij niet dat het daarvoor te laat was? Dat zij daar bij hem in die smoezelige cel was, of hij dat wilde of niet? Haar lichaam deed pijn, en ze was blij met die pijn. Die leidde haar af van de werkelijke pijn. Ze wist dat ze een plan de campagne moest bedenken. Haar strategie, haar tactiek, haar manoeuvres moest uitzetten. Allemaal militaire termen. Dat was ook de manier waarop ze er nu tegenaan keek, want laat er geen vergissing over bestaan, dit was haar oorlog. Niet in Europa. Niet in Guadalcanal. Maar hier in Nassau, haar eigen strijd voor de waarheid.

Eerst moest ze met de rechercheur spreken. Ze moest meer te weten zien te komen over het telefoontje naar de politie en over Morrells portefeuille. Ze wilde weten wat voor munten er in Flynns jasje waren gevonden, of dat ook Napoleons waren.

Ze liep terug naar het Arcadia. Maar ze wist dat ze weer naar Bradenham House zou moeten gaan omdat het voor haar via Ella Sanford de beste manier was om rechercheur Calder te pakken te krijgen. Ze was zich bewust van een verandering in Ella, een nieuw element in haar dat verbijsterend was. Dodie zag het elke keer dat de naam van rechercheur Calder over haar lippen kwam. Iets wilds. Een glimp van een storm. Was dat wat Ella had bedoeld? Was dat wat zij ook in haar zag, dat 'iets' van haarzelf?

Ergens achter haar werd een autoportier dichtgeslagen en ze keek om zich heen. Ze was in Silver Street, met zijn leuke curiosawinkeltjes waar de kolonialen zo dol op waren. Het straatje lag loom in het zonlicht, met verschoten luiken, een smal trottoir dat bijna leeg was om deze tijd van de dag, wanneer mensen hun middagmaal nuttigden of siësta hielden. Er sjokte een vrouw op een ezel voorbij en daarna was het weer stil.

'Juffrouw Wyatt!'

De mannenstem klonk achter haar. Dodie hoefde zich niet eens om te draaien. Haar hart bonsde, maar haar benen snelden voorwaarts in een razende paniek. Ze kende die stem, wist van wie die vuisten waren. Voordat haar verstand had bedacht wat er gebeurde, rende ze al, maar vlak achter zich kon ze de zware voeten horen die haar eerder hadden geschopt, de voeten die toebehoorden aan de persoon die haar rug graag als boksbal gebruikte.

Deze keer was hij op haar voorbereid, en hij was snel. Hij greep haar bij haar haar en rukte haar naar achteren. Ze gilde en sloeg hem in zijn gezicht, maar opeens stopte er een zwarte auto naast haar. Het achterportier vloog open en ze werd erin gegooid, met haar aanvaller pal naast haar, en hij draaide haar arm pijnlijk op haar rug en grinnikte alsof hij met een puppy speelde.

Het was klaarlichte dag. Niemand werd zomaar op klaarlichte dag in een leuk straatje in Nassau ontvoerd. Niemand.

Toen de auto verder reed, liepen de voetgangers gewoon door, reden de auto's gewoon voorbij. Dit was niet mogelijk. Ze gilde naar het raampje. De chauffeur draaide zich nonchalant om in zijn stoel en sloeg haar zo hard in haar gezicht dat ze een stukje van een tand voelde breken.

'Kop dicht, mens.'

Er verscheen een mes in de vlezige hand van haar metgezel op de achterbank en voor ze hem op andere gedachten kon brengen had het lemmet een snee over de onderkant van haar arm gemaakt, helemaal vanaf haar pols tot aan haar elleboog. Ze zag vol afschuw hoe er een vuurrode slang tot leven kwam en over haar lichte huid golfde. De snee was niet diep, weinig meer dan een schram, gewoon een waarschuwing, maar ze moest haar woede bedwingen, die – absurd genoeg – het feit gold dat het bloed haar jurk van het Arcadia Hotel bedierf.

'Laat me eruit.'

'Kop dicht, kreng.' De ene hand greep haar beet terwijl de andere het mes omklemde.

'Laat me eruit, of ik zal...'

'Of jij zult wát, stomme snol die je bent?'

'Hou op, meid,' schreeuwde de chauffeur en hij keek over zijn schouder.

Ze greep met haar vrije hand naar de kruk van de deur, maar ze kreeg een harde stomp midden op haar rug. Ze kromp ineen, met longen die van ontzetting vervuld raakten, maar ze vond de kracht om te gillen en hen te verwensen, waardoor ze hen uit hun evenwicht bracht en de auto van lawaai vervulde, en ze veegde met haar hand door haar eigen bloed en smeerde dit toen op het autoraampje.

'Laat dat kreng ophouden!'

De chauffeur verloor zijn concentratie. De auto slingerde en de remmen piepten. Hij botste tegen het voorspatbord van een lichtgekleurde auto met open dak die uit een zijstraat kwam, en binnen één korte seconde zagen de verschrikte ogen van de vrouwelijke bestuurder wat er achter het bebloede raam gaande was.

Voordat Dodie adem kon halen, werd ze uit de auto op de weg gesmeten.

De vrouw raapte Dodie van het asfalt op.

Ze bracht haar naar het politiebureau en bleef bij haar gedurende de zinloze ondervraging van een jonge agent, zinloos omdat ze wisten dat de mannen toch nooit zouden worden gevonden. Ze zouden uit het zicht verdwijnen. Vertrekken naar een van de honderden Out Islands.

'Kunt u niet op zijn minst uitkijken naar een gedeukte zwarte Plymouth sedan?' wilde de vrouw weten.

'We zullen onderzoek verrichten, mevrouw, en een beschrijving uitsturen. Maar we zitten op dit moment erg krap in de mankracht.'

Twee moorden.

Een poging tot ontvoering.

De wereldpers die in hun nek hijgde.

De Bahama's hadden nog nooit zoiets meegemaakt.

47

Dodie

Toen Dodie naast het elegante linnen pak het politiebureau binnen stapte, herinnerde ze zich dat ze de vrouw eerder had gezien. Op hetzelfde politiebureau. Die eerste keer toen ze de moord op Johnnie Morrell kwam aangeven, was Ella Sanford binnen komen hollen, overdekt met bloed, om alle aandacht te krijgen van eerst rechercheur Calder en toen kolonel Lindop. Er was een donkerharige vrouw bij haar geweest, degene die rode vlekken op de mouw van rechercheur Calders jasje had gemaakt. Degene die luid en paniekerig tekeer was gegaan.

Dodie herkende haar nu. Dit was die vrouw, maar ze was nu tot in de puntjes verzorgd en zette de politieagent hautain op zijn nummer omdat hij haar naam verkeerd spelde.

Matilda Latcham.

De vrouw van Hector Latcham.

Wat was de wereld in Nassau toch klein.

'Lieve kind, je kunt vandaag echt niet meer aan het werk in deze toestand. Kijk toch eens hoe je eruitziet.'

'Ik voel me al een stuk beter.' Dodie zette haar glas neer. 'Ik moet weer aan het werk, in het Arcadia.'

Tilly gebaarde met haar gelakte nagels door de lucht, alsof ze een muskiet verjoeg. 'Laat dat maar zitten, Dodie. Ik zal Olive wel bellen om uit te leggen wat er is gebeurd, en dat jij in shocktoestand verkeert.' Ze schudde haar donkere hoofd op de manier van iemand die gewend is voor anderen beslissingen te nemen. 'Doe niet zo dwaas. Je bent bijna vermoord. Die vreselijke schurken!' Ze huiverde. 'Ik ben woedend dat de politie zo weinig doet. Het is zo'n stelletje slaapkoppen.'

'Het spijt me van uw auto. Is de schade groot?'

'Nee hoor, het is maar een deukje. Maak je daar geen zorgen over, het was niet jouw schuld. Hier, neem nog iets te drinken.' Tilly had haar eigen glas al leeg en wilde Dodies glas pakken.

'Nee, dank u, mevrouw Latcham. Ik ben u bijzonder dankbaar voor al uw hulp, zonder u had ik nu dood kunnen zijn.'

Ze keken elkaar aan, en Dodie voelde een wonderlijke verwantschap met deze bijdehante broze vrouw die zich verschool achter haar flagrante minachting voor de banaliteit van haar dagen. Was het altijd zo? Als iemand je leven redt, hoeveel ben je diegene dan verschuldigd? In hoeverre hebben ze dan iets over jou te zeggen?

Dodie ging staan, en tot haar verbazing draaide de kamer even om haar heen. Het was op zich een heel aardige kamer, maar lang niet zo stijlvol als die van Ella, met zware mahoniehouten meubels die danig versleten waren.

'Als ik mijn jurk van u terug zou kunnen krijgen...'

'O, Dodie, ga er nou niet meteen vandoor. Blijf nog een glas drinken.'

'Nee, dank u. U bent heel vriendelijk geweest maar ik moet nu echt gaan.'

'Blijf dan nog even terwijl ik nog wat drink.' Ze had haar glas weer ingeschonken uit de cocktailshaker en nam een keurig hapje van een olijf. 'Ik wil alle gruwelijke details over die dode man van jou horen.'

Dodie voelde haar maag ineenkrimpen. Wat had de man van deze vrouw haar verteld? Een advocaat had toch geheimhoudingsplicht, net als een dokter?

Desalniettemin glimlachte ze naar Tilly Latcham. 'Een andere keer. Ik moet naar Bradenham House om mevrouw Sanford te spreken.'

'O, dat is geen punt,' zei Tilly opgewekt. Ze goot de resterende inhoud van haar glas naar binnen, streek met haar handen over haar zijdezachte golven en ging verder: 'Ik breng je er wel even heen.'

'Nee, dat is echt niet nodig.'

'Ik sta erop.' Ze klopte Dodie op haar wang en schonk haar een opgewekte rode glimlach, maar achter alle zorgvuldig aangebrachte poeder en mascara ontwaarde Dodie een glimp van eenzaamheid die haar aangreep. 'Het zal me een waar genoegen zijn.'

317

'Hoe is het met die jongeman van je?'

'Hij zit in de gevangenis.'

'Dat heb ik gehoord.'

Tilly Latcham reed te snel met de gedeukte Plymouth. Haar grote zonnehoed verduisterde een groot deel van haar gezicht, maar Dodie zag de grimas die ze trok.

'Afgrijselijke plek.' Tilly wendde haar blik van de zonovergoten weg voor hen af en keek naar Dodies gezicht. Ze fronste, waardoor ze het effect van haar gladde huid bedierf. 'Ik maak me zorgen over Ella.'

'Over mevrouw Sanford?'

'Ja. Hoe goed ken je haar?'

'Helemaal niet zo goed.'

'Zij en ik zijn jarenlang goede vriendinnen geweest.'

'Wat is er met mevrouw Sanford aan de hand?'

'Ze maakt me bang.'

Dodies mond werd droog. 'Waarom dan wel?'

'Omdat er iets slechts in haar binnenste broeit. Daar ben ik van overtuigd.'

De deurbel van Bradenham House ging over en over. Niemand deed open.

'Mevrouw Sanford is kennelijk niet thuis,' zei Dodie.

'Maar waar is Emerald dan?'

Toen Dodie op de brede veranda met zuilen naar het zonlicht op de ramen tuurde, leek de lucht te vibreren van zwakke geluiden. Ze deed een stap bij het huis vandaan en overzag snel de elegante koloniale voorgevel, maar ze kon niets ongewoons zien.

'Wat is er, Dodie?'

'Ik weet het niet. Iets…'

Ze bleef staan, luisterde ingespannen. Het vage geluid was hoog en maakte dat ze kippenvel kreeg. Ze begon naar de achterkant van het huis te rennen, naar de tuin. Het geluid werd gestaag luider en ging over in een soort gejammer, toen ze een mep tegen haar borst kreeg.

'Wegwezen!' dreunde de stem van een vrouw tegen haar. 'Laat haar met rust.'

'Ik hoorde…'

'Laat d'r met rust! Ze heb jou niet nodig.'

Dodie zag voor haar de forse dienstbode die voor Ella Sanford werkte. Haar grote, boze ogen keken Dodie woest aan. De tranen stroomden haar over de wangen.

Tilly Latcham zei scherp: 'Emerald, wat is er gebeurd?'

Het enige wat Emerald kon doen was heen en weer wiegen. 'Laat d'r met rust,' gromde ze. 'Dit is persoonlijk.'

'Onzin, Emerald.' Tilly begon langs haar heen te stappen. 'Wat is dat helse geluid?'

Dodie liep haastig verder, zich er nu van bewust dat het geluid de stem van een vrouw was. Ze wist niet wat het ergste was: het vreselijke gejammer dat iets in haar losmaakte, of de verdovende stilte toen Ella Sanford opeens ophield met het lawaai. Ze stond als aan de grond genageld in de kippenren, met een verbijsterde, niet-begrijpende uitdrukking op haar gezicht.

Het hek van de ren stond wijd open. Het was niet nodig het dicht te doen. Niet meer. Dodie telde de kippen. Het waren er meer dan honderd en ze lagen dood op het in plukjes groeiende gras, als kleine bergjes herfstbladeren. Goudkleurig en allerlei tinten bruin, warm roestkleurig en helder botergeel. Sommige met de nek omgedraaid, andere met hun kop eraf gehakt en op de grond gesmeten. Er krioelden zwermen vliegen, als zwarte lijkwades die glinsterden in de zon.

Dodie liep naar Ella toe, maar de dienstbode stond er al, schouder aan schouder met haar mevrouw, haar hand in Ella's nek, alsof ze haar aan haar kraag overeind moest houden. Ella beefde niet, huilde niet. Haar gezicht was niet wit of zelfs niet grijs, het had een vreemde blauwe kleur die Dodie bang maakte, met een vlekje rood op elke wang.

'Wie dit heeft gedaan,' siste Ella met opeengeklemde kaken, 'verdient het om in olie te worden gekookt.'

Het was een wonderlijk bijbelse opmerking.

Dit was het begin, Dodie kon het voelen. Het begin van iets veel ergers.

Ze groeven een diepe kuil, Dodie en de tuinman, en toen ze klaar waren, werd het massagraf afgedekt. Ella stond ernaast, blootshoofds onder de zon. Tilly was naar het huis verdwenen, op zoek naar iets te drinken, terwijl Emerald de kippenhokken begon op te ruimen met luide kreten als: 'O Heer, o Heer, in wat voor wereld leven we nu toch?' Dus stonden ze samen bij het graf toen Ella zei: 'Wie zou zoiets doen, Dodie?'

'Het is een waarschuwing, Ella.'

'Een waarschuwing? Waarvoor?'

'Voor naar de politie stappen om te vertellen wat er die avond is gebeurd, toen jij op Westbourne langsging om voor het Rode Kruis te collecteren. Nu sir Harry dood is, denken ze dat jij misschien in de verleiding zou komen.'

Ella schudde haar hoofd. 'Maar ik heb heel weinig gezien.'

'Je hebt Morrell gezien.'

'Ja. En ik heb een kistje met gouden munten gezien.'

Ze keken elkaar zwijgend aan.

'Is dat genoeg,' zei Ella op gedempte toon, 'om...' Haar blik gleed over de lege ren. '... dit te veroorzaken?'

'Ik denk dat het genoeg is om nog veel ergere dingen te veroorzaken.'

Ella's aandacht richtte zich snel weer op haar. 'Zoals die meneer Hudson van jou op een valse aanklacht voor moord te laten arresteren, bedoel je?'

Dodie knikte. 'Ella, we moeten weten of het kistje met munten nog ergens in het huis van sir Harry is.'

De rode vlekken op Ella's wangen werden kleiner. 'Ik weet wie ik dat moet vragen.'

48

Ella

an rook naar inkt. Een lekkere, alledaagse geur die Ella aan school deed denken. Wanneer ze bij hem was moest ze zichzelf er soms aan herinneren dat hij nog niet eens geboren was toen zij al op school zat en haasje-over speelde. Wanneer ze hijgend, uitgeput en eindelijk verzadigd op zijn bed lagen, bekeek hij vaak haar gezicht, streelde het teder, en dan vroeg ze zich af wat hij zou zien. Vandaag, buiten in het harde en compromisloze felle zonlicht, wilde ze niet dat hij naar haar keek en de verwoestingen zou zien waarvan ze wist dat die haar gezicht in het afgelopen uur zoveel ouder hadden gemaakt.

'O, mijn arme Ella, wat afschuwelijk!'

Ze deed een stap achteruit, maakte zich van hem los en keek naar hem omhoog. 'Ik kom niet voor je medeleven, Dan, ik kom voor je hulp.'

'Natuurlijk, dan gaan we naar het bureau om aangifte te doen en...'

'Nee. Dat is niet wat ik bedoel.'

'Wat dan?'

Ze stonden op de kade in de schaduw van een stapel kratten die aan boord moesten worden gebracht van een van de marineschepen die elke dag de haven binnen voeren. Voor hen uit lag het gebouw van de Sponge Exchange; aan de ene kant dobberden de vissersbootjes als spelende kinderen op en neer, en pal erachter lag Hog Island, in de vorm van een grote aangespoelde walvis. Er waren meeuwen die krijsten en mannen die touwen binnenhaalden en naar elkaar riepen. In de lucht daalden vijf zware bommenwerpers om te gaan landen. Een schijnbaar normale dag in het drukke leven van de haven van New Providence Island. Maar vandaag was de dag niet normaal.

'Dan, hoeveel van jou is Dan Calder en hoeveel is rechercheur Calder?'

Hij keek verbaasd op bij deze vraag. 'Ik verdeel mezelf niet, Ella. Als je me iets te vertellen hebt, doe het dan.'

'Kan ik je vertrouwen?'

Hij troonde haar mee naar een L-vormige hoek met schaduw tussen de kratten, en ze kon de hitte uit hem op voelen stijgen, net als wanneer ze in bed lagen. Maar ze besefte dat ze hem had gekwetst. Hij wachtte op wat er ging komen, en dus vertelde ze het hem.

Alles. Ella hield niets achter. Want ze wilde alles wat hij had. Dus gaf ze hem zichzelf, alles wat ze in zich had, tot er niets meer te geven overbleef, en ze voelde zich verlost van een vergif diep in haar ingewanden, dat afkomstig was van de dag waarop sir Harry het goud onder Morrells neus had gehouden. *Het corrumpeert de ziel*, had hij gezegd. En vanaf die dag was er iets verkeerd gegaan in haar binnenste. Ze gaf hem alles, zodat hij zou begrijpen hoezeer ze zijn hulp nodig had.

Ze voerde hem stap voor stap mee door het bezoek aan Westbourne om geld voor het goede doel, en de komst van Dodie Wyatt bij haar op de stoep, met een gouden munt van Morrell. Was het een waarschuwing om Oakes niet te vertrouwen? Of een teken dat ze zijn hulp nodig had omdat ze gevaar liep? Ze vertelde hem over haar angsten om Dodie en over haar vermoeden dat de hertogin een verhouding met Oakes had gehad.

Toen Dan dat hoorde, leunde hij met zijn hoofd achterover tegen de hoge stapel kratten achter hem. 'De hertogin van Windsor en sir Harry Oakes? Heb je je echt niet vergist?'

Hij streek met zijn hand langs zijn kaak, en ze hoorde het schuurpapieren gekras van zijn stoppels. Ze moest haar vingers ineenvlechten om zich te bedwingen hem niet aan te raken. Vlakbij begon een kraan een militaire vrachtauto op te hijsen en door de lucht naar het ruim van een transportschip te vervoeren, maar ze merkten het niet eens. Hun plekje schaduw had hen opgeslokt. Ze vertelde hem hoe ze discreet vragen had gesteld. Een bankier op een feestje drank had gevoerd. Gefluister en geruchten had ontlokt aan mensen die beter hadden moeten weten.

'En wat heb je ontdekt?' vroeg hij. Hij stak twee sigaretten op en gaf haar er een van.

'Dat sir Harry geld heen en weer schoof. Grote bedragen, miljoenen, naar buitenlandse rekeningen in neutrale landen.'

'Dat is verboden.'

'Uiteraard.'

Sinds het begin van de oorlog golden er financiële restricties teneinde te voorkomen dat fondsen uit 's lands schatkist werden overgeplaatst in een tijd dat elke penny hard nodig was.

'Sir Harry moet dat hebben geweten,' zei Dan, en hij trok hard aan zijn sigaret, 'en toch heeft hij het risico genomen. Als het waar is.' Hij had nu zijn politiegezicht. Had ze het mis? Als ze hem nu met haar nagels krabde, zou hij dan politie-inkt bloeden? Toch zweeg ze niet.

'Dat is niet alles.'

'Ga verder, Ella. Ik luister.'

Ze vroeg het zich af, terwijl ze in zijn scherpe grijze ogen keek. *Echt, Dan? Luister je echt?*

'Hij is niet de enige die geld wegsluist,' vertelde ze hem. 'De hertog is hem twee miljoen schuldig.'

Dan blies een volmaakte kring van rook uit. Die kwam zonder enig geluid naar buiten, maar het was toch net een kleine explosie tussen hen. Hij greep haar beet, en gedurende één ongepast moment dacht ze dat hij haar daar wilde nemen, verstopt tussen de kratten, en opnieuw welde de begeerte in haar onderlijf op. Maar hij trok haar dicht tegen zijn borst, zo stevig dat ze haar hoofd achterover moest houden om hem aan te kunnen kijken toen hij ten slotte zacht sprak.

'Ella, ik ga je dingen vertellen die mijn ontslag zullen betekenen als het ooit uitkomt.'

Ze voelde hoe haar ribben met de zijne versmolten onder de klamheid van zijn overhemd. Hij luisterde dus wel.

'De hertog verstoort het onderzoek naar de dood van sir Harry Oakes.'

Ze waren bij de kratten vandaan gelopen. Er was een groep Bahamaanse havenarbeiders hun kant uit gelopen, lachend en zich op de dijen kletsend op het ritme van een calypso, om de kisten in de bak van een vrachtauto te laden, maar ze namen Dan achterdochtig op. Ze konden ruiken dat hij van de politie was. In plaats daarvan vonden

Ella en Dan een open pakhuis vol kratten met citroenen en limoenen. De lucht was vervuld van de geur, en het prikkelende citrusaroma kriebelde in Ella's keel, maar hier konden ze onder vier ogen praten. Vanaf het water blies een zoel briesje naar binnen om de stofraggen uit het pakhuis te verjagen.

'Kolonel Erskine Lindop, onze commissaris van politie, is uit zijn functie gezet en wordt naar Trinidad overgeplaatst.'

Ella keek verbijsterd op.

'Het is waar,' verzekerde Dan haar. 'En dat niet alleen. De gevangenisarts, dokter Oberwarth, die De Marigny op geschroeide haren heeft onderzocht op de dag van zijn arrestatie – en die niets kon vinden – is van zijn taken in de gevangenis ontheven. En de twee Amerikaanse rechercheurs die de hertog uit Miami heeft laten komen zijn óf incompetent óf ze gedragen zich opzettelijk slordig want ze veranderen het toneel van het misdrijf door bewijzen zoals de bloedige handafdrukken op sir Harry's slaapkamermuur weg te poetsen en...'

Zijn stem stierf weg toen hij haar gezicht zag.

'Weet je dit zeker?' vroeg ze ontzet.

'Ja.'

'Weten anderen het?'

'Uiteraard. Inclusief...' Hij aarzelde bij het woord. '... je man.'

Het was onvoorstelbaar.

'Wat is hier gaande, Dan?'

'Zeg jij het maar.'

Ella kreeg een koude rilling. Ze stak haar hand uit en legde haar vingertoppen op de voorkant van zijn overhemd.

'De vraag is,' zei ze op dringende toon, 'of de hertog dingen van zichzelf wil verbergen of van een ander.'

'Of dat hij het voor het eiland doet?'

'Wat bedoel je?'

'Als gouverneur van de Bahama's wil hij niet dat de naam van het eiland door het slijk wordt gehaald, dat alle geheimen op straat komen te liggen en dat alle bankrekeningen worden bekeken. Het is algemeen bekend dat Oakes en zijn schoonzoon niet met elkaar overweg konden, dus betekent de arrestatie van De Marigny een snel en gemakkelijk antwoord voor het probleem.'

'Dan, we hebben het hier over een mensenleven. Als De Marigny onschuldig is, zal de hertog...'

'Het zal niet aan de hertog zijn, Ella, maar aan de jury.'

'Dat weet ik.' Ze schudde haar hoofd. 'Dat weet ik.' Ze woelde met een hand door haar haar, alsof ze de gedachten eruit kon rukken. 'Vertel me wat er is gebeurd. Met sir Harry.'

Hij legde zijn hand in haar nek en trok haar nog dichterbij. 'Ik moet je waarschuwen, het is geen prettig verhaal. Harold Christie ontdekte het lichaam van Oakes 's ochtends om zeven uur, maar we denken dat de moord rond middernacht is gepleegd. Het bed was doordrenkt van een ontvlambare muskietenvloeistof die in de kamer aanwezig was, en dat was aangestoken. Het beddengoed, muskietennet, en Oakes' pyjama waren tot as verbrand en zijn lichaam was zwart geblakerd, zijn ogen waren weg. De veren uit zijn kussen waren over hem heen gestrooid, de hemel mag weten waarom. Het ziet ernaar uit dat degene die dit heeft gedaan van plan was het hele huis af te branden, om bewijs te vernietigen, maar de storm kwam op het verkeerde moment. Oakes had zijn raam opengelaten, zodat de wind en de regen de vlammen hebben gedoofd.'

'En Christie is in de kamer ernaast door alles heen geslapen?'

'Dat beweert hij in elk geval. Maar...'

'Wat?'

'Hij werd in een auto in de stad gezien. 's Nachts om een uur. Hij ontkent dit uiteraard.'

'O god, Dan, het wordt steeds erger.'

Zonder enige waarschuwing liet hij haar los en stapte het pakhuis uit, het felle zonlicht buiten in, waar hij flinke happen frisse lucht inademde. Ella volgde hem niet. Ze liet hem zijn moment alleen hebben. Om alle beelden van het toneel van het misdrijf uit zijn hoofd en de smerige smaak van corruptie uit zijn mond te verdrijven. Er verscheen een bewaker van het pakhuis om hem aan te sporen door te lopen, maar bij het zien van het politie-insigne verdween hij snel. Dan had haar verteld dat hij van zijn werk hield, maar hoe moest je zoiets verwerken? Hoe moest je voorkomen dat het voortdurend aan je knaagde?

Ze wachtte in de stilte van het pakhuis met citroenen, en ten slotte draaide Dan zich om, een lange en imposante gestalte die in silhouet afstak tegen het blauwe water van de haven. Ze kon toen hij naar haar toe kwam geen verschil zien in de manier waarop hij liep of in de houding van zijn schouders, maar ze kreeg het gevoel dat hij een besluit had genomen.

'Ella, ik wil dat je naar huis gaat en daar blijft. Het afslachten van je kippen was een waarschuwing aan jouw adres. Sla die niet in de wind. Ga naar huis. Blijf bij mij vandaan. En bovenal, blijf bij Dodie Wyatt en Flynn Hudson vandaan. Ella, luister je?'

Nee, ze luisterde niet.

Ze haalde geen adem.

Ze dacht niet na.

Het enige wat ze kon horen, was dit: *Blijf bij mij vandaan.* De woorden knaagden aan haar. *Blijf bij mij vandaan.*

Weet je dan niet dat ik sterf wanneer ik bij jou vandaan blijf?

'Kijk me niet zo aan, Ella.'

Ze haakte twee vingers tussen de knopen van zijn overhemd, vond de warmte van zijn huid.

'Waarom kan ik niet bij je blijven? Je bent bij de politie, dan ben ik veilig.'

Hij pakte haar pols vast. 'O, Ella, juist omdat ik bij de politie ben moet jij bij me vandaan blijven. Luister goed.' Hij bleef haar pols stevig vasthouden. 'Sir Harry Oakes is vier keer achter zijn linkeroor beschoten. We denken dat hij ergens anders is vermoord omdat overal bloed op de trap en op de deurknoppen zat, en ook vanwege het feit dat het opgedroogde bloed vanaf zijn oor over de brug van zijn neus liep, wat erop wijst dat hij is verplaatst. Als jouw kippen bij wijze van waarschuwing zijn gedood, betekent dit dat iemand je in de gaten houdt en zenuwachtig wordt als jij met iemand van de politie wordt gesignaleerd.'

'Nee, ik...'

'Die iemand speelt hier geen spelletjes, Ella. Dit is dodelijke ernst. Ik wil niet dat jij erbij betrokken raakt.'

'Ik ben er al bij betrokken.'

'Dat verdomde Rode Kruis. Jij met je verrekte geld inzamelen. Was je er nou maar niet naartoe gegaan die avond dat Morrell op Westbourne was... met al dat goud in het zicht.'

'Daar is het nu te laat voor.'

'Maar niet te laat om jou te beschermen.'

'En hoe zit het dan met die portefeuille en munten in de kamer van Hudson? Zijn dat geen aanwijzingen voor je?'

Hij greep nu haar hand. 'Je zegt dat Hudson van de Amerikaanse maffia is, dus prent het je nou maar in dat de kans groot is dat hij waarschijnlijk beide moorden heeft gepleegd en dat zijn handlangers jouw kippen hebben afgemaakt.'

Ella groef haar vingers in zijn overhemd en wilde niet loslaten.

49

Dodie

*D*odie hing rond in een winkelportiek. De winkel verkocht handtassen. Dat was alles wat ze ervan had opgemerkt. Het punt was dat de winkel naast de ingang van Harold Christies kantoor in Bay Street lag, en ze had al een aantal mannen in seersucker kostuums ontwaard die zich in diverse winkelportieken en aan de overkant van de straat onzichtbaar probeerden te maken. Een van hen droeg een groene plastic klep boven zijn ogen, alsof hij zojuist achter de typemachine van zijn krant vandaan was gestapt en was vergeten hem af te zetten.

Toen de uren verstreken liepen enkelen van hen naar elkaar toe en vormden groepjes, journalisten van over de hele wereld, met bergen sigarettenpeuken aan hun voeten. Het was druk in de straat en er kwam een man met een camera en een hard nasaal accent een deel van haar portiek in beslag nemen. Hij vertelde haar dat hij uit Boston kwam, maar ze luisterde niet naar zijn gepraat, want ze had de klik gehoord van de deur met het koperen naambord van makelaarskantoor Christie op de deur. De achteringang via het steegje werd eveneens goed door journalisten in de gaten gehouden, dus gokte Dodie dat hij rechtstreeks naar een auto, pal voor zijn deur in de hoofdstraat, zou gaan. En ze gokte goed.

Het was snel voorbij. Twee forse Bahamanen baanden zich een weg naar een auto met draaiende motor terwijl de journalisten elkaar verdrongen en duwden alsof ze vraatzuchtige haaien waren en vragen riepen naar de kleine verfomfaaide gestalte en microfoons onder zijn neus probeerden te duwen.

'Hebt u die nacht iets gezien, meneer Christie?'

'Waarom hebt u de brand niet geroken?'

'Wat was uw relatie met sir Harry?'

'Kijkt u even hierheen.'

Dodie glipte onder de arm van de ene grote lijfwacht door en riep: 'Meneer Christie, ik moet met u over Portman Cay praten.'

Hij bleef op het trottoir staan, keek even in haar richting, en dook toen op de achterbank van de auto. Hij draaide het raampje op een kiertje, mompelde iets tegen een van de bodyguards, en voor ze haar mond open kon doen werd Dodie achter in de auto geduwd naast Christie.

'Ga zitten,' zei hij. Vandaag geen greintje hoffelijkheid.

Toen de auto wegreed kwam ze meteen ter zake. 'Dank voor uw tijd, meneer Christie. Flynn Hudson zit in de gevangenis. Hij wordt ten onrechte beschuldigd van de moord op meneer Morrell.'

'Wat gaat mij dat verdomme aan? Ik heb op dit moment genoeg aan mijn eigen zorgen, zoals je kunt zien.'

Hij wreef over zijn gerimpelde gezicht, zodat zijn borstelige rossige wenkbrauwen in de war raakten, maar hij was niet in staat de nerveuze en geschokte emotie te verbergen die onder zijn geïrriteerde manier van doen school. Was dit de natuurlijke reactie van een man die zijn vriend vermoord in bed had aangetroffen? Of was er meer? Dodie had het liefst zijn kale schedel afgepeld om te zien wat eronder lag.

'Is het een samenloop van omstandigheden,' zei ze, 'dat Flynn Hudson kort nadat hij in uw kantoor lastige vragen kwam stellen, in de gevangenis is opgesloten?' De auto minderde vaart. Haar tijd was bijna om. 'Hebt u iemand naar de politie laten bellen, meneer Christie? U en uw maffiavriendjes uit de dagen van de drooglegging? Begon Flynn Hudson te lastig te worden?'

Christie bleef heel stil in zijn hoek zitten. 'Wees voorzichtig met wat je zegt, jongedame.'

Ze probeerde hem te provoceren, uit zijn tent te lokken, maar hij wist zijn woede te bedwingen.

'Ik heb zoiets absoluut niet gedaan,' verklaarde hij. 'En ik zal mijn advocaat in de arm nemen als je zulke dingen gaat beweren.' Hij nam even de tijd om een sigaret op te steken, en toen hij een pluim rook door de auto had laten rollen, vroeg hij: 'Wat was dat over Portman Cay?'

Ditmaal ging ze heel behoedzaam te werk. 'U hebt de verkoop van dat terrein behandeld.'

'Waar heb je dat gehoord?'

'Dat doet er niet toe. Is het waar?'

Hij knikte. 'Ja. Dat is geen geheim.'

'De verkoper is een zekere meneer Michael Ryan, de koper is de heer Alan Leggaty.'

De auto stopte. Ze stonden voor een bank. Dodie kon Christies achterdocht voelen.

'Bent u soms die meneer Alan Leggaty?'

Het was een schot in het duister, maar het was midden in de roos. Hij gooide zijn sigaret uit het raampje en keek haar toen woest aan.

'Dus dat waren jullie?' snauwde hij. 'Hudson en jij die stiekem het terrein bij Portman Cay op waren gegaan.'

'Een stuk land dat u van plan was te gebruiken voor...'

'... voor niets bijzonders, juffrouw Wyatt. Ik vind dat u nu genoeg hebt gezegd.'

'Dat is het toch, meneer Christie? Flynn Hudson stelde te veel vragen, dus werd hem de moord op Morrell in de schoenen geschoven. Maar degene die hem dit in de schoenen schoof, was in het bezit van de portefeuille en de gouden munten. Alleen de moordenaar kon die hebben.'

Hij knipperde met zijn ogen, maar wendde zijn blik niet af.

'Dat is misschien mogelijk,' zei hij koud. 'Of hij is schuldig, zoals de aanklacht luidt.'

'Bent u die persoon, meneer Christie?'

Zijn mond vertrok tot een grimas, en het duurde even voor Dodie die als een soort glimlach herkende. 'Nee, dat ben ik niet.' Hij keek even naar de glazen afscheiding tussen de chauffeur en hen, en ze kreeg de indruk dat hij meer zou hebben gezegd als ze alleen waren geweest.

'Maar ik kan je dit wel vertellen: sir Harry Oakes en Freddie de Marigny haatten elkaar intens. Oakes kon het die glibberige buitenlander niet vergeven dat hij zijn jonge dochter had ingepalmd. De Marigny was tussen middernacht en een uur in de buurt van Westbourne, en hij had bovenal een motief voor de moord: het geld van zijn schoonvader. Dus kom me alsjeblieft niet aanzetten met verhalen over maffia en grondtransacties. Dit is een regelrechte familievete.'

330

'Dat is wat iedereen schijnt te willen dat wij geloven.'

'En waar past Morrell in dit verhaal? Hij liep iemand voor de voeten. Doodgestoken door een prostituee of door uw vriend Hudson toen ze te veel hadden gedronken. Let op mijn woorden, dat zal de conclusie van het proces zijn.'

Er gloeide een vuur achter zijn ogen. 'Ik stel voor, juffrouw Wyatt, dat u eens met die mooie nieuwe advocaat van u gaat praten en hem vertelt wat u mij zojuist hebt verteld, en dan zullen we eens zien hoe lang hij u uit de gevangenis kan houden.' Hij stak zijn hoofd naar haar toe, als een boze schildpad. 'En nu als de donder mijn auto uit!'

'Dodie, kind, je rakelt te veel op.'

'Dat klopt, mama Keel, dat is precies waar ik mee bezig ben.' Ze stonden voor de paarse deur van Flynns onderkomen en de middagzon hapte stukken uit de schaduwen en maakte de straat even uitgedroogd en stoffig als de hagedissen die zich in de goten schuilhielden. 'Ik steek stokjes in nesten om te zien wat er bijt.'

Mama gromde afkeurend en spuwde een straal groen marihuanasap op de straat. Ze had vandaag pijn in haar hoofd.

'Als ik het niet doe, mama, zullen ze hem zeker ophangen.'

'Dan moeten jij en ik ervoor zorgen dat dit werkt.'

Dodie klopte op de deur en wachtte. Er werd niet opengedaan, maar er klonk muziek onder de deur door.

Mama Keel knikte. 'Je klopt als een blanke.'

Mama Keel bracht haar hand omhoog en tikte ritmisch op de deur, in de maat, en enkele seconden later hield de muziek op en zwaaide de deur open. Achter de deur stond de huisbaas, slechts gekleed in een knalgroene korte broek en een hemd. In zijn armen sliep een klein kind met een donkere, gemengde huidskleur en rossige krullen.

Dodie glimlachte. 'Goedendag. U weet nog wie ik ben?'

'Ja.'

Nog steeds eenlettergrepige antwoorden. Dodie had gehoopt dat het deze keer gemakkelijker zou zijn.

'Ik heb mijn vriendin, mama Keel, meegebracht. Mogen we even binnenkomen om iets met u te bespreken?'

Zijn ogen gingen van Dodie naar mama Keel en bleven op haar rus ten. Mama zei niets. Ze bleef gewoon op de stoep staan terwijl hij haar bekeek. Ze was een kop groter dan hij. Na een tijdje hees hij het kind wat in zijn armen op, knikte, en stapte terug, de donkere gang van het huis in. Dodie liet mama Keel voorgaan en samen stapten ze naar binnen, hoewel Dodies ogen meteen naar de trap die naar Flynns kamer leidde, gingen. De vrouw van de huisbaas voegde zich bij hen, haar armen over haar royale boezem geslagen, en het viertal werd in de kleine ruimte tussen het fornuis en de houtmand gepropt.

'Helpt u me alstublieft,' zei Dodie. 'Meneer Hudson zal worden opgehangen als u niet tegenover de politie wilt toegeven dat hier iemand anders is geweest, iemand die de portefeuille in het matras heeft gestopt.' Ze had moeite om de woede uit haar stem te houden. 'Ik ken de persoon die u moet hebben bedreigd.'

Ze bleven haar nors aankijken.

'Ik begrijp dat dat heel angstaanjagend kan zijn, maar meneer Hudson is onschuldig. Alstublieft. U wilt toch zeker niet dat hij zal sterven voor een misdaad die hij niet...'

Mama Keel legde een warme hand op Dodies arm.

'Mijn vriendin hier is erg verdrietig,' zei mama rustig. 'Haar vent zit in de narigheid en dat is niet goed. Ze komt hier om hulp vragen omdat we weten dat jullie fatsoenlijke lieden zijn.' Ze straalde kalmte uit terwijl ze in de rieten mand naast zich greep, er drie flessen plaatselijk gebrouwen bier uit haalde en een gebluts blikje opende dat de geur van marihuana in de keuken verspreidde.

'Dodie, meisje,' zei mama vertederd, 'als jij nou es naar buiten ging om mij een rustig praatje te laten maken met deze mensen?'

Dit was niet wat Dodie had verwacht, maar ze vertrouwde mama. Met een knik stond ze op van haar stoel en liep de keuken uit. Eenmaal in de schemerige gang werd de pijn in haar borst heviger en haar voeten slopen geruisloos de trap op.

Zijn deur zat op slot. Dus had er iemand anders zijn intrek genomen. Ze had het het liefst uitgeschreeuwd dat hij nog niet dood was, dat dit nog steeds Flynns kamer was. Hij zou terugkomen. Haar vingers raakten de deurkruk een laatste keer aan voordat ze haastig weer naar beneden ging. In plaats van naar buiten te gaan om in de schaduwloze straat te wachten, slenterde ze terug naar de donkere hal, en bleef daar met een schok staan toen ze Flynns jasje zag. Het lag in een kartonnen doos die tussen een aantal voorwerpen in de ruimte onder de trap was geschoven.

Ze tilde de doos op. Aan de ene kant stond een officieel stempel van de politie. Ze gleed met haar vingers door Flynns overhemden, een trui, broek, een handdoek. Niets van betekenis. Geen revolver, geen brieven, niets anders dan kleren. De politie had de rest bewaard. Ze leunde achterover tegen de muur, met dichte ogen, en liet zich langzaam op de vloer glijden, met de doos tegen haar borst gedrukt. Ze boog zich naar voren om haar gezicht in zijn jasje te begraven en ze ademde hem in tot ze hem binnen in zichzelf kon voelen.

Het Arcadia Hotel zat stampvol. Olive Quinn was in alle staten maar glimlachte breed. De mediamensen van over de hele wereld moesten ergens blijven en het Arcadia verwelkomde zijn deel ervan met open armen. Dodie werkte aan één stuk door, aangezien thee op het volle terras gretig aftrek vond. Ze had Ella bijna niet zien arriveren.

Ella zag er mager uit. Dodie was geschokt te zien hoe ruim haar kleren om haar heen hingen. Haar blauwe ogen lagen diep in hun kassen. Dodie liep snel naar Ella's tafeltje en legde haar notitieboekje op het blad, alsof ze wachtte tot haar klant een bestelling had geplaatst.

'Is alles goed met je, Ella?'

'Ja, dank je.'

'Wil je misschien iets eten?'

Ella schudde haar hoofd maar ze boog zich over het menu. 'Dan wil me niet meer ontmoeten. Hij zegt dat dat te gevaarlijk voor me is.' Haar stem klonk hees.

Dodie raakte even haar schouder aan. 'Dat betekent dat hij veel om je geeft.'

'Je begrijpt het niet. Ik kan hem niet niet ontmoeten...' Ze zweeg toen ze opkeek naar Dodies gezicht. 'Dat begrijp jij natuurlijk wel, hè? Jij maakt hetzelfde door.'

Maar Dodie wilde daar niet over praten. 'Wat zei rechercheur Calder over Morrell en sir Harry?'

Ella legde de menukaart neer. 'Dat het onderzoek naar de moord op sir Harry met opzet wordt verstoord. Dat het bewijs wordt vernietigd. Dat sleutelfiguren op non-actief worden gesteld. Hij denkt dat er een samenzwering gaande is om de waarheid te verhullen.'

'Wie zijn er bij die samenzwering betrokken?' Dodie pakte haar notitieboekje op en deed alsof ze iets opschreef.

'Hij weet het niet zeker.'

'Maar wie vermoedt hij?'

Ella schoof haar hoed naar voren om haar gezicht te bedekken. 'Zoek maar uit... er is zoveel gaande. Er zijn zoveel geheimen. Dan denkt dat het de hertog is.'

'Wat?'

'Alleen iemand die zo hooggeplaatst is zou het overplaatsen van topfiguren kunnen bevelen.'

'O, Ella! Ik heb gisteren met Christie gesproken. Hij zei dat iedereen weet dat het niet boterde tussen sir Harry en zijn schoonzoon. Dat is het verhaal dat hij opdist aan iedereen die het wil slikken. Een familievete.' Ze keek om zich heen maar juffrouw Olive was nergens te bekennen, dus ging ze even op de stoel naast die van Ella zitten, en ze boog zich naar haar toe. 'Christie en de hertog zijn nu de twee machtigste mannen op het eiland. Zij moeten degenen zijn die beslissingen manipuleren en bepalen wat de pers te horen krijgt.'

'De journalisten zullen lastige vragen stellen, daar kun je van op aan.'

'Daarom hebben ze Flynn de schuld in de schoenen geschoven. Omdat hij te veel vragen stelde die iemand niet bevielen.'

'Maar Dodie, dat is precies wat jij en ik nu aan het doen zijn.' Ella streek met een hand over haar wang en leek zich te verbazen dat haar kaken zo hoekig waren. 'We roeren in dingen. Ik maak me zorgen over jou. Dan heeft gelijk, het zou gevaarlijk kunnen zijn. Ik word beschermd doordat ik de vrouw van Reginald Sanford ben, maar jij...' Ze aarzelde en liet haar stem dalen. 'Jij bent kwetsbaar.'

De twee vrouwen keken elkaar aan terwijl de vriendschap tussen hen complexe knopen vlocht.

'Nemen we een welverdiende rust, juffrouw Wyatt?'

Het sarcasme in de stem van Olive Quinn was subtiel. Dodie sprong overeind.

'Het spijt me, juffrouw Olive, ik wilde alleen maar...'

'Toe, Olive, wees geen tiran, lieverd. Ik heb Dodie gevraagd even bij me te komen zitten. Er is iets wat ik met haar wil bespreken.'

'Hopelijk is dat nu klaar. We hebben het erg druk.'

'Bijna klaar. Nog één minuut.'

Schoorvoetend trok Olive Quinn zich terug, maar niet zonder een onderzoekende blik op Ella te hebben geworpen.

Dodie boog haar hoofd naar Ella. 'Ella, ik heb de indruk dat een van de sleutels tot dit alles de grondtransactie bij Portman Cay is. Die brengt alles met elkaar in verband: Johnnie Morrell, sir Harry en Christie. En daar is Flynn zonder het te beseffen in terechtgekomen.'

Een van de klanten stak een beleefde hand op om Dodie naar haar tafeltje te wenken.

'Ik moet nu gaan,' zei ze. 'Wees voorzichtig.'

Ella's glimlach was dankbaar. 'Ik zal zien of ik morgen iets met Hector Latcham kan afspreken. Hij is ook Christies advocaat, dus weet hij misschien iets over Portman Cay.'

'Wees discreet.'

Ella schoot nu echt in de lach. 'Ik eet discretie bij wijze van ontbijt.'

'Ik zal je wat thee brengen.'

'En hoe zit het met jou?'

'Ik heb morgen weer een afspraak om in de gevangenis op bezoek te gaan voor ik begin met werken.'

'Ach.' Ella trok een meewarig gezicht. 'Veel succes.'

'Dank je.'

Toen Dodie wegliep, vroeg ze zich af waarom het enige waar niemand over praatte, het goud was. Maar tegen de tijd dat ze het dienblad met thee naar het tafeltje bracht, was Ella verdwenen.

50

Ella

'*R*eggie.'

Ella stond in het donker op het balkon van hun slaapkamer. Er zoemden muskieten om haar oren en ergens in de verte was het lage gerommel van de oceaan te horen terwijl die neuriede en het eiland polijstte. Ella was nooit een goede zwemster geweest en ze had het gevoel dat haar ledematen nu te zwak waren om zoiets zelfs maar te overwegen. Ze probeerde zich te herinneren wanneer ze voor het laatst iets had gegeten, maar dat lukte haar niet.

Reggie dook naast haar op, alsof hij slechts op het geluid van haar stem had gewacht.

'Reggie, ik heb allerlei geruchten gehoord. Is het waar dat de hertog grote bedragen geld overmaakt?'

'Maar Ella toch. Dat is vreselijk indiscreet van je, beste meid. Helemaal niets voor jou.'

Ella wendde zich af en leunde met haar elleboog op de rand van de balustrade. De stilte tussen hen werd gevuld door de cicades en het eentonige refrein van de boomkikkers.

'Maar ach,' zei Reggie, op de verzoenende toon waar hij zo goed in was, 'je bent de laatste tijd nou eenmaal niet jezelf geweest.' Hij zweeg even. 'Vind je niet?'

'Die moorden zijn heel schokkend.'

'Natuurlijk.'

Dat was alles. Geen van beiden wist nog iets te zeggen, zodat dit na enige tijd slechts de lege lucht tussen hen bevestigde. Reggie richtte zich op en liep naar binnen.

'Help me, Reggie,' fluisterde ze tegen zichzelf, 'help me alsjeblieft. Alsjeblieft.' Ze legde haar hoofd in haar handen en huiverde.

Kort na acht uur 's morgens reed Ella langs Dans huis. Er stonden auto's op opritten geparkeerd, de luiken van de huizen waren geopend, er hing een bezige en doelbewuste sfeer in de straat, die haar onbekend voorkwam. De huizen stonden niet vredig in het middagzonnetje te suffen, zoals eerder het geval was geweest. Ze voelde zich een vreemdeling. Niet welkom. Toen ze voor de derde keer in haar Rover langs het huis reed, ontwaarde ze Dan achter het bovenraam. Hij droeg een overhemd en das en was kennelijk net onder de douche geweest want zijn haar was nat en sluik, niet golvend.

Ella voelde een steek van pijn in haar keel, en toen ze omlaag keek naar haar roomkleurige chiffon blouse, verwachtte ze er bloed op te zien. Maar dat was natuurlijk niet zo.

Natuurlijk.

Ze keerde de auto in de richting van Bay Street, parkeerde, en liep vervolgens naar Hectors kantoor voor haar afspraak met hem, terwijl het beeld van Dan met zijn natte haar nog op haar netvlies stond.

Weet je dan niet dat ik doodga wanneer ik niet bij je kan zijn?

'Hector, wat aardig van je om me te willen ontvangen.'

'Mijn lieve Ella, ik weet geen betere manier te bedenken om mijn dag te beginnen.' Hector Latcham kuste haar wang, leidde haar naar een gemakkelijke stoel en bestelde koffie voor zijn gast. 'En, waar kan ik je mee helpen?'

'Ik wil graag iets te weten komen over Portman Cay.'

'Portman Cay?' herhaalde Hector, met gefronste wenkbrauwen, terwijl hij probeerde de naam te plaatsen.

'Ik geloof dat jij de overdracht hebt geregeld toen het terrein onlangs werd verkocht. Voor Harold Christie.'

'Ach ja, dat heb ik inderdaad gedaan.' Hij tikte met een lachje vol zelfkritiek tegen zijn voorhoofd. 'Er zitten daar zoveel transacties in opgeborgen dat ze wel eens in de verkeerde map belanden.' Hij nam een slokje van zijn koffie en keek haar peinzend aan over de rand van het fijnporseleinen kopje. 'Vanwaar jouw belangstelling, Ella? Dat zijn dingen waarmee jij je meestal niet inlaat.' Hij bood haar een sigaret uit een ebbenhouten doos aan en gaf haar zwierig een vuurtje.

337

'Om eerlijk te zijn, Hector, is mijn nieuwsgierigheid gewekt door een gerucht dat ik over Portman Cay heb opgevangen.'

Hij sloeg zijn benen over elkaar en Ella bedacht hoe kwiek hij leek voor iemand van zijn leeftijd, ergens rond de veertig. Dit maakte dat ze aan Dan moest denken.

'Aangezien jij notaris en advocaat bent, Hector, weet ik dat ik jou kan vertrouwen. Ik heb verhalen gehoord over grote geldtransacties. Wat is daar gaande?'

'Breek jij je daar nou maar niet het hoofd over, liefje.'

'Ik heb het aan Reggie gevraagd.'

'O ja? En wat zei Reggie?'

'Hij zei ook al dat ik mijn neus daar beter niet in kon steken.'

'Goed advies.'

Ella trok geïrriteerd aan haar sigaret. 'Dat weet ik nog niet zo zeker. Portman Cay schijnt op de een of andere manier verband te houden met de moord op Morrell en op sir Harry.'

'Echt? Ik zou maar voorzichtig zijn, Ella. Zoiets kan heel gevaarlijk zijn om te zeggen.'

'Wat kun jij me over die plek vertellen? Wat is er zo bijzonder aan?'

'Niet veel, eerlijk gezegd. Het is gewoon een baai net als andere, maar wel groter, het gebruikelijke zand, met zee en een klein woud van pijnbomen. Heel aardig, eigenlijk.'

Ella zuchtte. 'Alweer een muur van steen, kennelijk. Toch bestaat er beslist het een of andere verband, en dat wil ik te weten zien te komen.' Ze drukte haar sigaret abrupt uit en stond op. 'Ik denk dat ik er maar eens heen rijd om zelf een kijkje te nemen.'

Hector ging staan en glimlachte vertederd. 'Dat klinkt als een goed idee. Maar kijk toch eens naar jezelf, mijn lieve Ella. Je ziet eruit alsof je bij het eerste het beste windje omver zult worden geblazen. Ik wil echt niet dat jij in je eentje naar afgelegen plekken gaat. Ik rijd je er wel heen.'

'Hector, je bent een engel.'

51

Flynn

Zodra de sleutel in het slot werd omgedraaid, wist Flynn dat zij het was.

Dodie kwam een halve stap achter zijn advocaat Parfury de cel binnen en ze bracht iets lichts met zich mee. Het veranderde de atmosfeer in de grauwe en zurige cel met zijn vier kale muren. Ze droeg haar zwarte Arcadia-jurkje, de jurk waarin hij haar zo graag zag, met de witte manchetten aan de ellebogen, haar haar zedig naar achteren gebonden met een wit lint. Ze liep naar hem toe met een glimlach die zei dat er geen plek ter wereld was waar ze liever wilde zijn.

'Hallo Flynn.'

Hij reageerde niet, maar hield ook niet op met naar haar te kijken.

'Goedemorgen, meneer Hudson,' zei de advocaat.

'Morgen, Parfury.'

'Juffrouw Wyatt vroeg om een bezoek.'

'Ik had toch gezegd dat ik geen bezoeken van juffrouw Wyatt meer wilde?'

'Ze zei dat het dringend was.'

'Trekken advocaten in Nassau zich niets meer van de wensen van hun cliënten aan?'

'Uiteraard, maar...' De advocaat lachte bedremmeld. 'Het is heel moeilijk om nee te zeggen tegen die jongedame, wanneer ze zich iets in haar hoofd heeft gehaald.'

Flynn had zijn ogen niet van Dodie afgewend. 'Wat is er, Dodie? Wat is er aan de hand?'

Ze ging op de rand van het bed zitten en klopte op de plek naast zich, om hem uit te nodigen bij haar te komen zitten. Hij probeerde zich te bedwingen. Het niet te doen. Maar zijn benen voerden hem naar haar toe en zijn lichaam duwde de lucht naast haar weg en eiste alle ruimte op.

'Wat is er gebeurd?' vroeg hij snel.

'Ik heb Ella Sanford gesproken.' Ze keek even naar Parfury, die nog steeds bij de deur stond en haar met beroepsmatige ogen bekeek, kennelijk met de bedoeling elk woord van haar op te vangen. Ze draaide zich snel op het bed om, zodat haar rug naar de advocaat gekeerd was en ze zich voor hem afdekte. 'Ze heeft me dingen verteld.'

'Wat voor dingen?'

'Het onderzoek naar de moord op sir Harry,' zei ze zacht, 'wordt gesaboteerd, er worden bewijzen vernietigd, en dit zou van bovenaf komen.'

'Dat is een heel zware beschuldiging.' Hij keek of Parfury dit had gehoord. Viel moeilijk te zeggen. Flynn wilde graag naar details vragen, maar hij bedacht zich en verborg zijn frustratie met een schouderophalen. 'En dus worden De Marigny en ik erin geluisd.'

'Ik heb Christie een paar minuten gesproken. Hij ziet er heel slecht uit. Staat op instorten. Dreigt me met advocaten.'

'Liever advocaten dan idioten.'

Ze glimlachte. Hij had haar het liefst bij de schouders gepakt en door elkaar gerammeld tot ze besefte in welk gevaar ze zich bevond, tot ze weer de nerveuze jonge vrouw was zoals toen hij haar voor het eerst door het ondiepe water van het strand had zien lopen, vóór…

Vóór dit. Vóór hem.

Ze zag kennelijk iets van zijn gedachten, want haar ogen werden fel en ze boog haar gezicht naar hem toe, als om hem uit te dagen. Maar ze bleef praten alsof er verder niets aan de hand was.

'We weten niet of ze dat doen om zichzelf te beschermen of om het eiland te beschermen. En er is niemand die het over het goud heeft.'

'Dat zal best. Ze zitten zich allemaal af te vragen wie van hen het heeft.'

'Ik heb nagedacht over die gouden munten in je jasje.' Ze keek even over haar schouder naar Parfury, zonder zich ervan bewust te zijn dat haar in een staart gebonden haar zo dicht langs Flynns mond gleed dat hij het tussen zijn tanden had kunnen grijpen. Hij rook de geur van de zee. 'Meneer Parfury,' vroeg ze kortaf, 'hebt u al informatie weten te vinden? Wat zegt de politie erover?'

'Het zijn Napoleons. Franse munten van lang geleden.'

'Zie je wel,' zei ze, toen ze zich weer omdraaide naar Flynn. 'Ze passen bij elkaar. Waar zijn ze vandaan gekomen?'

Flynn weigerde hierover te praten. Hij wilde dat ze alles over goud en portefeuilles zou vergeten.

Toen hij geen antwoord gaf, zei ze: 'Het is duidelijk dat Morrell meer gouden munten bij zich moet hebben gehad, die de moordenaar heeft gestolen, en ze vervolgens heeft gebruikt om jou de schuld in de schoenen te schuiven.' Ze raakte voorzichtig zijn mouw aan. 'Denk je ook niet?'

Hij keek omlaag naar haar lichtroze vingernagels op zijn arm, maar hij zei niets.

'En ik ben ook,' zei ze, niet uit het veld geslagen door zijn zwijgen, 'weer naar je huisbaas gegaan.'

'Nee, Dodie. Blijf bij hem vandaan.'

'Ik ben deze keer samen met mama Keel gegaan.'

O, dat was een slimme zet. Als er iemand was die tongen los wist te krijgen, dan was het mama Keel wel.

'En?' vroeg hij.

'Ze denken erover na.' Ze draaide met haar ogen van ongeduld.

'Dus geef de hoop niet op.'

'Hou op, Dodie.'

Haar vingers krulden zich rond zijn manchet.

'Dat kan ik niet,' fluisterde ze.

'Je moet.'

'Nee.'

'Ik wil niet dat jou iets overkomt.'

'Mij is al iets ergs overkomen: jij zit hier.'

Hij wilde haar gezicht strelen, haar huid nog één keer proeven.

'Maak je maar geen zorgen,' zei ze. 'Hoewel Christie me misschien bedreigt, is het alleen met zijn advocaat. Hij zei tegen me dat ik naar Hector Latcham moest gaan om...'

Flynn greep haar bij de arm. Hij schudde er hard aan. 'Waarom?

Waarom zou je in godsnaam naar Hector Latcham gaan? Blijf bij hem vandaan.'

'Bij Hector Latcham?'

'Ja.' Hij snauwde het woord.

'Waarom? Hij is jóúw advocaat.'

'Om de donder niet. Parfury is…'

'Ik werk voor de heer Latcham, meneer,' zei Parfury minzaam bij de deur.

Flynns hart kromp ineen. Zijn huid werd koud. Na alles wat hij had gedaan om haar te beschermen had hij dit niet verwacht, niet dit…

'Flynn?'

Hij sprong overeind en ging pal voor Parfury staan. 'Geef me twee minuten,' zei hij op dringende toon. Hij zag dat de advocaat achterdochtig naar zijn gebalde vuisten keek. 'Twee minuten. Dat is alles. Laat me twee minuten met haar alleen.'

'Nee, dat kan niet. Dat is tegen de regels.'

'Laat die verdomde regels stikken. Twee minuten.'

'Nee, meneer Hudson, ik…' Maar iets in Flynn deed Parfury van gedachten veranderen. Hij klopte snel op de deur en verdween. 'Twee minuten,' mompelde hij. 'Geen seconde méér.'

Zodra de deur dicht was trok Flynn Dodie overeind en zei snel: 'Kom niet bij Hector Latcham in de buurt. Hoor je me? Hij is gevaarlijk.'

'Maar hij was heel behulpzaam. Hij is een vriend van Ella Sanford en hij is heel aardig voor…'

Flynn greep haar bij de schouders. 'Weet je nog dat ik je vertelde dat de maffia nog iemand op dit eiland had, mijn contact hier, Spencer genaamd?'

Haar mond viel open, alle kleur trok uit haar lippen weg.

'Zijn ware naam is Hector Latcham. Hij is degene die zware jongens had ingehuurd om jou in elkaar te slaan. Dus ga me nou niet vertellen dat die maffia-advocaat behulpzaam en aardig is. Ga niet…'

Zonder enige waarschuwing trok hij haar stijf tegen zich aan, zo hard dat ze haar kin bijna tegen zijn ribben brak. 'Dodie, je moet zweren dat je niet meer bij hem in de buurt zult komen. Ik had je zijn naam niet eerder genoemd omdat ik wilde verhinderen dat je bij hem in de buurt zou komen. Ik probeerde je te beschermen.'

Ze bleef stil en zwijgend in zijn armen staan, maar hij kon haar hartslag voelen. Wild. Ze begon snel te praten.

'Flynn, dit betekent dat je hier niet uit zult komen. Niet als Hector Latcham je zaak bij het proces moet verdedigen. Ik zal direct een andere advocaat voor je regelen, ik kan niet...' De woorden dreigden in haar keel te stokken. 'Ik kan niet... Ik kan de gedachte niet verdragen dat...'

'Doe dat niet, Dodie.'

Ze hief haar gezicht naar hem op en hij kuste haar op de mond. Hij had nog maar enkele seconden over. 'Beloof me dat je niet bij hem in de buurt zult komen.'

'Dat beloof ik, maar...' Opeens maakte ze zich van hem los, met grote ogen. 'Ella!'

'Ella Sanford? Wat is er met haar?'

'Ze zou hem vandaag ontmoeten om hem alles over Portman Cay te vragen.'

Voor hij nog iets kon zeggen, had ze zich uit zijn armen losgemaakt en bonsde woest op de deur. 'Laat me eruit!'

52

Ella

Hector parkeerde de auto boven langs de weg en ze liepen samen omlaag door de schaduw van de bomen. Toen ze uit het bos kwamen schitterde het stralend witte strand hen verblindend tegemoet, een volmaakt hoefijzer van blinkend zand dat in beide richtingen wegboog. Erachter waren de lucht en de zee in zo'n felle turkooiskleur er strak omheen dat Ella heel even het vreemde gevoel kreeg dat er geen ontsnapping mogelijk was.

'Wat vind je ervan?'

'Het is inderdaad prachtig,' merkte Ella op.

Hector legde een hand plat op zijn gladde bruine haar, alsof hij hoofdpijn had, maar zijn ogen stonden helder en zijn bewegingen waren alert. Hij deed Ella denken aan de strandlopertjes die langs de vloedlijn trippelden, zonder één moment stil te blijven staan.

'Ik moet meer weten over degene die dit strand heeft gekocht,' zei Ella. 'Dodie Wyatt vertelde me dat het een zekere Alan Leggaty zou zijn.'

'Heeft ze dat echt verteld?'

'Ken je hem? Jij moet het contract hebben opgesteld.'

'Ik heb meneer Leggaty niet persoonlijk ontmoet.'

'Is dat niet vreemd?'

'Niet echt. Ik heb daar mijn mannetjes voor.'

Er zat iets niet goed. Ella wist niet precies wat, maar ze kon het voelen. Misschien had Hector er spijt van dat hij met haar hierheen was gegaan, want hij scheen met zijn gedachten elders te zitten. Ze liepen over een stuk strand dicht bij de waterlijn, waar het zand stevig was, en Ella hield haar schoenen in haar hand terwijl ze de wind de beelden van het massagraf achter in de tuin uit haar hoofd liet blazen. Maar ze moest steeds huiveren wanneer ze aan Dan dacht.

'Is alles goed met je, Ella?'

'Ja.' Ze keek naar de man naast haar, de solide, betrouwbare Hector Latcham die zo van wedstrijdzeilen hield en wiens enige zwakke punt de neiging was om zijn vrouw Tilly met verhalen over boten te vervelen. 'Nee, Hector,' zei Ella naar waarheid, 'eerlijk gezegd voel ik me niet goed.' Ze bleef staan op het warme zand en keek op naar zijn gezicht. 'Ik ben bang.'

Zijn wangen waren rood. Door de zon? Of door hoofdpijn? Hij leek vreemd genoeg niet verbaasd te zijn over deze bekentenis.

'Bang? Mijn lieve Ella, waarom dan wel?'

Ze schudde haar hoofd. 'Nee, dat kan ik niet...'

Op het verlaten strand nam hij haar hand in de zijne. 'Jawel, je kunt het me wél vertellen. Ik ben je vriend, Ella. Ik ben er om te helpen.'

Dus vertelde ze het hem. Van de kippen. Van haar zorgen dat iemand haar misschien volgde.

'Maar waarom zou iemand jou willen volgen?' vroeg hij, en ze hoorde de begrijpelijke toon van geamuseerdheid in zijn stem.

'Omdat ik iets heb gezien waarvan het niet de bedoeling was dat ik het zou zien.'

'En wat was dat dan wel?'

Ze had het hem bijna niet verteld. Maar zijn bezorgdheid leek zo echt, en hij was niet het soort man om iemand uit te lachen.

'Ik heb een voorraad goud in het huis van sir Harry gezien. De avond dat Morrell er was, die man die is...'

Hij maakte een vreemd geluid. Iets tussen een kuch en een kreun in. 'Een voorraad goud? Weet je dat zeker?'

'Natuurlijk weet ik het zeker. Ik ging bij sir Harry langs op de avond dat ik voor het Rode Kruis collecteerde, en het stond op de tafel.'

Ze vertelde hem over de munt die Dodie haar had gebracht en dat ze had gedacht dat het een waarschuwing van Morrell was om op haar hoede te zijn voor sir Harry. Maar dat ze het nu niet zo zeker meer wist.

'Ze hebben allebei het goud gezien en nu zijn ze allebei dood.' Ze harkte langzaam met haar voet door het zand. 'Wat denk je, Hector? Moet ik bang zijn, of stel ik me gewoon aan? Jij bent jurist, jij hebt

345

verstand van dit soort zaken. Ik wil Reggie niet ongerust maken. Geef me advies, want ik heb het nog niet aan de politie verteld, niet formeel.'

'O nee?'

Hector stond naar de zee te staren, waar de golven met zacht gemurmel aan kwamen gerold.

'Heb je iemand verteld dat je denkt dat de moorden verband houden met de verkoop van dit terrein?'

'Nee.'

'Mooi,' zei hij, en dit leek meer op de golven dan op haar gericht te zijn.

Ella fronste. Opnieuw dat gevoel dat er iets niet klopte. Zij volgde de lijn van zijn blik en zag dat er een zeiljacht op ruim een kilometer buiten de kust voor anker lag, blinkend als een witte zeevogel in het zonlicht. Ze hield haar hand boven haar ogen tegen het felle licht.

'Hector, is dat de Storm Cloud?'

Hij knikte.

'Wat doet die boot daar?' vroeg Ella.

'Ik zeil er wel eens mee naar deze baai. Wanneer ik behoefte heb aan stilte en aan rust.' De Storm Cloud was Hectors nieuwe boot. 'Ik heb in een inham, tussen de rotsen daar, een sloep liggen. Op sommige dagen heb ik een bewaker die de dingen in de gaten houdt.'

'Dat wist ik niet.'

'Morrell is dood, Ella. Net als sir Harry. Waarom laat je het niet aan de politie over? Dat is mijn advies aan jou. Raak er niet bij betrokken.'

'Net als Dodie Wyatt, bedoel je? Nee Hector, daar is het nu te laat voor.' Ella begon over het strand omhoog te lopen. 'Laten we teruggaan. Ik heb genoeg gezien.'

Ze had niet meer dan een paar stappen gedaan toen Hector met opzettelijke nadruk zei: 'Juffrouw Wyatt beweert dat toen ze Morrell stervende aantrof, hij geen goud bij zich had. Zelfs niet in het ivoren kistje waar het in had gezeten.'

Ella stond stil. Haar ademhaling stokte. Toen ze zich omdraaide om Hector aan te kijken, was de stilte het enige wat ze kon horen. Hij glimlachte treurig naar haar.

'Welk ivoren kistje, Hector? Ik heb het niet over wat voor kistje dan ook gehad.'

'Kom naar mijn boot, Ella. Het is een goede dag om te zeilen, er staat een stevige bries op zee.'

Hectors woorden klonken belachelijk kalm en redelijk. Maar haar hart ging razendsnel tekeer. Kon ze zich hebben vergist? Een man die haar vriend was, wiens vrouw haar beste vriendin was, kon toch zeker niet zeggen wat zij dacht dat hij nu zei, hij kon toch niet bedoelen wat ze dacht dat hij bedoelde.

'Je weet dat ik geen zeebenen heb, Hector,' riep ze achterom. 'Laten we nu maar naar huis gaan. Het is hier veel te warm om…'

'Ella!'

Dat ene woord vertelde haar wat ze niet wilde weten.

Ze draaide zich om en keek naar Hector. Hij hield een revolver op haar gericht.

53

Dodie

odie rende door de straten van Nassau. Ze stak wild straten over, dook hoeken om, bukte zich onder parasols door en zigzagde, met een kreet van woede in haar keel, door de menigte die in de warme straten slenterde.

Hector Latcham.

Hij had naar haar geglimlacht.

Hij had beloofd haar te helpen.

Hij had haar *mijn lieve jongedame* genoemd.

En al die tijd zat hij stiekem te lachen. Omdat hij haar huis in brand had laten steken. Haar tot moes had laten slaan.

Hector Latcham.

De naam stond in blauwe plekken in haar huid gegrift. Wat voor man was dat? Iemand die mensen naar willekeur vernietigde. Iemand die zich verschool achter een muur van glimlachen, die zich onopvallend te midden van de koloniale kudde bewoog.

Ze rende naar Bay Street. Met zijn vriendelijke pastelkleurige gevels. Zijn overdekte wandelwegen. Zijn elegante winkels. Haar hart bonsde toen ze over het trottoir snelde, zich ervan bewust dat boven haar, boven de winkels, boven de straat, boven de wet, de kantoren verrezen. Waar leugens werden verteld. Transacties werden afgesloten. Het lot van mensen werd bezegeld.

HECTOR LATCHAM. De naam blonk onschuldig op het koperen bordje op de deur. Ze drukte op de bel van zijn kantoor.

Wees hier, Ella. Alsjeblieft. Wees hier.

'Waar is ze dan wel?'

'Ik weet het niet, juffrouw Wyatt.'

'Waar is hij met haar naartoe gegaan?'

'Ik weet het niet, juffrouw Wyatt.'

'U moet toch íéts weten?'

'Het spijt me dat ik u niet kan helpen.'

'Wanneer zijn ze vertrokken?'

'Iets meer dan een uur geleden, denk ik. Maar meneer Latcham heeft niet gezegd waar ze heen gingen.'

'Heeft hij gezegd wanneer hij terug zou zijn?'

'Nee. Maar, juffrouw Wyatt, als het echt zo dringend is dat u niet kunt wachten tot...'

'Ja. Het is dringend. Heel erg dringend. Denk alstublieft goed na. Heeft een van hen het over Portman Cay gehad?'

'Nee, niet dat ik heb gehoord. Maar...'

'Maar wat?'

'Nou, toen ze het kantoor uit liepen hoorde ik mevrouw Sanford lachen en zeggen dat ze geen schoenen aanhad die geschikt waren voor het strand.'

'Dank u. Dank u wel.'

54

Ella

'Hector! Wat doe je nou?'

'Ik heb je gewaarschuwd, Ella, dat je je erbuiten moest houden.'

Hij liep over het zand naar haar toe. Zelfs een slecht schot kon vanaf daar niet missen. Ella dwong zich haar blik af te wenden van de stompe loop van de revolver en zich te richten op het gezicht van de man die van plan was haar te doden.

'Hector, ben je nou helemaal gek geworden?'

Maar het waren niet Hectors ogen die haar aankeken. Dit waren de kille ogen van iemand die ze niet kende. Zijn pupillen waren donkere speldenknoppen vol woede en zijn mond was vertrokken tot een grimas.

'Waarom heb je me hiertoe gedwongen, Ella? Jij dwaas, dat was nergens voor nodig. Als jij je overal buiten had gehouden en mij met je bemoeizieke vriendin, juffrouw Wyatt, en met haar yankee lastpak had laten afrekenen, had dit allemaal niet hoeven gebeuren.'

Hij richtte de revolver op haar en ze deed een stap achteruit. De bomen waren dichtbij, maar niet dichtbij genoeg. Als ze erheen rende, zou hij haar in haar rug schieten, daar twijfelde ze geen seconde aan.

'De kippen waren mijn waarschuwing?' vroeg ze.

'Natuurlijk.'

'En jij verwachtte dat ik me dan koest zou houden? Dat ik niets zou doen?' Ze liep nu naar hem toe, terwijl haar hart in haar keel bonsde.

Vlak voor haar voeten sloeg een kogel in het zand. Dit verbrak de stilte in de baai en deed een zwerm meeuwen met veel geklapwiek opstijgen.

'Niet verder!' De revolver was op haar borst gericht.

'Of wat? Of je schiet me dood? Dat ga je toch al doen. Net zoals je Morrell hebt gedood, vermoed ik. En ook sir Harry? Of was dat Christie, die…'

Ze zag hoe hij zijn ogen een eindje dichtkneep en ze begreep dat hij op het punt stond de trekker over te halen.

'Waarom, Hector? Waar gaat dit over? Vertel me dat dan ten minste.'

'Waar dacht je dat het over ging, Ella? Geld. Alles gaat altijd over geld.' Hij glimlachte flauw. 'Of over liefde.'

De manier waarop hij het woord 'liefde' uitsprak. Er zaten bloedige schrammen op.

'Je weet het van mij en…'

'Rechercheur Calder? Natuurlijk weet ik dat. Ik heb jullie laten volgen.'

Haar mond was droog en de woorden struikelden over haar lippen, maar ze probeerde tegen hem te praten op de manier waarop ze tegen de oude Hector zou praten.

'Doe dit niet, Hector. Maak de dingen niet erger voor jezelf. Ik ben een vriendin van je, en je weet dat Reggie en ik alles zullen doen om je te helpen.'

'Leuk geprobeerd, Ella. Maar doe geen moeite. Jullie zouden hoogstpersoonlijk de strop om mijn nek willen aantrekken, dus laten we onszelf niet voor de gek houden.' Hij transpireerde hevig. 'Ga nu maar op je knieën om te bidden.'

Ella verroerde zich niet. 'Sir Harry had gelijk. Het goud heeft je ziel verrot.'

'Zoals je minnaar jouw ziel verrot,' smaalde hij, en hij zette zich schrap om de trekker over te halen. Zijn mond werd strak en zijn ogen waren niet meer dan spleetjes. Ze voelde even iets van voldoening omdat hij het niet gemakkelijk leek te vinden.

'Nee!' brulde een stem achter haar. Er kwam een luid gebrul uit de bomen het strand op en er rende een schaduw naar haar toe. 'Nee! Gooi die revolver neer. Nu meteen!'

Hector verstijfde gedurende de fractie van een seconde die Ella nodig had om zich om te draaien en Dan als een stier naar zich toe te zien komen. Hem te zien, zijn stem te horen, de louter fysieke aanwezigheid van hem hier op het strand, maakten dat al haar angst vervloog.

'Dan, niet doen, hij zal je vermoorden...'

De revolver vuurde. Het geluid van het schot scheurde door haar heen. Toen zag ze Dan door zijn knieën zakken, hoorde een vreemd dun geluid uit zijn longen komen, voelde de grond onder haar voeten trillen toen zijn volle gewicht in het zand plofte.

Ella kon niet gillen. Kon geen lucht vinden om in te ademen. Ze liet zich naast hem op haar knieën vallen en drukte haar hand op het gat in zijn overhemd, alsof ze het bloed in zijn borst terug kon duwen.

'Dan!'

Ze zag zijn ogen glazig worden. Was er getuige van hoe het leven uit hem wegsijpelde, in de korrels zand onder hem, en toen pas begon ze te gillen. De klap op haar hoofd betekende een opluchting.

55

Dodie

Dodie stal een fiets. Het was een oude, met de hand beschilderde, kanariegele fiets die tegen de muur van de kathedraal leunde, maar ze aarzelde niet. Zodra ze hem zag, pakte ze hem.

Ze trapte snel. Maar de acht kilometer naar Portman Cay voelde eerder als tachtig, want elke minuut was als een uur terwijl ze in gedachten allerlei beelden zag van gevaren waar Ella in verkeerde. De weg was heet en stoffig, vol gaten, en Dodie moest tegen het felle licht in kijken toen de ochtendzon boven de hoge pijnbomen klom. Af en toe kwam haar een enkele kar of auto tegemoet, met veel stof achter zich en ze beschouwde dit als een goed teken. Geen dode lichamen langs de weg voor haar uit. Geen paniek.

Had ze Ella nou maar niet over Portman Cay verteld.

Wat dan?

Wat had ze gedaan?

Nee.

Niet dit.

Niet weer een dode. Door het web van bomen zag Dodie het lichaam, een donkere veeg op het witte zand. Ze zag de meeuwen en rende er schreeuwend op af, met maaiende armen van woede. De vogels gaven hun buit pas op het allerlaatste moment op, en vlogen krijsend de lucht in, terwijl Dodie hen onmachtig een handvol zand achterna smeet.

Nee. Niet dit.

Er steeg een kreun uit haar op toen ze zich naast de grote politieman op haar knieën liet vallen en ze klapte in haar handen tegen de zwarte zwerm vliegen die zoemde en rondvloog, over de wond onder zijn overhemd kroop. Ze werd overmand door een golf van verdriet.

Even kon ze geen lucht meer krijgen. Ze nam zijn zware hand in haar handen, alsof ze de warmte erin terug kon brengen en het bloed kon overhalen opnieuw door de aderen te stromen. Tranen rolden over haar wangen.

Ze kon niet geloven dat Hector Latcham hier verantwoordelijk voor was. Het was onvoorstelbaar. Maar terwijl er een beving door haar heen ging, dacht ze het onvoorstelbare.

Ella. Waar was ze?

Ze rukte de sjaal die haar haar bijeenbondt weg en wikkelde hem zorgvuldig rond het gezicht van rechercheur Calder om dit tegen de roofzuchtige meeuwen te beschermen. Ze moest snel handelen. Ze bekeek de voetafdrukken in het zand, maar die vertelden haar weinig doordat het getij en de wind hun werk hadden verricht. Ze controleerde of het strand en de plasjes tussen de rotsen geen verdere verrassingen bevatten en doorzocht toen het struikgewas onder de bomen, porde er met een stok in, waarmee ze hagedissen verjoeg en een nest hutia's verstoorde.

Ze vond niets. Ze veegde het zweet uit haar ogen en zocht het strand af. 'Ella, waar ben je?'

Er gleed een briesje over het blinkende oppervlak van de golven, zodat haar ogen bijna verblind werden door het geschitter van het zonlicht. Het was een wereld die even vredig lag te dommelen als de aalscholvers op de rotsen.

'Je bent hier, Ella, dat weet ik zeker. Zijn auto staat nog steeds op de weg geparkeerd.' Er had een grote zwarte Buick in de schaduw verscholen gestaan.

Dat was het moment waarop ze de boot zag. Eerder was ze te veel in beslag genomen door het strand en het levenloze lichaam van rechercheur Calder om zich te richten op wat er vlak voor haar neus was, maar nu vervloekte ze zichzelf en rukte ze haar Arcadia-jurk uit.

Het jacht verrees hoog boven haar, als een witte huwelijkstaart. Met geruisloze slagen zwom Dodie eromheen. Toen ze de sloep zag die langszij was vastgemaakt, klom ze uit het water de ladder op.

Er klotste een golf tegen de romp van de boot, zodat deze schommelde, en ze rolde over de rand en dook op het dek ineen. Pal rechts van haar kon ze de kajuittrap zien. Dodie was geen boten gewend, maar ze wist dat je zo'n trap achterwaarts af hoorde te gaan. Dat leek haar nu echter een slecht idee. Een heel slecht idee. Wat haar beneden wachtte zou haar kunnen grijpen voor ze zich had omgedraaid. Haar ademhaling ging snel en oppervlakkig.

Flynn. Help me.

Ze probeerde net zo te denken als hij. Zich net zo alert en geruisloos te bewegen. Ze schoof voorzichtig naar de kajuittrap en luisterde. Stilte en hitte stegen naar haar op.

Stel dat ze het mis had?

Maar de sloep lag afgemeerd aan de boot en dat betekende dat er iemand aan boord moest zijn. Opeens schrok ze op van lawaai van beneden, het mechanische geluid van een pomp. Als Hector ergens mee bezig was, was dit het moment om omlaag te klimmen. Ze liet zich meteen van de kajuittrap glijden, met bonzend hart, en de hitte en de duisternis sloegen haar tegemoet. Gesloten luiken. Geen lucht. Ze was een smalle kajuit van gelakt teakhout en koper met een lange, smalle tafel en banken aan weerszijden binnen gestapt. Op een van de banken lag een vrouw, met haar gezicht naar Dodie gekeerd.

'Ella?'

Het goudblonde hoofd schoot omhoog. De grote, trieste ogen staarden haar aan.

'Dodie! Nee, ga snel weg. Je moet niet...' Haar hoofd schudde heen en weer toen Dodie zich naar de tafel toe bewoog.

Op het moment dat Dodie geschokt de handboeien opmerkte waarmee Ella aan een koperen rail was vastgeketend, werd er een dekzeil over haar hoofd geworpen. Ze werd door een paar sterke armen op de vloer geduwd. Ze schopte. Ze gilde. Worstelde om lucht te krijgen. Maar het was niet genoeg.

Stukje bij beetje keerde de wereld bij Dodie terug. Bloed in haar mond. Pijn in haar borst. De metalen klik van een aansteker. Een deinende beweging die niet alleen in haar hoofd zat. Een hete hand op haar wang.

'Jij klootzak, je hebt haar laten stikken.' Dat was Ella.

'Ze komt wel weer bij.' De stem van Hector Latcham.

355

'Laat haar gaan, ik smeek je, Hector. Laat haar gewoon ergens op het strand achter. Ze heeft je nog niet gezien, dus ze weet niets.'

Hij zei niets, maar kennelijk had hij zijn hoofd geschud want Ella barstte opeens kwaad los: 'Heb je al niet genoeg mensen vermoord? Ben je soms dood vanbinnen? Kan het je niets schelen dat...'

'Aha, juffrouw Wyatt, ik zie dat u weer bij ons bent.'

Langzaam tilde Dodie haar hoofd op. Het was alsof er een sloophamer in tekeerging. Ze probeerde haar natte haar uit haar gezicht te vegen, maar haar hand wilde niet mee, en toen ze zich met een ruk omdraaide zag ze dat haar rechterhand aan Ella's linkerpols was geketend. Nog erger was dat ze allebei aan een koperen rail achter haar schouders vastzaten.

'Klootzak! Moordenaar!'

'Zo is het wel genoeg, juffrouw Wyatt. Het heeft geen enkele zin om te gillen. We zitten hier midden op de oceaan.'

'Laat ons los.'

'Waarom zou ik dat doen? Je blijkt veel te gevaarlijk te zijn. Ik had je eigenlijk meteen door mijn jongens onschadelijk moeten laten maken, maar ik wilde de aandacht niet op je vestigen. Zelfs die onnozele politie van ons zou lastige vragen zijn gaan stellen als jij vlak na Morrell ook dood was aangetroffen. Maar het was leuk dat je even langskwam.' Hij stond met zijn rug tegen de houten wand tegenover hen en zijn grijze ogen namen haar koud op. 'Interessante dresscode, trouwens.'

Ze was bijna naakt. Tot dat moment had dit niet van belang geleken, maar nu bloosde ze ongemakkelijk.

'Geef haar iets om zich te bedekken, Hector!' Op de een of andere manier had Ella haar stem van diplomatenvrouw weten te vinden.

Hij schoof schouderophalend een la naast hem open en wierp Dodie een gebloemde strandsarong, die kennelijk van zijn vrouw was geweest, toe. 'Alsjeblieft, het is wel zo prettig er decent uit te zien wanneer ze je dood aantreffen.'

Dodie drapeerde de sarong over zich heen en maakte er met Ella's hulp een knoop in.

'Waarom schiet je ons niet gewoon dood? Dan ben je ervan af,' zei Ella bitter.

'Ach, mijn lieve Ella, ik vind het echt heel akelig om een vrouw dood te schieten.'

'Het is eenvoudiger om ons in zee te dumpen, bedoel je dat?'

'Misschien wel. Of ik laat jullie hier op de boot omkomen van de dorst.'

'En hoe zit het met Tilly? Hoe kun je haar dit aandoen? Ze zal hier ongetwijfeld achter komen, dat weet je zelf ook. Ze zal ontdekken wat je met Dan en ons hebt gedaan en dan zal ze je aangeven...'

'Ik geef toe dat rechercheur Calder een probleem vormt.' Hector keek Ella woest aan, alsof het haar schuld was. 'De politie raakt niet graag een van zijn mannen kwijt.'

'Je zult hiervoor in de hel komen.'

'Er bestaat niet zoiets als de hel, juffrouw Wyatt. Er bestaat alleen maar deze wereld en dat wat wij erin hebben. Ik was alleen maar bezig een transactie af te sluiten om veel geld te verdienen. Dat is alles. Niks mis mee. En toen moest die veelgeprezen sir Harry Oakes zich er zo nodig mee bemoeien.' Hectors gezicht verstrakte toen hij de naam uitsprak. 'Hij geloofde dat dit eiland zijn domein was en dat hij kon uitmaken wat er al dan niet tot stand werd gebracht.'

'Hector,' zei Ella, 'geen enkel normaal mens doodt anderen wegens het verstoren van een transactie.' Haar stem was hees van de tranen die ze om Dan had vergoten. 'Laat Dodie alsjeblieft gaan.' Haar gezicht zag er uitgemergeld en wanhopig uit.

'Vertel ons dan,' zei Dodie, 'wat er is gebeurd.'

Ze begreep dat hij hen nooit zou laten gaan. Maar als ze hem aan de praat kon houden, als ze tijd kon winnen, kon ze de puzzelstukjes in haar hoofd in elkaar passen en misschien met een plan komen.

Hector duwde zich bij de wand vandaan en stak een sigaret op. 'Christie en ik zijn met een prima transactie bezig. We gaan Portman Cay van Oakes kopen om er een centrum met luxehotels en een casino neer te zetten, voor toeristen na de oorlog. Deze oorlog heeft de horizon van het gewone volk op ongekende wijze verbreed, en ze zullen meer willen. Dat kan gewoon niet missen. En de mob wilde uiteraard ook meedoen. Die betalen voor de ontwikkeling van het plan, maar wij moeten ook geld inbrengen. Veel geld.'

'En hoe zit het dan met de wet op het verbod van gokken?'

Hector glimlachte sluw. 'De hertog is er ook bij betrokken. Hij zal ervoor zorgen dat de wet wordt veranderd. Die klootzak van een Oakes heeft ons miljoenen geleend. Hij heeft ons aan alle kanten gesteund tot we er allebei tot over onze oren in zaten, en toen heeft hij verdomme het kleed onder onze voeten weggetrokken.'

'Hoe dan?'

'Hij eiste de leningen op. Dan zou ik bankroet zijn gegaan. En Christie ook. En we weten allebei dat je de mob geen geld schuldig moet zijn, als je niet in een graf van beton terecht wilt komen.' Hij veegde het zweet uit zijn nek. Het was heel warm in de kleine, benauwde ruimte.

Dodie vroeg iets te drinken.

'Nee.'

'Ella moet echt iets hebben. Ze ziet er niet goed uit.'

Hij bekeek haar kil. 'Dat geeft niet.'

'Alstublieft.' Ze hoopte een glas in haar handen te kunnen krijgen. Geen geweldig wapen, maar het was in elk geval iets.

'Nee. Vraag het niet nog eens.'

Even heerste er een gespannen stilte, die slechts werd verbroken door het gejammer van de wind in het want.

'En daar kwam Morrell aan te pas, nietwaar?' zei Dodie. 'Om sir Harry aan te pakken.'

'Ja, verdomme. Hij had Oakes tot andere gedachten moeten brengen. Morrell was een *mobster*, hij wist honderd verschillende manieren om mensen tot andere gedachten te brengen, geholpen door die slimme jonge vrind van je, die nu de eerstvolgende kandidaat voor de strop is.' Hij sloeg met zijn vuist op de tafel. 'Het liep allemaal mis. Doordat Oakes Morrell heeft omgekocht met zijn goud.'

'Dus jij hebt Morrell en Oakes vermoord.' De woorden klonken zuur in Dodies mond.

Hector begon te lachen, een dun, levenloos geluid, dat maakte dat Ella haar gezicht in haar hand liet vallen.

'Kijk nou maar niet zo ontzet, juffrouw Wyatt. Ik ben niet de enige met vuile handen. Dat Amerikaanse vriendje van je...'

'Hij heeft een naam,' zei Dodie kwaad.

'Nou, wist je dat die meneer Hudson van jou voor hij werd gearresteerd naar de Gregory Sewing Factory is gestapt om Stan Gregory het ziekenhuis in te slaan?' Hij grijnsde met grimmige voldoening. 'Ha, ik zie dat je dat niet wist. Ik had eigenlijk gedacht dat jij hem misschien daartoe had aangezet.'

Flynn. O, Flynn.

'Hij zal ervoor zorgen dat jij eerder hangt dan hij,' siste ze.

Dodie zag het niet aankomen, de plotselinge explosie van woede die Hectors gezicht transformeerde, die zijn smalle wangen paars kleurde. Hij stapte naar voren en haalde uit naar Dodie, een klap met het volle gewicht van zijn arm erachter. Haar hoofd klapte achterover en haar ogen draaiden in hun kassen. Ze sprong overeind om hem aan te vliegen, maar hij was snel weggestapt en zij zat met de handboeien aan de koperen stang vast.

'Luister goed, klein kreng,' schreeuwde hij tegen haar. 'Ik ben niet van plan voor die moorden te hangen. Of voor die op jullie.'

Hij rende de trap op en was weg.

56

Flynn

lke stap was een kwelling. Want elke stap hoorde hem naar Dodie te voeren, maar werd in plaats daarvan verspild in de smalle goot die door het midden van zijn cel liep. Flynn liep te ijsberen, uur na uur, kilometer na kilometer. Terwijl hij Dodie in gedachten dwong terug te komen voordat het donker werd.

Ze luisterde niet.

Hij had het in haar ogen gezien toen hij haar vertelde dat ze weg moest blijven van Hector Latcham. Ze zei ja, maar ze bedoelde nee. Hij wist het toen ze naar de deur holde, hij wist dat ze rechtstreeks naar Hector Latcham zou gaan om haar vriendin Ella Sanford te beschermen. Hij liep al die uren te ijsberen, zichzelf te vervloeken, Morrell te vervloeken.

Hector Latcham te verwensen.

Hij dacht aan de obeah-vloek die hij over Hector had willen afroepen. De haarborstel. De losse plukjes bruin haar van Hectors hoofd, en de kracht van de magie van mama Keel. Kon die hem vernietigen? Hij grijnsde om zijn eigen dwaasheid, maar dit was het enige wat hij nog had.

Dat kleine beetje hoop.

'Wegwezen!'

Flynn stond onder het raam te kijken hoe de dag uit de lucht verdween. De lampen in zijn cel waren zo fel en zo meedogenloos dat zijn ogen moeite hadden zich te richten op de subtiele kleurveranderingen buiten, die hem het verstrijken van de tijd vertelden.

'Wegwezen!'

Flynn keek de bewaker vol weerzin aan. 'Wat krijgen we nou?'

'Je bent vrij om te gaan.'

'Is dit een grap?'

'Nee, man. Je kunt hier weg.'

Flynn liep naar de deur. 'Als vrij man?'

'Ja. Haal je spullen op, teken het formulier en maak dat je wegkomt.' Hij grijnsde, een brede grijns vol witte tanden.

'Wat is er gebeurd? Waarom nu opeens?'

'Ach, het was je huisbaas. Hij denkt dat hij zich heel erg heeft vergist.'

Flynn rende de gang door. *Dank je, mama Keel. Ik heb veel aan je te danken.*

Waar was ze?

Te laat nu voor haar om naar Portman Cay te gaan.

Hectors kantoor? Dat zou gesloten zijn, het was avond.

Hectors huis?

Hij herinnerde zich de vrouw met het donkere haar, die in het bed lag te slapen. Ze was waarschijnlijk op dit moment thuis en zat met haar martini te wachten tot haar man uit de een of andere bar kwam waar hij met de Bay Street Boys zat te drinken. Een normale dag. Nee, het was niet waarschijnlijk dat zij hem zou helpen.

Wie dan wel?

Ella Sanford.

'Mevrouw Sanford is er niet."

Het dienstmeisje in haar witte uniform keek Flynn met grote, bezorgde ogen aan, terwijl ze haar handen wrong.

'Weet je niet waar ze is?' vroeg hij.

'Nee, meneer, ik weet 't heuselijk niet.'

'Heb je enig idee waar ze naartoe is gegaan?'

'Ik wou dat ik 't wist.'

'Heb je juffrouw Wyatt vandaag gezien?'

'Dat meisje dat hier eerder is geweest? Nee, meneer, echt niet.' Ze klampte zich aan een armzalige strohalm vast. 'Denkt u dat ze gewoon ergens gezellig op stap zijn?'

'Nee,' zei hij, terwijl het beeld van de kille ogen van Hector Latcham hem in gedachten kwam. 'Ik denk niet dat ze het gezellig hebben.'

57

Dodie

Hun mond was uitgedroogd. De hitte was intens. Het voortdurende bewegen van de boot, die met de golven op en neer ging, maakte Dodie onpasselijk. Pas nu het donker begon te worden besefte ze dat Hector niet terug zou komen. Hij deed wat hij had gezegd: hij liet hen achter om op de boot te sterven.

Het ging niet goed met Ella. Haar gezicht was verstrakt tot een masker en haar hand was in wanhoop gebald, alsof ze zich met haar laatste beetje wilskracht in leven moest houden. Ze had donkere kringen onder haar ogen die nu diep in haar magere gezicht lagen. Dodie probeerde haar aan de praat te houden, maar Ella had zich overgegeven aan de geluiden in haar hoofd en ze had geen ruimte voor andere stemmen dan die van Dan Calder.

Gedurende de lange, warme uren van de dag die ze in de kajuit van de boot had doorgebracht, had Dodie geprobeerd te vluchten, maar het was hopeloos. Hun polsen waren bebloed en vormden een prooi voor dikke, gulzige vliegen. De handboeien waren gehaakt over de koperen rail die langs een kast achter hen liep, en hoe hard ze ook trokken en duwden, draaiden en rukten, hij weigerde los te komen uit de teakhouten wand achter hen. Haar pogingen trokken hun polsen bijna aan flarden, hoewel Ella niet één klacht uitte.

Slechts één keer mompelde ze: 'Laat maar, Dodie. Het heeft geen zin.'

'Toch wel, Ella. Het is onze enige uitweg.'

Ella had zich een vage glimlach laten ontlokken. 'Dit zijn Dans handboeien. Ze zaten in zijn zak. De ironie wil dat hij probeerde me te redden, maar dat zijn eigen handboeien mijn dood zullen worden.' Ze wiegde heen en weer op de bank. 'Denk je niet?'

Maar Dodie was streng voor haar. 'Concentreer je liever op hier uit komen.'

'Ik ben bang om te leven, Dodie, niet om te sterven. Ik heb nooit met dit soort verdriet hoeven leven omdat ik nooit eerder dit soort liefde heb gekend. Ik ben niet zo sterk als jij.' Ze streek berouwvol met haar vingers over Dodies bebloede pols. 'Het spijt me, Dodie.'

'Kom op, Ella. Je bent sterker dan je denkt. We moeten hier weg zien te komen. Ik ben niet van plan hier dood te gaan. Niet in een stinkende boot. Niet zolang Flynn nog ademhaalt.'

'Dodie,' mompelde Ella, terwijl ze haar hoofd op de tafel legde, 'je verdient een beter lot.'

Er klonken voetstappen op het dek. Dodie werd met een schok wakker. Hoe lang had ze geslapen?

Slechts enkele minuten. Het was nog licht genoeg om te kunnen zien. De boot rolde en stampte onder een aanwakkerende wind en ze kon hem aan het anker voelen trekken. Ze porde Ella.

'Hij is terug.'

Ella knipperde met haar ogen maar haar blik was dof toen er een gestalte luidruchtig de treden af kwam en met een vloek de schemerige ruimte binnen struikelde.

'Tilly!' riep Ella uit.

Dodie was verbijsterd. Ze werd overmand door een golf van opluchting en haar vingers trilden door de plotselinge opwinding.

'Goddank,' fluisterde Ella.

Dodie ging staan, haar rechterarm was verkrampt door vermoeidheid. 'Mevrouw Latcham, uw man heeft ons hier gevangengehouden en...'

Toen pas besefte ze dat Tilly dronken was. Ze zwalkte heen en weer en ze moest zich vasthouden aan de muur.

'Lieverds,' zei Tilly, terwijl ze zich op de bank tegenover hen liet zakken, 'wat is dit afgrijselijk. Jullie zien er vreselijk uit.'

Dodie ging weer zitten om op dezelfde hoogte te zijn als Tilly, maar ze besefte dat er iets niet klopte. Tilly was te afstandelijk, ze vond hun lot te normaal. Ze had een kreet van afschuw horen slaken, om vervolgens naar de gereedschapskist te rennen.

'Mevrouw Latcham.' Dodie sprak langzaam en duidelijk. 'Wilt u alstublieft een hamer of beitel uit...'

'Ik ben gekomen om jullie iets te vertellen.'

Nu werd ook Ella zich ervan bewust dat er iets vreemds aan de hand was. 'Tilly, alsjeblieft, dit is serieus.'

'Dit ook.'

'Wat is het, mevrouw Latcham? Vertelt u het ons snel. Mevrouw Sanford behoeft verzorging.'

'Ik wilde je komen vertellen, Dodie,' zei Tilly met dikke tong, maar haar ogen waren scherp op Dodie gericht, 'dat je vriend Morrell die avond in onze auto niet zo verrekte stom had moeten zijn. Als hij niet had geweigerd te vertellen waar hij het goud uit dat verrekte ivoren kistje had gelaten, had ik hem niet hoeven steken.'

'Wat? Tilly, nee!'

'Hector herkende het ivoren kistje en ik wist Morrell over te halen bij ons in de auto te stappen, maar hij weigerde halsstarrig om ergens aan mee te werken, en toen dreigde ik hem met een mes en... nou ja, we begonnen te vechten en... en zo is het gekomen.'

'Grote god, Tilly,' kreet Ella, 'je moet meteen naar de politie gaan om hun de waarheid te vertellen. Te zeggen dat het een ongeluk was.'

Dodie legde haar hand op die van Ella. 'Begrijp je het nu? Waar het bij Hector Latcham om gaat? Het is niet alleen de transactie met grond. Het gaat ook om het beschermen van zijn vrouw.'

De boot kraakte en stampte toen de wind opeens draaide. De duisternis viel op de eilanden snel in, en Dodie was ervan overtuigd dat Tilly snel zou willen vertrekken voordat de zee te woest werd voor een sloepje.

'Mevrouw Latcham,' zei Dodie, terwijl ze haar stem kalm en redelijk probeerde te houden, 'Ella heeft gelijk. U moet naar de politie gaan. U kunt Flynn Hudson niet laten ophangen voor een misdrijf dat u hebt begaan. U moet het hun gaan vertellen.'

'Mijn beste juffrouw Wyatt, waarom zou ik dat in hemelsnaam doen?'

Deze vrouw wil dat ik doodga.

Dit besef bezorgde haar een rilling van walging, en ze keek naar Ella om te zien of zij het ook besefte, maar ze zag geen tekenen.

'Maar waarom,' vroeg Dodie, 'hebt u me in Nassau zo dramatisch van die ontvoering in de auto gered als...' Ze zweeg. Ze deinsde instinctief bij de tafel vandaan, verder weg van de vrouw van de advocaat, alsof ze besmettelijk was. 'Natuurlijk, ik had het moeten begrijpen. U had het allemaal in scène gezet, hè, zodat u eraan kon komen rijden om me te redden.'

De vuurrode streep van de mond glimlachte, tevreden over zichzelf. 'Slim, hè? Ik hoopte dat jij me in vertrouwen zou nemen en mij al je smerige geheimpjes zou vertellen over de plek waar het goud is.' Ze haalde haar schouders op. 'Het lukte bijna.' Ze klikte haar leren tas open, haalde er een sigarettenetui uit en stak een Dunhill op. De hand die de aansteker vasthield was volmaakt vast. Ze blies een rookwolk uit die aan de balken boven hun hoofd bleef hangen, als oude stofraggen in de stilstaande lucht.

'De dwaze man. Hij had moeten meewerken.'

Dodie wilde niet horen hoe Morrell een dwaze man werd genoemd.

Tilly schudde gefrustreerd haar hoofd. 'Hij had de munten ergens op het landgoed van sir Harry begraven, maar hij wilde niet onthullen waar.'

Dodie stelde zich voor hoe die beer van een man, Johnnie Morrell, wanhopig om zijn leven smeekte, terwijl de Latchams hem met een mes bewerkten. Het maakte dat ze deze opgetutte en verwende vrouw het liefst bij de keel had gegrepen.

'En dat is de reden,' vertrouwde Tilly hun in een plotselinge bui van intimiteit toe, 'dat sir Harry ons deze week gravend op zijn terrein aantrof, waarna alles uit de hand liep.'

Ella staarde haar ontzet aan. 'Jij? Wil je zeggen dat jij degene bent die sir Harry heeft doodgeschoten?'

'O, Ella, dat was niet de opzet.'

'Tilly!'

'Nou, die stomme vent wilde ons aan de politie uitleveren, en ik moest hem tegenhouden. Die goeie ouwe Hector had er een verdomde klus aan om alles in die afgrijselijke storm te verbergen, vooral omdat Christie er ook was. Hij heeft zelfs die stomme veren over het lijk gestrooid, verdomme.'

Er steeg een lage, diepe kreun uit Ella op en ze kwam dreigend overeind.

'Jij was het. Al dit gedoe was voor jou. Jij bent de reden dat Dan daar dood op het strand ligt. Jij. Niet Hector.'

'Hoe had ik kunnen weten dat die stomme rechercheur zich ermee zou gaan bemoeien, lieverd? Daarom ben ik helemaal hierheen gekomen om jou te spreken. Ik wilde het uitleggen. Het was niet mijn bedoeling dat hij dood zou gaan.' Ze trok een scheef gezicht naar Ella. 'Hoe dan ook, we zijn altijd goede vriendinnen geweest, jij en ik, en ik wilde je gedag zeggen.'

'Je bent mijn vriendin niet.'

'Lieverd, doe niet zo hard. Hector had gelijk. Hij zei dat ik niet hierheen moest gaan, maar ik wilde het toch. Hij was zelfs bereid me hierheen te roeien, maar dat wilde ik niet. Dit moment is gewoon tussen jou en mij, lieverd.' Ze wierp Ella een kushand toe.

Ella probeerde Tilly vast te grijpen, met één hand, over de tafel heen, maar ondanks alle drank die ze ophad, was Tilly sneller. Ze haalde een klein pistool met parelmoeren handgreep uit haar tas en zwaaide ermee naar Ella's gezicht.

'Mijn lieve meid, dwing me hier niet toe.'

Dodie sprong overeind. 'Mevrouw Latcham, het wordt nu snel donker. Pakt u alstublieft het gereedschap. We moeten hier snel weg. Of hebt u de sleutel van de boeien?'

Naast haar stond Ella te trillen van woede.

'Nee, ik heb helaas geen sleutel. Wat jammer nou. En ik denk dat ik dat gereedschap ook maar laat zitten.' Ze keek van Ella's witte gezicht naar dat van Dodie, en toen naar de invallende duisternis. Onder hen schommelde de boot vervaarlijk. 'Dan zeg ik jullie nu gedag, lieve dames.'

Dodie reageerde bliksemsnel. Een snelle mep met haar vrije hand tegen de zijkant van het pistool. Tilly verwachtte dit niet van Dodie, ze hield Ella steeds in de gaten. Dodie was kalm en beleefd geweest, zonder dreigementen, niet iemand om tegen pistolen te slaan, maar Tilly had het mis. Het pistool vloog uit haar hand op de tafel, waar Ella het met haar rechterhand greep en op Tilly richtte.

Tien seconden lang bewoog geen van beiden zich. Maar geen van beiden was van plan terug te krabbelen. Toen stortte Tilly zich naar voren, met handen die naar het pistool grepen.

366

'Geef dat ding hier!'

Ella haalde de trekker over. Het lawaai van het schot explodeerde in de kleine ruimte, en buiten vlogen de meeuwen verschrikt krijsend op van hun slaapplaats op het dek van de slanke boot. Tilly jammerde even. Een klein geluid. Niets meer. Het bloed sijpelde tot een grote wijnrode vlek over de voorkant van haar lichte jurk van crêpe de Chine, en Tilly keek er verbaasd naar.

'Mevrouw Latcham, luister naar mij.' Dodie sprak luid om haar aandacht te trekken. 'We zullen u helpen. Maar u moet iets pakken om ons te bevrijden.'

Tilly bleef echter fronsen, verbaasd over de vlek op haar jurk, en toen kwam ze met een schok in beweging en klom moeizaam het trapje van de kajuit op. Enkele minuten later hoorden ze het geklets van riemen in het water.

De wind stak op.

Dodie hield de revolver stevig vast. Ze ademde uit en haalde de trekker over. Het gelakte teakhout van de wand van de boot versplinterde en het uiteinde van de koperen rail brak los, zodat ze de handboeien omlaag en eraf konden schuiven.

'Vrijheid!' zei Dodie, en ze bewoog de pijnlijke spieren van haar arm. 'Min of meer, althans.'

Ze zaten nog steeds aan elkaar vast. Het was nu donker in de boot, dus ze kon Ella's gezicht niet goed zien, maar ze had een soort doodsheid in haar gezien vanaf het moment dat ze de revolver had gericht op de vrouw die haar vriendin was geweest.

'Laten we hier weggaan,' drong Dodie aan.

'Denk je dat alles goed zal zijn met haar?'

'Natuurlijk. Ze zal naar het ziekenhuis gaan en daar zullen ze haar verbinden. Ze was in staat om een boot te roeien, dus zo erg kan het niet zijn.' Maar ze hoorde Ella's gemompel van twijfel en dit vormde slechts de weerklank van wat achter haar eigen woorden schuilging. Ze hadden allebei Tilly's gezicht gezien toen ze door de kogel werd geraakt.

'We gaan nu,' zei Dodie resoluut. 'Voordat ze terugkomen.'

'Ik kan het niet.'

'Je kunt het wel, Ella.'

Het was donker aan dek. De uitgestrekte zwartheid onder hen golfde en deinde terwijl de oceaan rond de boot rolde en onder hen gromde. Ze konden de branding horen en de zilte adem ervan ruiken. Buiten op het dek was de lucht fris en pittig na de hitte beneden, maar de maan was nog niet op en de sterren waren niet meer dan vage stipjes in het immense donkere uitspansel boven hen.

'Ik zal je helpen,' beloofde Dodie.

Ze hadden het dek doorzocht op reddingsvesten, maar ze hadden niets gevonden. Dodie telde tot drie. Ze sprongen.

58

Ella

Ella raakte in paniek zodra haar hoofd onder water dook. Haar armen en benen spartelden alle kanten uit, dwongen haar omlaag, en ze sleurde Dodie met zich mee. Haar brein versplinterde. Welke kant was boven? Ze had geen idee.

Haar ogen waren wijd open en toch was ze blind, volslagen blind. Een muur van niets. Ze werd overvallen door doodsangst en haar hart bonsde in haar borst. Niet op deze manier. Ze wilde niet op deze manier doodgaan met iemand die aan haar arm sjorde, haar omlaag trok naar de diepten waar vissen haar tong uit haar mond zouden vreten.

Nee. Ze trappelde hevig. Probeerde adem te halen en voelde hoe het water haar longen binnen stroomde. De schok maakte dat ze slap werd, en ze stribbelde niet meer tegen terwijl ze verder omlaag werd getrokken omdat ze besefte dat dit het einde was. Maar ze was de richting helemaal kwijt. Deze kant was naar boven, en haar hoofd schoot boven het water uit en ze kreeg lucht in haar longen, zodat ze moest hoesten en kokhalzen terwijl een hand haar kin boven de golven hield.

'Dodie!'

'Ik ben hier. Alles is goed. Blijf kalm.'

'Ik heb je bijna laten verdrinken.'

'Denk nou maar aan wat ik je heb verteld.'

Wat had ze haar verteld? Ella had geen idee. Ze trapte met haar benen om te blijven drijven, maar haar spieren begonnen al moe te worden. Ze probeerde lucht te happen maar er sloeg een golf in haar gezicht.

'Ontspan je.' Dodie was naast haar, hoewel ze tegen het zwarte water niet meer kon zien dan de vage contouren van een hoofd. 'Laat mij het werk doen.'

De dingen kwamen weer terug bij Ella. Drongen tot haar door. *We zullen proberen samen met één hand te zwemmen,* en *Ik zal je slepen,* en steeds *Ontspan je. Verkramp niet. De golven zullen niet groot zijn.* Maar ze waren wél groot. Zware, rollende monsters die haar optilden als een kurk en haar naar voren smeten, omverwierpen en weer terugtrokken. Toch begon ze te zwemmen. Dodie deed wat ze beloofd had en trok haar naar voren over de deining van de golven, hield haar boven de toppen wanneer ze oversloegen. Ontspannen, gelijkmatige slagen.

Het was mogelijk. Voor het eerst leek het mogelijk dat ze de kust zouden bereiken. Maar het zwemmen leek erg lang te duren, alsof ze op de een of andere manier waren verdwaald, en Ella begon zich af te vragen of Dodie zich misschien in het donker had vergist. Zwommen ze soms de zee op in plaats van naar het land? Ella voelde haar lichaam kouder worden. Haar geest waziger. Het grote, zwarte gewicht van de nacht lag zwaar op haar schouders, drukte op haar neer, maar Dodie keerde hen allebei kalm op hun rug, zodat ze Ella's hoofd op haar borst kon ondersteunen terwijl ze met haar benen trapte.

Er begon zich een idee in Ella's hoofd te nestelen. Als ze bij de bodem kon komen, haar voeten op het zachte witte zand in de diepte kon zetten, zou ze een deur vinden die ze open kon maken en die haar naar Dan zou leiden. Het idee werd zo sterk dat ze zich zo draaide dat ze rechtop in de zee stond, en ze sloot haar ogen en voelde hoe haar lichaam als een steen begon te zinken. Het zwarte water sloot zich boven haar, en deze keer verwelkomde ze het.

Haar arm bleef omhoog terwijl ze zakte, en toen schopte er opeens een voet tegen haar hoofd en greep een hand haar onder haar arm. Opnieuw werd ze naar de oppervlakte gedwongen terwijl ze het schuim uit haar longen hoestte en de golven zich over haar heen stortten. Naast haar begon Dodie hard te gillen. Het duurde even voor ze besefte dat het niet tegen haar was. Het was naar een licht dat aan- en uitging in het donker.

Hij hield haar in zijn armen. Bij het licht van de zaklantaarn knielde Ella krachteloos in het zand en zag hoe Flynn Hudson Dodie vasthield alsof hij zou ophouden met ademhalen wanneer hij haar losliet.

Het tweetal zei niets, legde hun donkere hoofden slechts tegen elkaar en hield elkaar bij de hand, hecht verenigd. Hij liet haar slechts met tegenzin los toen ze ophield met beven.

Flynn droeg Ella op zijn rug door de bomen naar een auto die op de weg geparkeerd stond. Niemand zei dat de auto van Dan was, of dat de sleutels ervan uit Dans zak moesten zijn gekomen.

'Ik zal de politie bellen,' zei Flynn, met een onderzoekende blik op Ella op de achterbank.

Hij had zijn jasje om haar heen geslagen en Dodie zat naast haar, haar handen te wrijven. Flynn had de handboeien in luttele seconden met een set lopers uit zijn zak open weten te krijgen, en Ella was geschokt te constateren dat ze ze miste toen ze weg waren. Ze voelde zich gedesoriënteerd, losgeslagen. Ze was weg uit de zwarte golven, maar ze was nu alleen. Al haar lichaamsdelen deden pijn op een manier die ze niet voor mogelijk had gehouden, terwijl het verdriet in haar aderen groef en slechts witte snippers achterliet.

Ella deed haar ogen niet dicht.

De koplampen van Dans auto sneden felgele gaten in de duisternis van de buitenwereld, en ze was het liefst door een van die gaten naar hem toe gekropen.

59

Dodie

De auto week plotseling uit en stopte.
'Wat is er?' vroeg Dodie verschrikt.
'Er was daar iets. Onder de bomen.'

Flynn zette de auto in de achteruit en reed snel terug naar een plek waar een opening tussen twee groepjes bomen was. Het was een andere auto. De parkeerlichten brandden, maar de koplampen niet.

'Wacht hier,' zei hij, en hij deed zijn portier open.

'Ik ga mee.' Ze keek even hoe het met Ella op de achterbank was en glipte toen de auto uit.

'Blijf hier, Dodie,' zei Flynn. 'Je bent nat en koud.'

Maar ze schoof haar arm stevig door de zijne en was blij toen hij niet verder protesteerde. Er stond een harde wind die de palmbladeren wild heen en weer joeg en een sterke geur van de oceaan met zich meevoerde. Ze kon het zout op haar tong proeven, en ze voelde de hertshoornvarens langs haar enkels vegen terwijl ze naar de grote zwarte Buick liepen.

'Blijf daar staan!'

Het was de stem van Hector Latcham. Maar het klonk alsof iemand een touw om zijn hals had gedraaid. Flynn ging onmiddellijk voor Dodie staan, maar over zijn schouder kon ze de auto op nog geen twee meter afstand zien staan. De koplampen van hun eigen auto beschenen hem in de omringende duisternis, met vreemde schaduwen die over de motorkap kronkelden doordat de wind de takken van de bomen heen en weer zwiepte. Op de grond, met zijn benen voor zich uitgestrekt, zat Hector tegen het spatbord van zijn auto geleund. Op zijn schoot lag Tilly.

'Blijf staan of ik schiet!'

Dodie greep Flynn bij de arm. 'Laat hem,' fluisterde ze.

Maar Flynn kon dit niet zomaar laten gaan. Hij had te veel met deze man te maken gehad. Tijdens de rit vanaf Portman Cay had Dodie hem een snel verslag gegeven van wat er aan boord van de boot was gebeurd, en ze had zijn woede gevoeld.

Wanneer zou dit eens ophouden?

In het vreemde gele licht leek Hector ziek. Zijn gebruikelijke keurige uiterlijk was verdwenen, zijn haar was verwaaid, zijn huid had een grauwe kleur en zijn lichtblauwe overhemd was besmeurd met paarse vlekken. In zijn hand hield hij een revolver.

'Wat krijgen we nu?' vroeg Flynn, zijn blik op de roerloze gestalte van Tilly gericht. 'Wat doen jullie hier?'

Hector had zijn arm om zijn vrouw geslagen en drukte haar tegen zijn borst, met zijn kin in de donkere krullen van haar haar. Ze zag eruit als een vermoeide pop, want haar ledematen waren zo slap dat Dodies maag ineenkromp. Hij had zijn jasje over haar middel gedrapeerd en de tranen stroomden hem over de wangen.

'Ze is dood,' zei hij.

'Meneer Latcham, ik...' Dodie probeerde naar voren te stappen, maar Flynn hield haar tegen. 'Het spijt me,' zei ze, 'maar het was haar eigen schuld.'

Hij knikte achteloos. Alles aan hem was nu een bleke travestie van de meedogenloze man die haar eerder die morgen had bedreigd en die hen op de boot had achtergelaten om daar te sterven.

'Tilly wilde per se weg,' zei hij, 'om jullie beiden aan boord van het jacht te zien. Ik probeerde haar tegen te houden, maar... Ze was te dronken om achter het stuur te zitten, dus reed ik haar naar Portman Cay, maar ze weigerde zich door mij naar de boot te laten roeien. Ik heb haar gesmeekt. Haar gewaarschuwd. Maar ze wilde Ella persoonlijk spreken. Ze was kwaad om de dood van die politieagent en we kregen ruzie.' Zijn stem brak en hij kuste teder het hoofd van zijn vrouw.

'Meneer Latcham, we zullen onmiddellijk een ambulance bellen.'

'Ze hield van hem, weet je.'

De gele bel licht vervormde Hectors magere gezicht, zodat hij eruitzag als een geestverschijning, nu al afgesneden van het leven, een deel van de schaduwen achter hem.

'Ze hield van wie?'

'Ze heeft altijd van hem gehouden.' De wind rukte aan zijn woorden. 'Vanaf de eerste dag dat ze hem ontmoette.'

'Wie? Sir Harry Oakes?'

Hij uitte een rauwe lach die de vogels in de bomen verschrikt deed klapwieken. 'Nee, de hertog van Windsor natuurlijk, hij is degene op wie ze verliefd was. Hij behekste haar, weet je, met zijn blauwe ogen en zijn infantiele lach en de geur van zijn blauwe bloed. Ze kon het niet verdragen hem ongelukkig te zien. Daarom haatte ze die Wallis en sir Harry. Hun verhouding was een ramp voor de hertog.'

Dodie voelde hoe Flynn verstrakte. 'Je vrouw heeft sir Harry doodgeschoten vanwege zijn verhouding?' zei hij op gedempte toon. 'Niet vanwege het goud?'

'Ach, Hudson, het was allebei.'

Hector hief de revolver, en Flynn wierp Dodie tegen de grond, maar dat was niet nodig. Hector zette de loop van de revolver in zijn mond en haalde de trekker over.

60

Ella

'Er is te veel licht.' Ella deed haar ogen dicht.

'U hebt behoefte aan licht, mevrouw Ella. U zit vandaag de dag veels te veel in het donker. Voelt u zich nou helemaal niet een beetje beter?'

Ze deed de jaloezieën half dicht en de strepen zonlicht vielen rond Ella's voeten terwijl Emerald geduldig met haar handen op haar heupen op een antwoord stond te wachten. Ze was niet van plan Ella nog langer weg te laten komen met dat gezwijg van haar.

'Als u zo doorgaat, kunt u straks uw tong helemaal niet meer gebruiken.' Ze had zojuist een kop thee voor haar neergezet en een stuk walnotentaart dat groot genoeg was voor een olifant. 'Eet nu maar gauw op.'

Ella had genoeg van alle mensen die geduldig tegen haar deden. Dat wilde ze helemaal niet. Dan was nooit geduldig geweest, hij had haar altijd op haar nummer gezet wanneer hij vond dat ze te ver ging.

'Dank je, Emerald.'

Emerald begreep dat ze werd weggestuurd, en ze droop af met een zuur gezicht.

'Ella, wat heerlijk om je weer voor het ontbijt beneden te zien.'

Reggie keek haar stralend aan, en ze zag hoe zijn ogen voorzichtig haar gezicht scanden op zoek naar tekenen.

'Ik zal er voor het ontbijt altijd zijn, Reggie, dat weet je.'

Ze glimlachte over de tafel naar hem, zette zijn favoriete marmelade van Fortnum & Mason klaar op het witte tafellinnen, precies zoals hij het graag had. Ze wilde hem gelukkig maken op alle manieren die haar mogelijk waren. Er waren er zoveel waarop ze het niet kon. Daarom droeg ze nu de gouden schakelarmband met de saffier.

'Fijn.'

Zijn toon tegen haar was tegenwoordig vastberaden opgewekt. Soms hoorde ze zichzelf die toon nadoen, en dan kon ze wel huilen, maar dat deed ze niet omdat hij echt geweldig was geweest. Hij had alles geregeld. De auto's en de lijken waren weggehaald en er waren discrete begrafenissen georganiseerd, zonder schandaal. De politie werd op armlengte afstand gehouden, zoals diplomaten de macht daartoe bezitten. Ella had hem alles verteld, zonder Dan ook maar één keer te noemen. Dat gedeelte had ze weggelaten. Reggie wist dat ze het had weggelaten maar hij vroeg er niet naar, en bij wijze van tegenprestatie ging zij niet naar Dans begrafenis, wat bijna haar dood had betekend. Toen ze klaagde dat Freddie de Marigny nog steeds gevangen werd gehouden voor een misdrijf dat hij niet had gepleegd, had hij haar op de schouder geklopt en beloofd dat deze onrechtvaardigheid zou worden rechtgezet tijdens zijn proces. Ze geloofde hem onvoorwaardelijk.

'Toast?'

Eén woord. Eén simpele vraag. Een man die zijn vrouw voedsel aanbood. Maar ze wisten beiden dat het meer was. Ella richtte haar blik op het gazon dat zich achter hem uitstrekte, op de weelde aan oleanders en zinnia's, en de waterval van vuurrode bougainville, en ze besefte dat nee zeggen tegen de toast onvergeeflijk zou zijn.

'Ja graag, Reggie.'

'Je ziet er vandaag beeldschoon uit, liefste.'

Dit was zo onwaar dat ze ervan moest blozen. In de spiegel kon ze in haar gezicht tien jaren gegrift zien die er voor de dag op de boot niet waren geweest.

Reggie gaf haar het rekje met toast.

'Eet smakelijk, Ella.'

'Dank je.' Met haar ogen nog steeds op de toast gericht, voegde ze eraan toe: 'Ik zal je zo gelukkig maken als ik maar kan, Reggie.'

'Dank je, mijn liefste Ella. Dat doe je altijd.'

Zo beleefd dat het pijn deed.

61

Dodie

'Het goud, Dodie.'

Flynn hurkte neer en zette een vierkant doosje aan haar voeten. Het was een oude koektrommel van Huntley & Palmer, met een foto van de paardenrennen in Derby op het deksel en wat roest-spikkels, als een rossige sneeuwstorm, in de ene hoek.

Dodie keek er ontzet naar. 'Haal dat weg.'

'Wil je het niet zien?'

'Nee, ik wil het niet zien.'

Toch haalde hij het deksel eraf. Erin lag het spul waarvan de dromen van mensen zijn gemaakt, en Dodie was het liefst weggerend, maar ze kon het niet. Ze keek naar de munten die sir Harry Oakes aan Morrell had gegeven om hem af te kopen, en naar het geschitter van deze schat die het oog verblindde en het hart verleidde.

'Ik heb hem precies gevonden waar de Latchams zeiden: op het landgoed van Oakes, begraven op een plek die slechts een man als Morrell kon bedenken.'

'Waar dan?'

'Onder de vijver.' Flynn glimlachte. 'Net zoals de goudmijn van Oakes onder Kirkland Lake ligt.'

Dodie schoot in de lach.

'Morrell was slim,' zei Flynn.

Hij pakte een munt en bood hem haar aan, maar ze wilde hem niet aanraken, dus liet hij hem in zijn zak vallen en deed het deksel weer op de trommel. Ze zaten op het erf van mama Keel. De zon bakte de grond zo hard als beton en een groepje jongens in shorts trapte met blote voeten tegen een rafelige voetbal.

Flynn keek naar Dodie op, van waar hij op de grond gehurkt zat, en nam haar aandachtig op. 'Wil jij dit goud, Dodie?'

'Nee, Flynn. Het is bloedgeld.'

Hij klopte op de trommel. 'Ja, dat is het inderdaad.'

'Ga je het aan de politie geven?' vroeg ze.

Zijn ogen werden groot van vrolijkheid. 'Reken maar van niet.'

'Aan de familie van sir Harry?'

'Die lui hebben al meer dan genoeg.'

Ze zweeg even. 'Ga je het houden?'

Hij fronste zijn wenkbrauwen, alsof hij hier diep over nadacht, maar hij zat haar te plagen. Hij knikte even in de richting waar mama Keel bezig was het wasgoed aan de lijn te hangen. 'Ik ken iemand,' zei hij op gedempte toon, 'die zal weten hoe het moet worden gebruikt.' Hij knikte. 'Sir Harry zou dat een goed idee vinden.'

Ze liepen omlaag naar het strand, waar ze samen door de ondiepe branding liepen, terwijl de hemel een oneindige boog van stralend blauw boven hen vormde. Dodie maakte geen haast om de vraag te stellen die haar op de tong lag, want ze wilde dat dit moment zich zou uitstrekken tot in de toekomst. Ze prentte zich het in als een moment dat ze moest vasthouden. De warmte van zijn arm rond haar middel en de aanblik van zijn lange bleke voeten, als lome vissen die onder de golven zwommen.

Maar ze kon het trillen in de lucht voelen, als de donder boven zee, en ze wist wat eraan kwam. Vanuit de westelijke hemel bulderde een formatie B-24 Liberators. Er waren zeven van deze monsters van Oakes Field opgestegen en ze dreunden over hen heen, jongemannen met spanning in hun hart terwijl ze koers zetten naar de Atlantische Oceaan om daar te patrouilleren. Op elk vliegtuig zat het kenteken-schildje van de Amerikaanse luchtmacht, een donkerblauwe cirkel rond een witte ster, en ze zag Flynns ogen terwijl hij ernaar keek. Ze hoefde haar vraag niet te stellen. Ze kende het antwoord al.

'Je gaat weg.'

Hij keek haar verbaasd aan en glimlachte toen hij de blik in haar ogen zag. 'Je ziet te veel, Dodie.' Hij lachte. 'Je ziet wat er in me zit, nog voor ik het zelf zie.'

Ze ging voor hem staan, terwijl de golven rond hun enkels spoelden, en ze keek hem recht in het gezicht, vol liefde voor alle trekken ervan. Elke welving en plooi onthulde haar voortdurend meer over de persoon erachter.

'De Bahama's hebben hun stempel op je gezet,' zei ze, en ze kuste de lichte goudbruine gloed die zijn wang kleurde. 'Onze zon moet je bewerken, zodat je ons niet snel zult vergeten.'

'Nee, jij bent degene die mij moet bewerken, Dodie.'

Hij glimlachte niet toen hij dit zei, en hij zei ook niet: *Ik zal jou niet snel vergeten.* Maar hij nam haar beide handen plechtig in de zijne en Dodie wist dat de woorden die ze vreesde nu in de zonovergoten morgen naar buiten zouden komen.

'Ik ga weg.'

Het was gezegd. De dag kwam met een klap tot stilstand.

'Sir Harry Oakes en Johnnie Morrell waren mijn vrienden, Dodie. Meer dan vrienden, ze zijn als vaders voor me geweest – in goede en in slechte tijden – en het was om die twee kerels dat ik contact met de mob heb gehouden. Ik heb geen beschadigde long als gevolg van tuberculose. Dat certificaat was door een maffiadokter vervalst om me uit de militaire dienst te houden. Maar nu...' Hij keek omhoog naar de vliegtuigen die nog steeds in formatie vlogen maar in de verte niet meer dan kleine vogels leken. '... is dat alles veranderd. Ik wil een ander leven.'

'Je gaat in dienst.'

'Ja.'

'De landmacht?'

'De luchtmacht.'

Twintigduizend voet niets tussen hem en de grond.

'Je zult er goed in zijn, Flynn.'

'Zelfs de maffia bemoeit zich niet graag met de militaire wereld, dus ik zal daar veilig zijn, maar ik zal voor alle zekerheid de meisjesnaam van mijn moeder aannemen.'

'Hoe luidt die?'

'O'Hara.'

'Flynn O'Hara. Dat is mooi. Ik vind hem leuk.'

'Daar ben ik blij om, dan kunt u er vast aan wennen, want ik kom naar u terug, juffrouw Wyatt, naar u en uw betoverende eiland.'

Dodie voelde hoe de dag opnieuw begon, en ze keek om zich heen naar het zilverachtige strand, naar de lome palmbomen, het zonovergoten blauw van de zee en de lucht, naar alles wat ze hier had, aan deze kant van de zon. Ze wilde het met hem delen.

'Er zijn te veel mensen gedood, Flynn. In Nassau. In Europa. Op plaatsen waar we nog nooit van hebben gehoord, aan de andere kant van de wereld. De dood verandert ons, berooft ons van delen die we nooit terug kunnen krijgen.'

Ze dacht aan Ella en aan het verdriet dat achter haar ogen begraven lag. Ze was drukker dan ooit met haar werk voor het Rode Kruis en ze had Dodie uitgenodigd in haar vrije uren met haar samen te werken, maar ze zag er tegenwoordig uit alsof ze te veel van zichzelf bij Portman Cay had achtergelaten.

En nu wilde Flynn ook de lucht in, waar elke dag vliegtuigen in vlammen werden neergeschoten en de dood een dief werd die op het leven van jongemannen loerde.

'Dodie,' zei Flynn, terwijl hij zijn hand om haar kin vouwde, 'je betekent te veel voor me om een deel van jou te roven. Dat zal ik nooit doen, dat beloof ik.'

'Goed, Flynn O'Hara. Daar zal ik je aan houden.'

Dankwoord

Ik ben zeer veel dank verschuldigd aan mijn fantastische redacteur, Catherine Burke, en aan het geweldige team bij Little, Brown UK. Ze zijn buitengewoon. En dank aan Anne O'Brien en Thalia Proctor voor hun vakkundige kijk op mijn manuscript.

Mijn uitstekende agent, Teresa Chris, hartelijk dank omdat je altijd een wervelwind aan vaardigheid en energie en hartelijkheid bent.

Heel speciale dank aan mijn tweelingzusje Carole Furnivall, omdat je met me mee bent gegaan om de Bahama's te verkennen. Het was alsof we weer tien waren en samen op avontuur gingen. Onvergetelijk.

Enorm veel dank aan de club bij Brixham Writers omdat jullie mijn gejammer hebben aangehoord en mij erom hebben laten lachen.

En dank je nogmaals, Marian Churchward, omdat je mijn gekrabbel tot een prachtig getypt manuscript hebt omgetoverd, en voor de koekjes die je voor me had achtergelaten.

Als altijd, mega dank aan Norman voor een voortdurende aanvoer van inspiratie en koffie, en ook voor zijn onverminderde enthousiasme voor elk boek dat ik schrijf.

Een verhaal over begeerte en goud

$\mathcal{D}$ e reden dat ik graag een verhaal op de prachtige Bahama's wilde situeren, was niet alleen omdat ik zin had in een fantastische researchtrip, maar werd vooral ingegeven door een auto! Niet zomaar een oude auto natuurlijk. Het was een glorieuze, monstrueuze Cord met een gigantische motorkap, die in 1936 in Amerika was geproduceerd.

Meer dan twintig jaar geleden had mijn man een van die prachtige auto's bezeten en via de Auburn-Cord-Duisenberg Car Club ontmoette hij James Leasor, een schrijver die eveneens een Cord bezat en misdaadromans vol actie schreef. Maar Leasor had ook een nonfictieboek geschreven over een vreemd, waargebeurd misdrijf dat hem interesseerde, en ik heb het uit beleefdheid gelezen. Het heette *Who Killed Sir Harry Oakes?*

Ik werd er meteen door gegrepen. In het boek werd het onopgeloste raadsel onderzocht van hoe en waarom een van de rijkste mannen ter wereld op brute wijze in Nassau, op de Bahama's, was vermoord. Het lijk was gedeeltelijk verbrand en met veren bestrooid. Deze moord werd in 1943 gepleegd, toen de hertog van Windsor gouverneur van de Bahama's was, en het onderzoek dat volgde maakte de zaak alleen maar nog troebeler. In het volle zicht van de wereldpers vlogen de verdachtmakingen en beschuldigingen over en weer. Het werd een cause célèbre en het veegde even alle oorlogsnieuws van de voorpagina's.

Het was een uitzonderlijk verhaal, onwaarschijnlijker dan welk bedenksel ook, en het zou me vele jaren bijblijven, ergens in mijn achterhoofd. Toen het vorig jaar tijd werd om een nieuw boek op te zetten, kwamen tot mijn verbazing de vragen over deze geheimzinnige, onopgeloste moord weer bij me boven en raakte ik enthousiast bij het vooruitzicht die verder te onderzoeken. Ik wilde dieper graven, ik voelde me gedreven meer te weten te komen over wat er aan deze tragische gebeurtenis op het paradijselijke New Providence Island vooraf was gegaan.

In de loop van maanden research ontdekte ik dat het een fascinerende draaikolk van mysterie en moord was. Van glamour en schoonheid. Van geheimen en corruptie. En dat het bovenal een verhaal van begeerte en goud was.

Rond deze gebeurtenissen vlocht ik een hartstochtelijk liefdesverhaal, en ik moet erop wijzen dat hoewel een aantal gebeurtenissen en mensen wier naam je wellicht zult herkennen in dit boek voorkomen, het desondanks een verzonnen verhaal is.